HISTOIRES DE MA VIE

Jean Marais

Histoires de ma vie

Avec une Suite poétique
composée de cent quinze poèmes inédits
de Jean Cocteau

AM

Albin Michel

IL A ÉTÉ TIRÉ DE CET OUVRAGE
VINGT EXEMPLAIRES SUR VÉLIN CUVE PUR CHIFFON DE RIVES
NUMÉROTÉS DE I À XX
RÉSERVÉS EXCLUSIVEMENT
À LA LIBRAIRIE SAINT-GERMAIN-DES-PRÉS.

IL A ÉTÉ TIRÉ EN OUTRE ET À LA SUITE SOIXANTE EXEMPLAIRES
SUR LE MÊME VÉLIN CUVE PUR CHIFFON DE RIVES
DONT CINQUANTE NUMÉROTÉS DE 1 À 50
ET DIX HORS COMMERCE NUMÉROTÉS DE HC 1 À HC 10.

LE TOUT CONSTITUANT L'ÉDITION ORIGINALE.

22, rue Huyghens, 75014 Paris

ISBN 2-226-00153-0

« Marais raconte toujours avec exactitude.
Sa mémoire du détail vient de ce qu'il a vécu intensément les minutes dont il garde le souvenir. »

Jean COCTEAU

« Je suis un mensonge qui dit toujours la vérité. »

Jean COCTEAU

1

A Montargis, Jean Cocteau écrivait *Les Parents terribles.* Max Jacob nous y rendit visite. Il fit mon horoscope : « Vous êtes Lorenzaccio, prenez garde à ne pas tuer », écrivait-il; et « prenez garde à ne pas tuer » était souligné deux fois au crayon bleu.

A l'époque, je crus qu'il voulait parler d'emploi théâtral. Plus tard, je me suis rendu compte qu'il avait vu juste. J'étais un Lorenzaccio, et le crayon bleu me sauva d'un meurtre.

Au moment où ce poète me découvrait « Lorenzaccio », je ne l'étais que depuis peu. Pourtant, dès l'adolescence, je m'y étais inconsciemment préparé. Je suivais une ligne qui n'était pas la mienne. Une force incoercible me commandait, que je mettais sur le compte de la coquetterie. Par un besoin de plaire, je cherchais à cacher mes défauts et à maîtriser mes réflexes. Comment y suis-je parvenu? Il m'est difficile aujourd'hui de l'expliquer. J'ai tellement recouvert le « monstre » de qualités volées de droite et de gauche qu'il semble endormi, mort parfois. Je le regarderai dans ses yeux qui sont les miens.

Il y a quelques années, les Éditions de Paris m'avaient demandé d'écrire des souvenirs. J'avais objecté que j'étais trop jeune et que je ne savais pas écrire. Si un livre, *Mes quatre vérités,* a été écrit, signé Jean Marais, il faut retourner le volume pour lire au dos de la couverture : « J'ai aidé Jean Marais à mettre en ordre et en forme ces confidences qu'un tiers avait recueillies. J'ai donc fait très peu pour mettre mon nom sous le titre à côté du sien. J'y ai appris à aimer Jean Marais, à l'admirer plus encore : sa pureté, son zèle, son désir de faire le bien plus que de plaire... Un journal distingué a parlé ironiquement de mon travail. Il répondait par là à certaines critiques que j'avais adressées dans *Combat* au grand écrivain chrétien qui l'anime. Je ne vois pas le rapport. Mais puisqu'on l'a fait, je demande quel cœur est plus près de Dieu, de ce grand homme ou de Jean Marais? »

C'était signé Maurice Clavel, que j'aime et que j'admire.

Les situations fausses, le mensonge remontent bien avant ma naissance : Louise Schnell, ma grand-mère, venait d'Alsace. Elle avait de nombreux frères, de nombreuses sœurs. De ses sœurs, je n'en ai connu que trois : Eugénie, Madeleine et Joséphine.

Louise épousa Modeste Vassord, vint à Paris et eut trois enfants : Albert, Madeleine et Marie-Aline.

Modeste était joueur. L'argent se volatilisait.

Joséphine épousa Henri Bezon. Homme charmant, travailleur, honnête, il devint bientôt le directeur de la compagnie d'assurances où il travaillait, La Providence. Le ménage n'avait pas d'enfant. Joséphine et Henri élevèrent Marie-Aline, la plus jeune des enfants de Louise. Marie-Aline devint Henriette, et bientôt Mlle Vassord devint Mlle Bezon : les situations fausses commençaient.

La fausse Henriette Bezon épousa Alfred Villain-Marais qui se faisait appeler Alfred Marais. Alfred était étudiant vétérinaire. Henriette était dans un couvent; elle voulait se faire religieuse. Henri Bezon la poussa au mariage. Il mourut, quelque temps après, du diabète. Alfred emmena Henriette à Cherbourg où il s'établissait. Tante Joséphine les y suivit. Henriette eut trois enfants : Henri, né en 1909, Madeleine en 1911, et moi, Jean, en 1913, le 11 décembre.

Situation fausse : ma mère refusa de me voir. Madeleine, sa fille, venait de mourir quelques jours auparavant; elle en voulait une autre. J'étais un mensonge; il fallait que je disparaisse.

Louise, ma grand-mère, avait quitté son mari pour venir rejoindre sa sœur et sa fille.

J'ai peu de souvenirs de Cherbourg. Je me souviens d'une grande maison un peu triste, de murs tapissés d'un papier qui imitait le cuir de Cordoue, d'une forge... Attenante à cette maison, il y avait en effet celle d'un forgeron, avec une cour où nous jouions, mon frère et moi. Je sens encore l'odeur de la corne brûlée. Dans ma mémoire, il y a un cheval à bascule, une voiture automobile pour enfant, cadeau de parrain Eugène (ce n'était pas mon vrai parrain, le vrai était mon frère). Devant la maison, la place d'Yvette, immense à mes yeux d'enfant (elle nous était interdite), la montagne du Roule, petite colline grise à laquelle je prêtais tout le mystère que je souhaitais. Mon souvenir se décore aussi de tessons de bouteilles sur une pauvre plage, de mon costume de velours bleu marine à col d'Irlande, avec tout le cérémonial qui l'accompagnait : mes cheveux roussis au fer, mes brûlures aux oreilles, le stick que je laissais tomber tous les deux mètres... Et comment oublier les réprimandes de ma mère, qui m'emmenait voir Pearl White au cinématographe?

De tout cela, sans nul doute, est née ma vocation. J'étais amoureux de Pearl White, blonde sans reproche. Je rêvais de faire le même métier qu'elle. Mes nombreuses poupées que j'appelais Pearl White me servaient de partenaires comme mes soldats de plomb pour jouer *Les Mystères de New York,* que je réinventais aux dimensions de ma chambre d'enfant.

Pour Cherbourg, ma mère était « la Parisienne ». Son maquillage, si léger fût-il, choquait. Ses robes à la dernière mode, ses talons hauts, ses parfums – et même les bains qu'elle donnait à ses enfants –, scandalisaient. Ce ne sont pas là, certes, mes propres souvenirs, mais ceux que ma mère nous racontait, à mon frère et à moi.

Entre 1914 et 1918, j'eus toutes les maladies qu'un enfant peut attraper : coqueluche, rougeole, scarlatine, abcès aux oreilles, bronchite, et la grippe espagnole par-dessus le marché. On appelait cette grippe « espagnole » pour ne pas prononcer le mot de *peste* qui aurait affolé la population. Les médecins m'avaient condamné : on plaçait un miroir devant mes lèvres pour voir si je respirais encore. Ma mère exigea une certaine piqûre. « Ça le tuerait », dit le médecin. « Puisqu'il doit mourir de toute façon, répondit ma mère, je ferai cette piqûre moi-même. » Elle réclama l'ordonnance, que le médecin donna, et ma mère me fit la piqûre. Elle avait pris ses responsabilités. De 41, la fièvre tomba à 36. « Je l'ai tué », dit ma mère en larmes. « Vous l'avez sauvé », dit le médecin.

Je raconte cet épisode pour expliquer le caractère de ma mère. Cette femme avait une passion pour ses deux enfants.

Elle m'a raconté aussi un voyage infernal qu'elle fit avec moi de Cherbourg au Havre pour consulter un spécialiste, lorsque j'avais des abcès aux oreilles. C'était la guerre, et se procurer une voiture était presque une gageure.

Ma mère était à la fois sévère et juste, douce et rude, enjouée et grave, élégante et belle, plus belle que Pearl White. Quant à mon père, je le connus peu puisqu'il partit à la guerre en 1914. A son retour, j'avais cinq ans. Lorsqu'il est revenu, j'étais, paraît-il, à ce que m'a raconté ma mère, à cheval sur un saint-bernard. « Ton père a voulu t'en faire descendre, et tu as dit : “ Qu'est-ce que c'est que ce grand idiot qui vient m'embêter? ” Il t'a giflé. Alors j'ai décidé de partir avec toi et ton frère Henri. J'ai emmené avec nous ma tante et ta grand-mère. »

Le jour du départ, ma mère avait voulu donner de l'éclat à la rupture. Elle illumina toute la maison. Le drame fut pour moi un Opéra en fête. La féerie se poursuivit dans un wagon-salon qui roulait vers Paris.

Un faux oncle, mon faux parrain, était commissaire spécial à la gare maritime de Cherbourg; il nous faisait voyager gratuitement dans ce décor qui n'existe plus, je crois, que pour les présidents de la République. Mon faux oncle s'occupait des voyages présidentiels. Nous étions tous réunis : ma mère, ma grand-mère, ma grand-tante, mon frère et moi.

Cela finit pour moi dans une loge de concierge. Mme Boulmier, la concierge, était une amie de Berthe Collot, et Berthe Collot était une amie de ma mère – amie et son souffre-douleur. Maman, ma grand-mère et tante Joséphine s'étaient installées à l'hôtel en attendant de trouver une maison. On nous avait confiés, mon frère et moi, à l'amie Berthe qui, n'ayant pas assez de place pour nous deux, me prêta à la concierge. J'y suis resté le temps de devenir son ami, celui de son chien Gamin, et de m'éprendre de sa fille Fernande qui avait neuf ans de plus que moi. Je décidai que je deviendrais son mari et je lui suis resté fidèle jusqu'à quinze ans. J'avais oublié Robert, du même âge qu'elle; leurs fiançailles avaient l'air plus sérieuses que les miennes, et cela me rendait furieux. « Tant pis, me disais-je pour me consoler, j'épouserai maman. »

Ma mère venait me voir. Ces braves gens la recevaient avec autant de chaleur et d'égards que Marie-Antoinette aurait été reçue par des paysans royalistes, pendant la fuite à Varennes.

Mon admiration et mon amour pour ma mère augmentaient chaque jour. C'était aussi fierté et orgueil de ma part : rien ne me semblait plus beau, plus merveilleux que cet être brillant, parfumé. Ma mère était tendre. J'aimais me réfugier dans ses bras, baiser la base de son cou blanc dont le parfum mélangé à celui de sa poudre me bouleversait. J'aimais aussi à étreindre le bas de sa robe d'où pointaient de petits pieds chaussés de cuir assorti au tissu du vêtement.

Lorsqu'elle s'en allait, tout sombrait. Même Fernande ne pouvait me faire sourire.

Enfin, ma mère vint me chercher définitivement. Quitter Fernande, Mme Boulmier, Berthe et son fils Robert, provoqua une crise de larmes. Mais je partais avec maman, au bras de maman, en taxi! Mes larmes furent vite séchées. Nous allions prendre le train. C'était l'aventure!

2

Ma mère avait loué au Vésinet une affreuse maison en meulière (je disais « en molière »...) dont la tourelle me transportait. Dans le jardin, un bassin de trois mètres, entouré de faux rochers, me semblait immense comme la mer. Un château! Nous habitions un château. Ma mère était princesse, peut-être la fiancée de Dieu. La vie s'organisait. Les deux aïeules se partageaient le travail. Pas de serviteur. Étrange pour le château de Dieu. Tante Joséphine s'occupait du rez-de-chaussée, de la lessive, du déjeuner, du marché et d'Henri, mon frère; ma grand-mère, du premier et du second étage, du dîner, du repassage, de la couture et de moi.

De cinq à sept heures, elles jouaient au jacquet. Le jacquet, pour moi, c'était le signal que je n'aurais plus longtemps à attendre le retour de ma mère. Je vivais dans cette attente, tout en jouant comme les autres enfants. Mais, de cinq à sept, mes jeux étaient un peu différents : caché sous le grand tapis de la table de la salle à manger, ou, l'hiver, accroupi devant la salamandre, je m'enfermais dans un monde où j'avais, seul, le droit de pénétrer : j'y retrouvais des amis et des ennemis que j'étais seul à connaître. Alors, je restais immobile jusqu'au moment où j'avais l'impression que mon corps s'amincissait à tel point que si j'avais fait l'effort de remuer et de prendre mon poignet entre mon pouce et mon index, mes deux doigts se seraient touchés à travers ma chair. Sensation à la fois douloureuse et euphorique. En même temps, j'entendais, j'épiais la conversation du jacquet. Je devinais une sorte d'inquiétude au sujet de ma mère, et cette inquiétude me pénétrait. Je n'essayais pas de la chasser, bien au contraire. Je la supportais jusqu'à ce qu'elle devînt presque intolérable. Sous le tapis de la table, je pleurais et m'observais pleurer, et je goûtais avec une sorte de plaisir le sel de mes larmes.

Ma mère arrivait. J'entendais : « Tu es en retard! Nous étions inquiètes. Pourquoi nous fais-tu des peurs pareilles? » Et je sortais de mon tapis.

C'était une joie sans pareille, une fête, et chaque soir au retour de ma mère, je l'embrassais comme si, telle Pearl White dans *Les Mystères de New York,* elle était passée par mille dangers, avait franchi d'insurmontables obstacles pour nous rejoindre.

Chargée de paquets, ma mère faisait de ses retours un Noël quotidien. Quelquefois, on nous permettait, à mon frère et à moi, d'ouvrir les colis. Quel éblouissement! Des desserts, des primeurs, des vêtements pour nous et nos deux gentilles vieilles. Il y avait encore d'autres choses que ma mère emportait dans sa chambre bleue. Tout était bleu dans la chambre de ma mère : rideaux, fauteuils, tapis, dessus de lit, tentures, etc. Décor bleu pour meubles 1900 faux Louis XV.

Maman redescendait pour le dîner. Ma princesse ressemblait à Cendrillon avant le bal : vieux peignoir troué, délavé, raccommodé de pièces disparates. Le repas, excellent, se composait généralement d'un plat et de nombreux desserts.

« J'ai vu Eugène; je lui ai dit qu'il devait bien cela aux enfants... » (Eugène, mon faux parrain). Cette phrase est toujours restée dans ma mémoire. Ma mère racontait sa journée ou ce qu'elle pouvait en dire : « A la poste : " C'est malhonnête! " – " Vous dites? " Le receveur sort sa tête du guichet et répète : " Malhonnête! " Je l'ai giflé. Cela a fini au commissariat; Eugène a tout arrangé. »

Ou bien encore : « J'allais rater mon train, je courais, je me cogne à un homme qui me crie : " Sale grue! " J'ai répondu : " Grue peut-être, mais pas sale. "

– Maman, qu'est-ce qu'une grue? »

Maman m'explique : « C'est un oiseau très beau, très élégant. » – « Oh! ben, alors, t'aurais dû être contente! »

Mon grand bonheur était de dormir dans le lit de maman, comme tous les enfants j'imagine. Je crois qu'elle aussi en était heureuse. Elle m'y acceptait souvent, mais ce que j'aimais surtout, c'était le droit à la salle de bains, le matin avant son départ.

Cette salle de bains était sans pareille. Elle se situait en face de la chambre bleue, de l'autre côté du couloir qui menait à la chambre de ma tante, au-dessus du petit bureau qui nous servait quelquefois pour l'étude, mais surtout de remise à jouets. Elle donnait sur l'arrière du jardin par une seule fenêtre qu'on avait du mal à atteindre tant la pièce était encombrée. Un grand meuble du XIXe, genre commode de toilette, prenait beaucoup de place. Dans ses tiroirs : des boîtes de fer, des cartons remplis de voilettes, de chiffons, de pierres ponces, d'épingles à cheveux, de ficelles de toutes sortes, de toutes les couleurs et de toutes les tailles, des journaux qui servaient à éprouver la chaleur des fers à friser, des fers à friser de toutes les dimensions, des bonnets de bain, et mille autres choses, rimmel, poudres, etc. En outre, elle était surchargée d'objets hétéroclites : cuvette dépareillée de son broc cassé, porte-savon de tous les styles avec des savons de couleurs et de marques différentes, bâtons de rouge à lèvres, verres à dents, brosses par dizaines, utilisables ou inutilisables, brosses à cheveux neuves, vieilles ou jaunies, etc.

Au milieu de la pièce, une table à pétrole ronde dégageait une odeur fascinante : des bouillottes d'eau chaude y gardaient leur chaleur; des casseroles blanches de calcaire attendaient d'être employées; un réchaud à gaz sur une étagère de bois était chargé d'autres fers à friser. Il y avait aussi une baignoire grise sans revêtement; un linoléum, à terre, cassé, percé. Sur les murs sans ton, d'innombrables punaises soutenaient des ficelles auxquelles étaient accrochées des serviettes désassorties. Tout ce bric-à-brac répandait une odeur indéfinissable – mélange de gaz de pétrole, de papier brûlé, de poudre, de cheveux roussis, et de parfum de Guerlain. Oui, j'oubliais les parfums, de toutes les marques, de toutes les tailles. J'oubliais encore de grandes étagères sur lesquelles étaient cloués de vieux rideaux destinés à dissimuler des peignoirs de bain sans couleur.

Assis sous ces rideaux, à même le pauvre linoléum, j'assistais à la métamorphose.

Grand privilège qui me remplissait d'une joie étrange! Le maquillage terminé, la coiffure faite, c'était le moment où ma mère choisissait ses bijoux. Elle devenait idole, et je rêvais d'accrocher moi-même les boucles d'oreilles, les colliers, les bracelets, de lui mettre ses bagues. On me permettait quelquefois de suggérer la robe, et j'étais très heureux, très fier quand mon choix était accepté. Enfin venait le tour du chapeau, de la voilette, des gants.

Cette salle de bains sordide devenait la grotte cachée de quelque fée alchimiste, un laboratoire nécessaire à la création, à la beauté. Cendrillon était prête pour le bal. Je l'accompagnais jusqu'à la grille du jardin. Chaque départ me bouleversait. Elle allait prendre son train à la gare du Pecq, situation fausse jusque dans les petits détails de notre vie puisque nous demeurions au Vésinet.

Parfois maman nous emmenait, le jeudi généralement. Tout était joie : le voyage en train de banlieue, la gare Saint-Lazare, les taxis, le cinéma surtout!

Mes films favoris étaient des films d'épouvante ou héroïques; mes acteurs : Pearl White, Douglas Fairbanks, Mary Pickford, Nita Naldi. Pourtant, mon vrai bonheur était de rester au côté de ma mère, heureux et fier des regards, des têtes retournées sur son passage – et pas un seul instant jaloux.

Souvent, nous allions voir mon faux parrain dans son bureau de la gare Saint-Lazare où il était à présent commissaire spécial.

Parfois, nos visites n'avaient aucun objet précis; mais d'autres fois elles avaient un caractère forcé; on nous amenait de force au commissariat, par exemple, lorsque mon héroïne avait voyagé sans billet ou refusé de le donner, sous le simple prétexte que le contrôleur ne portait pas de gants blancs; ou bien parce que ma mère avait giflé quelque pauvre gars, si malchanceux qu'il devait encore lui faire des excuses devant le commissaire.

Mon frère ne savait plus où se mettre tant il était gêné. Moi, j'exultais. Maman semblait avoir tous les droits; elle ne ressemblait à aucune autre mère. Pourquoi? Parce que ma mère était l'amie de Dieu, peut-être sa femme, peut-être sa mère... Sa mère..., – mais alors j'étais peut-être, oui, j'étais peut-être Dieu. Sinon pourquoi serais-je moi?

Je m'imaginais entrant dans un cinéma un jour de semaine et non pas un jeudi; il devait n'y avoir personne puisqu'on ne m'attendait pas; je giflais un receveur d'autobus, en pensée et, à mes yeux d'enfant se croyant Dieu, que pouvait-il lui arriver d'autre que de voir le receveur d'autobus tomber en cendres?

« Si tu étais Dieu, tu le saurais, me disais-je. Non, tu as voulu passer de longues vacances en vivant la vie d'un homme et tu as donné des ordres, personne ne doit te le dire. C'est le jeu de Dieu; je m'amuse à être un enfant d'homme. La date de mon retour doit être décidée à l'avance. »

On me mit externe à l'école chrétienne du Vésinet, mon frère au collège de Saint-Germain-en-Laye. Tante Joséphine, très pratiquante, intrigua. Je devins enfant de chœur. J'étais le plus jeune, les cheveux coupés à la Jeanne d'Arc. De cet emploi j'aimais surtout le costume, mais je trouvais étrange d'être le serviteur du prêtre qui me servait sans s'en douter puisque j'étais Dieu.

Je compris bientôt que j'étais déjà venu sur la terre une fois. Pas étonnant que j'aie voulu finir ma première vie par un drame. Cette fois encore, je préfère les histoires qui finissent mal et les films d'épouvante.

A la maison, mes parents n'aimaient pas que je reçoive des garçons de mon âge. Les visites de mon faux parrain Eugène s'espaçaient de plus en plus. En revanche, venait de temps en temps une autre personne, un faux oncle, lui, Jacques de Balensi. Grand, brun, élégant, il se disait cousin de Saint-Granier. Si l'on demandait ce qu'il faisait, il répondait, à la manière de ma mère : « Des affaires. » Nuance : lorsqu'il venait, je n'avais pas droit à la chambre bleue.

Berthe Collot aussi venait avec son fils et Fernande Boulmier, ma fiancée de la porte des Lilas. Nous jouions au croquet où ma mère était championne. Ces jours-là, elle ne se déguisait pas en pauvre comme lorsque nous étions seuls. Elle portait une ravissante robe bleue, dite d'intérieur, bordée de petites boules de bois recouvertes du même satin que la robe.

Elle se livrait souvent à des farces : pour effrayer Berthe elle s'affublait en cambrioleur, et pour la gêner, se travestissait en tante Madeleine arrivant de Strasbourg. Berthe se prêtait aussi à ces plaisanteries : par exemple, elle se laissait attacher sur un paillasson et dévalait sur le dos l'escalier devenu toboggan, ou encore, ligotée sur une charrette suisse, se laissait emmener ainsi jusqu'à la gare.

Dans ses farces, ma mère n'apportait aucune mesure. Tout y passait : les fantômes, la pluie dans la chambre de Berthe à l'aide de tuyaux d'arrosage; son linge blanc, qu'elle avait étendu après la lessive dans le potager, teint en jaune. La pauvre Berthe tremblait, hurlait, pleurait, et on riait, on riait! Et Berthe disait : « Que va-t-elle faire encore? c'est la dernière fois que je viens »; puis elle revenait et attendait et espérait.

Petite, maigre, presque laide, fripée avec de bons yeux tendres, elle adorait ma mère qui était son contraire. Ma mère lui donnait des robes, des chapeaux, des sacs, des ceintures, des bijoux de pacotille. Je crois qu'elle l'aimait aussi tendrement, mais s'amusait d'elle comme d'un jouet. Son jeu parfois ne manquait pas de cruauté : une de ses farces alla jusqu'à maquiller son fils Robert en mort. Elle l'avait étendu sur le lit de Berthe, une bouteille de faux poison sur la table de nuit.

Ces exemples me furent néfastes. Moi aussi, j'ai voulu faire « ma » farce. Un après-midi où je m'étais introduit dans la chambre de ma tante, je trouvai ses bijoux. Je les pris, j'allai sous la tonnelle et à coups de marteau je fis voler en éclats toutes les pierres, toutes les perles; puis je remis les montures aplaties à la place où je les avais trouvées. On crut à de la méchanceté, à une vengeance, et même bien des années après quand, homme, je racontais cette histoire devant ma mère, jamais elle n'a admis que je ne voulais faire qu'une farce.

Bientôt, nous quittions le Vésinet pour Chatou. Nous nous appelions Morel. Ma mère, interrogée, me dit que mon père devait nous rechercher, et qu'il fallait nous cacher. Changer de nom, d'endroit, m'exaltait. Je ne regrettai guère la tourelle, le bassin. Et puis, on me mettait demi-pensionnaire à Saint-Germain dans le collège de mon frère. Je devenais un grand.

La maison de Chatou était moins laide, mais sans cachet particulier; carrée, d'un faux style Louis XIII, entourée d'un jardin. L'intérieur était composé d'un salon, d'une salle à manger où l'on se tenait le plus souvent. Cuisine, petit bureau. Au premier, la chambre de ma grand-mère au débouché de l'escalier; à côté, celle de ma mère, invariablement bleue. La salle de bains en face, puis la chambre de ma tante. Au second, une chambre pour mon frère et pour moi. (Nous couchions à présent dans le même lit.) Deux greniers, un petit et un grand. Les mêmes meubles, les mêmes tentures que dans la maison précédente; les mêmes départs le matin, les mêmes retours avec les mêmes angoisses.

Nous étions deux de plus : un chat noir et une chienne louve, Kargay.

Ma mère était sévère, mais juste.

Nous ne pouvions savoir qui de mon frère et moi elle aimait le plus.

Elle nous enseignait à vaincre la peur. Nous étions en effet tous les deux peureux, Henri et moi. Je tremblais de descendre à la cave. Il m'arrivait de hurler de peur lorsque le grenier, près de notre chambre, grinçait. Avant de nous coucher, nous regardions sous le lit, dans les armoires, de crainte d'y trouver quelqu'un caché.

Ma mère nous enseigna aussi la justice et le courage : à ne pas gémir d'une blessure, à ne pas broncher sous un traitement même atroce, par exemple l'application des cataplasmes qu'elle administrait à nos bronchites. Enfin à ne pas dénoncer, à nous laisser punir par erreur sans révéler le vrai coupable. Alors, elle nous récompensait. Il m'est arrivé d'en profiter d'une façon indigne : lorsque j'étais puni au collège, j'affirmais que c'était à la place d'un camarade. Ce mensonge n'était pas toujours cru, mais ma mère faisait semblant de le croire. Je n'y avais pas recours souvent; je le réservais pour des cas graves. Elle nous apprit encore la solidarité dans le malheur. Si elle privait mon frère de dessert, je devais lui donner la moitié du mien, et inversement.

Sans peur, sans bassesses visibles, sans crainte de la douleur, j'étais un chef de bande rêvé. Je le devins au collège. Un vrai petit monstre à visage d'ange. Je mentais, je volais. Je volais tout ce que je pouvais voler, partout. Dans les poches, les cartables, les bureaux, aux vestiaires. Même dans les sacs de grand-mère ou de ma tante. Jamais dans ceux de ma mère. Je volais la plupart du temps des objets inutiles que je jetais pour éviter d'être interrogé chez moi.

Une fois, après avoir volé une boîte de peinture, inutile puisque je ne peignais pas, je me suis mis à peindre.

J'organisais des bandes dont j'étais le chef. Je payais mes mercenaires en réglisse, en roudoudou et autres articles que l'on achetait chez le concierge du collège. J'y dépensais des sommes folles que j'avais surtout puisées dans le sac de ma tante, un sac en toile noire, la plupart du temps accroché au portemanteau qui précédait la salle à manger. En passant, je plongeais mon bras dans le sac et je prenais un billet. Je ne savais jamais d'avance ce que j'allais tirer. C'était une loterie, en quelque sorte. Hélas! lorsqu'il n'y avait que peu de billets, ma tante s'en apercevait. Dans la crainte que le voleur n'ait été mon frère, elle ne disait rien. Henri était devenu son favori, comme moi celui de ma grand-mère. Ma tante se contentait de cacher son sac. Nous le trouvions toujours, je dis « nous », car je sus qu'Henri opérait de la même manière. Ne sachant plus où le cacher, ma tante le mit un jour dans le fourneau de la cuisine; elle l'oublia et fit brûler son sac avec l'argent.

Ma tante était la « riche de la famille », grand-mère, la pauvre. Rentière, ma tante travaillait à la maison comme une domestique.

Ma mère apportait de l'argent qui provenait de ses « affaires ». A nos vêtements, à nos jouets, aux robes, aux fourrures, aux bijoux de ma mère, nous avions l'air de ne manquer de rien. Pourtant, jamais de serviteurs, jamais de visites, sauf les vieux amis dont j'ai déjà parlé.

Mes notes du collège étaient mauvaises. On me retira de Saint-Germain pour me mettre à Condorcet. Je prenais tous les jours le train pour Paris. J'y rencontrai mon troisième amour. Je m'aperçois que j'ai négligé de parler du second. Le premier avait été Fernande, le second fut la fille du gardien de l'usine à gaz qui n'était pas loin de notre maison du Vésinet. Elle était de deux ans plus âgée que moi et s'appelait Carmen.

Mon troisième amour – celui du train – s'appelait aussi Carmen. J'avais douze ans, elle en avait quinze. J'étais du genre amoureux timide et transi. Je n'osais que me serrer contre elle grâce aux trop nombreux voyageurs, la raccompagner ou lui écrire des mots que je glissais dans son sac. Un jour, la police sonna à notre porte. Carmen avait été arrêtée sur le boulevard de Clichy. Ils cherchaient son souteneur, avaient trouvé une lettre de moi avec mon adresse. Ils venaient m'arrêter. On me montra. Je crois qu'ils doivent en rire encore!

A Condorcet, cela n'alla pas mieux. J'avais eu la géniale idée de présenter deux carnets de notes, l'un avec les notes véritables, c'est-à-dire très mauvaises que je signais à la place de mes parents, l'autre avec des notes allant de 18 à 20 que je signais à la place des professeurs et que je donnais à ma mère.

Tout alla bien jusqu'au jour où je fus consigné pour mauvais travail. Ma mère indignée décida de faire un scandale.

Ne pouvant plus entrer dans un lycée puisque j'étais renvoyé de Condorcet, mon faux oncle Jacques de Balensi fit un certificat selon lequel il était mon précepteur et affirmait que jamais de ma vie je n'avais fréquenté une école!

Ainsi entrai-je à Janson de Sailly, comme pensionnaire pour me punir. C'était en réalité une récompense tant ce certificat plaisait à mon orgueil.

Ma seule tristesse était de ne voir ma mère que le jeudi et le dimanche. J'avais treize ans. Très en retard dans mes études, j'entrai en sixième où, pour la première fois, on a plusieurs professeurs. Le premier jour, à chacun d'eux je me présentai sous un nom différent. Bien entendu, on s'en aperçut très vite. Je fus puni, mais je devins un héros pour les camarades qui flattaient le cancre et le chahuteur. Ce milieu de Janson, fils de riches, quel danger pour ma mythomanie et mes impostures!

Mon frère, lui, était resté au collège de Saint-Germain. Impossible donc de contrôler mes mensonges : mes parents devenaient très riches, apparentés aux Cassagnac afin de paraître de descendance noble; nous possédions quatre châteaux, dix voitures, de nombreux serviteurs. Une fois, ma mère, qui venait me chercher tous les jeudis, téléphona au proviseur qu'elle ne viendrait pas. Elle avait eu un accident de taxi. Le proviseur vint m'en avertir en pleine classe; il parla de « voiture ». Cela confirmait d'un coup mes histoires, mes Hispano, mes Delage, mes Delahaye, mes Voisin.

Aucune inquiétude pour ma mère. La mère de Dieu : invulnérable.

J'inventais encore qu'elle était actrice. On me demandait : « Où joue-t-elle? » Je répondais : « A la Comédie-Française. » Je ne connaissais aucun acteur de ce théâtre et pensais que mes camarades étaient dans mon cas.

Mes professeurs et les surveillants m'aimaient bien et ne demandaient qu'à me prendre pour leur favori. « Chouchou du professeur », j'étais perdu auprès de mes camarades. Il me fallait donc chahuter comme un forcené pour décourager leur sympathie.

Un jour, je me suis confié au professeur de français qui m'avait interrogé avec une gentillesse que j'ai prise pour de l'amitié. Je lui avouai que je voulais être acteur de cinéma. Le lendemain, en pleine classe, il m'apostrophe : « Monsieur Marais, en attendant d'être une étoile... » Je me lève, je sors sans un mot. De l'année entière, je n'ai remis les pieds dans sa classe.

Je passais l'heure de français à jouer à cache-cache avec le surveillant général. J'avais inventé un jeu. Pour quelques-uns de ma bande, ce jeu consistait à se faire mettre à la porte d'une classe et, tous ensemble, à fuir le surveillant général qui avait consigne de ne laisser traîner aucun élève dans les couloirs. Les renvoyés des classes devaient aller en permanence, ou aligner des lignes comme les jours de colle. On lui criait de loin « Hou! hou! », pour l'attirer et on se dispersait dans les escaliers, les dortoirs ou les WC où nous fumions des cigarettes de toutes les couleurs. Je ne redoutais que la consigne du jeudi ou du dimanche qui me privait de ma mère.

Un jeudi, mon faux oncle vint me chercher à sa place. « Ta mère est en voyage, elle ne veut pas que tu sois privé de cinéma, je la remplace », me dit-il. Le cinéma! J'aimais le cinéma, mais avec ma mère à mes côtés – ma mère dont je tenais la main dans le noir.

– Elle ne m'a pas parlé de ce voyage.

– Ta mère l'ignorait encore hier; elle ne restera pas longtemps absente.

– Où est-elle?

– A Beausoleil, dans le Midi de la France.

J'avais de la peine. Un chagrin que je refusais de laisser voir à Jacques. Elle ne m'avait pas prévenu. La première fois qu'elle manquait à sa parole. Ma mère m'adorait, nous adorait, mon frère et moi. Quel motif l'avait obligée de partir? Je ne connaissais aucun parent, excepté mes bonnes vieilles.

– C'est pour affaires,... oui, pour affaires.

– Mais qu'est-ce qu'elle fait, maman? Elle ne me l'a jamais dit exactement.

– Des affaires : elle est courtière en fourrures.

Jacques m'emmena au cinéma, puis m'offrit à goûter et me ramena à Janson.

Il avait été merveilleux, plus tendre encore qu'un père ne l'eût été. Au lycée, pas un mot de ma mère. Le samedi soir, tante Joséphine vint me chercher. (Je devais dire quelques jours plus tard que c'était ma bonne, car je trouvais cette gentille aïeule trop peu représentative.) Je m'étais à peu près bien conduit pour ne pas être collé au cas où ma mère serait de retour. Pas de lettre à la maison!

On me permit de lui écrire, ma tante se chargerait de mettre la lettre à la poste.

Ce dimanche n'avait plus de sens. J'étais seul, perdu. Je repartis pour Janson le cœur serré. Ma conduite fut exemplaire tant j'avais peur d'être collé le jeudi ou le dimanche où ma mère serait là.

C'est Jacques qui revint me chercher le jeudi suivant.

– Tu as des nouvelles de maman?

– Oui, elle va bien, malgré un petit accident à sa main qui est dans le plâtre. Elle ne peut pas écrire.

Il me prit la tête pour m'embrasser tendrement. Je lui étais reconnaissant de sa bonté et participai à sa peine d'être lui aussi privé de ma mère. Après le cinéma, il m'emmena goûter à l'hôtel Terminus de la gare Saint-Lazare, son quartier général. Des amis à lui jouaient aux cartes. Il me présenta : « Le fils de Maryse. » Un nouveau nom de ma mère que je ne connaissais pas!

On me fit fête. On me trouvait beau, « joli comme une fille », dit Jacques. Pour moi, qui voulais jouer le dur à Janson, cette remarque me fit un curieux effet. Je pardonnai parce que tous ces gens parlaient de ma mère avec admiration et qu'on trouvait que je lui ressemblais.

Jacques me reconduisit à Janson avec des cadeaux de toutes sortes : friandises, crayons de couleur, stylo, revolver à amorces, sans compter de l'argent de poche qui me permettrait de rivaliser de générosité avec mes camarades. Je ne puisai plus dans le sac de ma tante qu'une fois par semaine.

Ce soir-là, je ne retrouvai pas les photographies de ma mère. Je fis un scandale. Un camarade, en me tendant les photos, me dit : « C'est ta mère? je croyais que c'étaient les photos d'une actrice. » – « Elle est actrice, et c'est ma mère. » J'en voulus à ce garçon parce qu'il avait trouvé que ma mère ressemblait à une actrice! Je m'endormis comme toutes les nuits avec ses photos sous le traversin. Je pleurais. J'aimais pleurer pour elle.

Jacques revint me chercher le jeudi suivant. Pearl White n'était plus à l'affiche. Il m'emmena au cinéma de la Madeleine voir *Ben Hur*. Je découvris Ramon Novarro que je n'ai plus cessé d'aimer à tel point que j'en ai voulu à Charles Huston de l'avoir remplacé, trente ans après. Pendant le film, Jacques me regarda souvent. Il disait lire sur mon visage toutes les péripéties du film. Le premier film sonore que je voyais. J'en étais ébloui. Jacques me dit que bientôt les films seraient parlants. J'en fus désespéré et priai le ciel pour que cela ne fût pas. Je voulais être acteur de cinéma muet. Et tout ce qu'on nous apprenait au lycée me paraissait inutile pour le devenir, excepté la gymnastique et la récitation.

Nous fûmes ensuite, comme d'habitude, à l'hôtel Terminus. Mais avant de goûter, il devait aller chercher des papiers qu'il avait laissés dans sa chambre. Je l'accompagnai. Dans la chambre, il m'embrassa sur le front et me fit asseoir sur le lit. Il ne chercha rien dans sa chambre, resta debout devant moi, calme, silencieux, détendu. Il me regardait avec un demi-sourire. Sa main, en me faisant asseoir, n'avait pas quitté la mienne. Je le regardai sans comprendre. Mes yeux interrogeaient les siens; il m'embrassa les cheveux. Je pensai qu'il avait quelque chose de grave à me dire. Il ne pouvait s'agir que de ma mère. Sa tête restait dans mes cheveux, ma main toujours dans la sienne. C'était interminable, insupportable. Son bras se replia doucement et ma main dirigée par la sienne le toucha. Sa main continuait de diriger la mienne pour le caresser. Il me regardait à présent et lisait dans mes yeux l'absence de toute crainte. J'étais seulement étonné et curieux. Il lâcha ma main quelques instants pour la reprendre. Il n'avait presque plus à la conduire lorsqu'elle fut soudainement inondée.

Il m'embrassa sur la joue comme il le faisait habituellement, me donna une tape amicale, alla dans la salle de bains et revint avec une serviette m'essuyer la main que je tenais tendue d'un air embarrassé.

Il m'embrassa de nouveau. « Tu ne diras rien à ta mère ni à personne? » Je ne répondis pas.

De retour à Janson ce soir-là, je n'ai pas embrassé la photo de ma mère. Je ne pleurai pas non plus sous mes couvertures.

3

Un samedi, ma mère m'attendait au parloir pour m'emmener. Elle était plus belle, plus élégante que jamais. Son poignet ne gardait pas de trace de cassure, fin, racé comme ses mains. Et toujours de nombreux paquets. A la maison, des cadeaux pour mon frère et moi.

Le lendemain, elle jouait avec nous aux gendarmes et aux voleurs, à cache-cache, au croquet. Elle était jeune, belle, insouciante comme un enfant. Elle se déguisait encore : faux nez, binocles, voilettes, vieilles robes de tante Joséphine, et on riait et elle était heureuse!

Dure épreuve que le retour au lycée. Pourtant j'avais de bons camarades. Les meilleurs étaient Malrai et Guyot dont le père fabriquait les pastilles du même nom. Il nous en donnait des boîtes. J'avais une surprise pour eux : un vrai revolver que j'avais chipé à mon frère; on appelait ce genre d'arme, je ne sais pourquoi, « pistolet cycliste ». Je préférais revolver. Cette arme presque inoffensive l'était encore moins puisqu'elle ne contenait pas de balles. Dire « vrai revolver » nous grisait. Les revolvers à amorces, qui faisaient beaucoup plus d'effet dans nos jeux, nous semblaient dérisoires. Guyot, pour me l'acheter, me proposa en échange cinquante boîtes de pastilles et je ne sais quoi encore. Je finis par accepter. Notre accord était que je lui donnerais le revolver lorsqu'il pourrait me donner les goudrons.

Le lundi suivant, nous allions aux douches avec notre dortoir. J'aimais cette atmosphère : la vapeur, l'odeur très particulière, la sonorité de cette salle grise où chaque tonalité semblait sortir d'une caverne. Je m'y attardais le plus longtemps possible. J'étais toujours en retard dans mon habillement. Je me pressais pour rattraper mes camarades lorsqu'un pion me dit : « Ton lacet! » Je le nouai à la hâte et m'apprêtai à repartir. Il ressemblait à Jacques, ce pion. Il me prit doucement par l'oreille. Il souriait et me dit : « Viens. » Il me tenait l'oreille doucement, mais si fermement qu'aucune résistance n'était possible. Il me conduisit devant une cabine de douche, dont il ouvrit le rideau. Là, je vis, complètement nu, un autre pion. Il n'était pas beau malgré la lumière tamisée de vapeur. Le premier me regardait en riant. Le second avait l'air heureux de mon étonnement qu'il prenait pour de l'admiration. Je devins rouge vif. Celui qui m'avait pris par l'oreille se contenta de me demander de ne rien dire et me laissa filer.

Je n'ai rien dit. Pourtant le petit monstre en profitait. Sous leur surveillance, je sortais, je rentrais, je fumais, je parlais sans qu'on me fît la moindre observation. Un jour, ce pion me prit à part :

« Marais, un de vos camarades vous a dénoncé parce que vous possédez un vrai revolver. J'ai peur que ce soit au surveillant général. Si c'est vrai, confiez-moi votre arme; je vous la rendrai samedi lorsque vous irez chez vos parents. » J'ai cru à je ne sais quel chantage. J'ai nié avoir cette arme. J'en ai parlé à Guyot. « L'échange ne marche plus », lui dis-je. « L'échange marche toujours, me répondit-il. Donne-moi ce revolver. Si on te fouille on ne trouvera rien. Je t'apporte les pastilles lundi. »

Je le lui remis.

Appelé chez le surveillant général, j'emprunte auparavant le revolver à amorces d'un de mes copains. « Marais, vous avez un vrai revolver. » – « Je n'ai qu'un revolver à amorces. J'ai fait croire aux autres que c'était un vrai. » – « Donnez-le-moi. » Je le lui donne. « Merci, retournez en classe. Pourtant, si vous m'avez menti je serai obligé de vous mettre à la porte du lycée. »

Un peu plus tard, on m'appelle de nouveau chez le surveillant général. « Marais, vous m'avez menti. J'ai montré le revolver à amorces. Votre camarade est formel, ce n'est pas celui-là. Ce n'est pas avec un revolver à amorces que vous jouiez dans la cour, mais avec un vrai. J'exige que vous me le remettiez. » – « Je n'ai jamais eu de vrai revolver. »

Je croyais vivre un de ces films que je voyais le jeudi. J'étais Al Capone aux prises avec la police. Le surveillant général tout à coup portait perruque et robe rouge. Je le regardais dans les yeux.

« Marais, j'ai interrogé votre meilleur ami, Marlai. Il m'a tout dit. » – « Marlai n'a rien pu vous dire. Je n'ai jamais eu de vrai revolver. » – « C'est bien, vous pouvez partir. »

Le surveillant général alla trouver Marlai :

« Marais m'a tout dit. Donnez-moi ce revolver. » Marlai le crut. « Ce n'est pas moi qui l'ai, dit-il, c'est Guyot. »

Janson ne m'a pas chassé. C'est un lycée à trop bonnes manières. « Si vous ne partez pas, nous serons obligés de... »

Je restai encore quelques jours, le temps que le lycée demande à mes parents de venir me chercher.

Ces quelques jours étaient chamboulés par le départ de Nungesser et

Coli pour l'Amérique. On ne faisait plus rien que se passer des coupures de journaux qui parlaient de ces deux héros. La nuit du vol, aucun surveillant ne pouvait nous faire rentrer dans les dortoirs. Les pions eux-mêmes étaient excités; ils comprenaient et pardonnaient notre attitude. Chacun de nous devenait Nungesser ou Coli. Le lendemain, tout le lycée refusa de croire à un échec ou à la disparition d'êtres aussi exceptionnels. Une tristesse générale régnait au lycée. Mon départ passa inaperçu. On me remit demi-pensionnaire à Saint-Germain.

J'ai continué mes exploits. J'avais même importé mon jeu de cache-cache avec le surveillant général. Mais je gardais un inexplicable sens de la justice. Je parlais, je criais pour qu'on me renvoie de la classe jusqu'au jour où le professeur d'anglais me renvoya par erreur. Je n'avais rien commis de répréhensible. Je refusai de sortir. Ce professeur était, paraît-il, un ancien boxeur; j'en fis la dure expérience. Il m'arracha du sol, me tint soulevé quelques secondes, me remit au sol et me poussa vers la porte. J'ai épousseté les endroits de mon costume qu'il avait touchés. Le pauvre homme a vu rouge. Son coup de poing m'envoya à terre, le nez en sang. Je me suis relevé, et m'approchant de lui je murmurai méchamment : « Vous n'aviez pas le droit, vous serez renvoyé. »

Rentré à la maison, je n'ai rien dit, peut-être pour lui, sûrement pour moi. Je craignais une correction maternelle.

Ma mère nous battait rarement. Quand elle le faisait, c'était avec un manche de plumeau à la fois dur et flexible, douloureux en tout cas. Depuis que mon frère avait mis cinq pantalons les uns par-dessus les autres pour se protéger d'une rossée éventuelle, elle nous frappait à nu.

Je ne me croyais plus Dieu. J'étais odieux, surtout hors de la maison. Paresseux, vaniteux, hautain, coléreux, prétentieux, voleur à tel point que la direction du lycée avait fait remplacer les serrures par des serrures Yale, méchant avec les pauvres professeurs ou de pitoyables pions qui ne le méritaient pas. Par exemple, je courais très vite et, en courant, je me faisais un croche-pied à moi-même. Projeté dans les jambes du pion, celui-ci roulait à terre, se relevait couvert de poussière, quelquefois déchiré, et c'est lui qui me demandait si j'avais mal, croyant à un accident. Il était surpris de voir mes camarades rire aux éclats et les grondait. Il s'appelait Boudoule. C'était un brave homme.

Une autre fois, dans un escalier où nous montions en rang, uniquement pour provoquer le désordre, pour faire rire et embarrasser le professeur, je suis tombé à la renverse, en feignant un malaise. Ma première cascade : le cabot naissait. Je croyais mes camarades pleins d'admiration. M'admirait-on? Je ne le crois pas. Pourtant la cour de récréation s'était partagée en deux camps qui se livraient bataille à qui m'aurait pour chef. Dans le camp des vainqueurs il y avait un étudiant d'Afghanistan, Abol, plus âgé que nous, fils d'un ministre de son pays. Il faisait ses études en France. Ce jeune homme recherchait mon amitié. La loge du concierge n'avait rien d'assez bien pour me faire plaisir. Le lundi, il m'apportait des cadeaux de Paris où il avait une chambre. Invité par lui, j'y suis allé un dimanche. Je le trouvai changé. Son comportement était différent de celui qu'il avait habituellement au collège. Il devenait si tendre, si caressant que je pris la fuite. Cependant, le lendemain je le reçus très amicalement comme d'habitude. Son amitié me flattait, j'aimais plaire. Est-ce un défaut ou est-ce une qualité de vouloir plaire? Ces pages pourront peut-être déplaire, en tout cas, elles sont écrites par besoin de justice. Jeune, je n'attachais de l'importance à la justice que vis-à-vis de moi. La justice pour les autres me préoccupait moins. Quand je regarde en arrière, je constate que j'étais « l'injustice ». Il naît tous les jours des malades, des infirmes, des êtres sans intelligence ou sans dons. D'autres pleins de santé, beaux et doués. Bientôt, on reprochera à un méchant d'être méchant, à un criminel son crime. Un bossu peut-il se remettre droit? Un méchant ne peut pas plus se rendre bon, à moins qu'il ait le don de se juger et de se corriger. Mais cette force lui a été donnée avant sa naissance; il ne peut pas l'acquérir s'il n'en a reçu le don.

Un jour, je me permis, au cours d'un déjeuner, de dire à un professeur de chirurgie – nous parlions d'un fait divers – que pour moi il n'y avait pas de criminels, mais seulement des malades. Il m'approuva et m'expliqua qu'en touchant certains points particuliers du cerveau on pouvait changer le caractère d'un être.

L'enfant que j'étais voulait plaire. Pour plaire, il joua le brave afin de cacher sa peur. Il méprisait ses camarades peureux, il voulait se défaire de ce handicap. Je commençai par descendre à la cave de notre maison, qui me terrorisait; j'entrais la nuit dans le grenier sans lumière; je plongeais de dix mètres à la piscine du Pecq. Je montais sur des toits, sur des murs où, sans spectateur, je m'obligeais à marcher en équilibre. Du même coup cela me corrigea du vertige.

Ce que je redoutais le plus : le ridicule. Un camarade me raconta qu'il avait trois voitures et dix domestiques. Je me reconnus. Il bluffait comme je bluffais. Je le trouvai ridicule. Je l'étais donc aussi. De ce jour, je décidai de dire la vérité. Je commençai par mentir d'une autre façon. De ma famille bourgeoise et modeste je fis une famille pauvre. J'avais mal, pourtant j'en éprouvai une certaine jouissance.

Dès cet instant je m'attaquai à tout ce qui pouvait me paraître laid en moi. Non par morale mais par coquetterie, pour plaire. De la même façon que les femmes emploient le maquillage. Je pensais que bien des gens feraient l'impossible pour paraître beaux physiquement, et qu'il était au pouvoir de tous de le paraître moralement.

Ce ne fut pas facile; le « monstre » se rebiffait, ruait, manifestait. En outre, mon auréole de chahuteur, de dur, s'évaporait. On me provoquait.

J'avais pour camarade un doux et gentil garçon, effacé et bon, Germain, dont je devinais la très bonne influence. Nous devînmes inséparables. De mauvaises langues parlèrent d'amitié particulière. Le « monstre » revenait et corrigeait.

Je corrigeai un autre gars qui me dit, un jour, que ma mère était une voleuse. Il fallut nous arracher l'un de l'autre. Cette fois, j'avais eu envie de tuer. Peut-être avait-il voulu dire que j'étais un voleur, moi. Peut-être avait-il commencé sa phrase pour en amener une autre. Il n'en eut pas le temps.

D'ailleurs, je ne volais plus. Je m'étais guéri, sans le vouloir, de la façon que voici : un jeudi, j'avais été à Paris. Je désirais un blouson de daim; j'entrai dans un grand magasin et le volai. J'ai eu si peur, si mal au ventre, que je comprends l'expression du « milieu » : « Ça f'rait mal au ventre. » De plus, je ne pouvais sortir de chez moi avec ce blouson. Je craignais que mes parents ne m'interrogent. Bref, il me fallait des ruses de Sioux pour le porter. J'en fis cadeau, et je n'ai plus volé.

Ma paresse était plus difficile à secouer. Malgré tout, je faisais quelques progrès; je prenais goût au travail. Je commençais à m'intéresser à autre chose qu'à la récitation et à la gymnastique. (J'avais toujours eu le premier prix dans ces deux disciplines.) La récitation, parce que le cinéma parlant faisait son apparition, la gymnastique, parce que j'avais de bons muscles, parce que c'était indispensable à mon auréole de chahuteur.

A la maison, ma mère ne s'était pas aperçue du changement, puisque, avec elle, le « monstre » se faisait ange. D'autre part, ni tante Joséphine ni ma grand-mère n'avaient parlé des vols. Mon frère ne se gênait toujours pas de puiser dans le sac noir à présent rapiécé.

Ma mère continuait à nous emmener chaque jeudi à Paris. Nous y faisions des courses, des essayages, avant d'entrer dans un cinéma. Elle ne payait jamais les places. Elle présentait une carte de mon faux parrain où elle avait écrit elle-même : « Veuillez avoir l'amabilité de faire placer ma femme et mes enfants »... Elle avait signé Eugène Houdaille. Ces cartes, sur lesquelles était gravé : « Attaché au ministère de l'Intérieur », servaient aussi à nous sauver de catastrophes.

Un jour de mi-carême, ma mère nous fit monter, masqués, chapeautés, gantés, dans un taxi. « Rue des Haudriettes », dit-elle au chauffeur. Elle allait acheter des confettis en gros, car elle trouvait que les petits sacs du commerce n'étaient pas suffisants pour nous. « Arrêtez là, dit ma mère au coin de la rue des Haudriettes, et attendez-moi. » Elle nous laissait dans le taxi. Un sergent de ville se précipita : « Circulez, dit-il au chauffeur, vous n'avez pas le droit de stationner ici. » – « Vous resterez là, dit ma mère avec autorité au chauffeur. C'est moi qui paie, pas la police. » Et elle s'en va. « Oh! s'écrie le sergent de ville, bourrique! » Et il attend le retour de ma mère, sans doute pour lui demander ses papiers.

Elle revient, et avant que le sergent de ville ait eu le temps de lui dire quoi que ce soit, je dis : « Maman, il t'a appelée bourrique. » – « Comment? » – « Il t'a appelée bourrique. » Elle le gifle.

On se retrouve au commissariat du quartier. Ma mère reste très calme tandis que le sergent de ville hurle son explication. Le commissaire demande les papiers de ma mère qui tend une carte de mon faux parrain : « Voici la carte de mon mari. »

Le commissaire : « Il aurait dû être flatté d'être giflé par une aussi jolie dame. Tenez-vous à ce qu'il ait un blâme? »

Ma mère, généreuse :

« Non, qu'il me fasse seulement des excuses. »

Quelle belle journée pour le petit monstre! Je jetai mes confettis avec extase. Ma mère en jetait elle-même, riant et jouant avec nous comme si elle avait eu notre âge.

Un certain jeudi, nous faisions toilette pour les distractions parisiennes. Ma mère était dans sa salle de bains hantée : coup de sonnette à la porte du jardin. Remue-ménage. Tante Joséphine affolée. Conciliabule entre ma mère, ma grand-mère et ma tante. On nous écarte. Tante Joséphine retourne à la porte, discute avec des hommes à qui elle n'ouvre pas. Ces hommes attendent au dehors. Ma tante revient, parle avec ma mère, fouille dans les tiroirs de sa chambre, monte au grenier, en redescend avec de vieilles robes, de vieux chapeaux, des vieilles chaussures. Pendant ce temps, ma mère met un de ses faux nez de mi-carême, se maquille comme pour une composition de théâtre : elle dessine des rides sur une peau qu'elle a rendue grise. Elle s'est lavé les yeux, a mis des sourcils épais et bruns, une perruque de tante Joséphine qu'on appelait « transformation ». Elle met des bas de coton noir, de vieilles chaussures à talons plats, une robe usée et presque longue, un manteau du même genre, un chapeau désuet auquel elle ajoute une voilette, prend un cabas. Elle s'apprête à partir.

Apercevant ma mère ainsi déguisée, j'éclate de joie : « Berthe va venir? Dis, maman, Berthe va venir? » – « Oui, je vais la chercher à la gare, je serai tante Madeleine », me répondit-elle en riant. « On va bien s'amuser. Tu es formidable, maman, tu pourrais être actrice. » – « Oui, dans le temps, je voulais être actrice. Ne me trahissez pas, gardez votre sérieux. »

Maman partit avec son cabas. Elle ressemblait peut-être à une de nos tantes ou bien à je ne sais quelle étrange domestique ou gouvernante de curé. Elle passa devant les hommes qui attendaient devant notre maison et s'éloigna d'un pas tranquille.

Ces hommes restèrent très longtemps devant la porte. Ma tante allait de temps en temps causer avec eux. Elle finit par les laisser entrer à la fin de la journée. Ils pénétrèrent dans la maison qu'ils visitèrent, puis ils partirent. Ce soir-là, maman n'est pas rentrée et Berthe n'est pas venue. Elle resta quelque temps absente.

Mon frère âgé de dix-huit ans flirtait avec Simone, jeune fille du Vésinet chez laquelle il m'emmenait quelquefois. Les parents de Simone avaient une très belle propriété, ou qui semblait belle à mes yeux d'adolescent. Nous jouions, nous goûtions chez eux. Simone avait de nombreux frères et sœurs. Elle était trop gentille avec moi. Cela déplut à Henri qui, de retour à la maison, me donna une raclée et m'interdit de remettre les pieds chez son amie.

Il ne courait pourtant aucun risque : j'étais amoureux de la sœur d'un de mes camarades de Saint-Germain, Papillon. Son père était français, sa mère anglaise et sa sœur, Odette, la plus jolie petite fille que j'aie jamais rencontrée. Ils habitaient comme moi Chatou, mais une maison plus luxueuse. Un seul point noir : mes parents ne me permettaient pas de leur rendre leurs invitations.

Bien vite, j'appris mes jeux à mes amis, c'est-à-dire à rejouer des scènes de films que j'avais vus. Nous répétions des scènes d'amour. C'était merveilleux d'avoir dans mes bras une vraie fille plutôt que les garçons du collège. Comme il ne m'était pas permis de l'embrasser, c'était son frère qui jouait les amants. Moi, je n'étais que le mari trompé. Était-ce de rage ou d'amour, je pleurais à chaudes larmes. J'eus la sottise, au collège, de parler de mes aventures féminines : Carmen, Simone, Odette. Hélas! cela vint aux oreilles de Papillon, nous nous sommes fâchés et je n'ai plus eu le droit de revoir Odette.

Je retournai voir Carmen, ma petite amie de l'usine à gaz. Elle avait grandi et était devenue très jolie. Je n'aimais pas l'odeur de cette pièce, mi-cuisine mi-salle à manger, où elle me recevait. Un mélange de graisse et de lait caillé. Je l'emmenai dans les bois des alentours. Elle me demanda brusquement si j'avais déjà été amoureux. « Oui », dis-je en pensant à l'autre Carmen et surtout à Odette. « Tu as fait l'amour? » — « Non », répondis-je, honteux. — « Moi, oui, avec un ouvrier de l'usine. Il a vingt ans; il est beau, bien fait. » Et elle me raconta dans les moindres détails sa prouesse, décrivant son partenaire minutieusement. Carmen avait seize ans; j'en avais quatorze, et je tremblais de n'être pas aussi « musclé » que l'ouvrier de vingt. « Je vais t'apprendre », me dit-elle. Je ne pris pas les leçons de Carmen. Je pris la poudre d'escampette, prétextant l'heure tardive.

Je ne l'ai jamais revue.

4

Ma mère m'emmena un jeudi au théâtre. Je ne me souviens plus du titre de la pièce ni du nom des vedettes. Je crois que l'une d'elles se nommait Loulou Hégoburu. A moins que ce ne soit le titre du spectacle : Loulou et Goburu.

Sur la scène, un couple. Leurs personnages s'appelaient Rosalie et Chabichou. Peut-être bien que cette opérette s'intitulait « Rosalie »? J'étais émerveillé du spectacle, et bien après être sorti du théâtre, j'étais encore avec Rosalie. Je pressai ma mère très fort, je l'embrassai et, comme dans la pièce, je lui murmurai : « Tu m'aimes, ma Rosalie? » Pour jouer le jeu, maman me répondit : « Je t'aime, mon Chabichou. » Dès lors, je n'ai plus cessé d'appeler ma mère Rosalie. Le nom lui est resté jusqu'à la fin de sa vie. Souvent, je chantais, imitant l'opérette :

Rosalie! Elle est partie.
Si tu la vois, ramène-la-moi...

« Tu chantes faux! » criait ma mère. Honteux, je me taisais. Ma mère chantait juste, elle. Elle était aussi très bonne comédienne. Elle chantait souvent à la maison. Dans le petit salon Napoléon III, meublé de faux Boulle Louis XIV noir, incrusté de nacre, que je trouvais affreux, que je trouve toujours affreux d'ailleurs, tout était assorti : rideaux, fauteuils, tapis rouges. Une bibliothèque du même style, fermée à clef pour que mon frère et moi ne touchions pas aux livres reliés. Pourtant, les Walter Scott me faisaient bien envie. Je me vengeais en montant au grenier où des caisses de livres m'attendaient. Je lisais n'importe quoi. Je tombai un jour sur un titre étrange : *Bijou de ceinture.* Son auteur était, je crois, Soulié de Morant. Je rencontrai plus tard ce médecin acupuncteur qui soignait Jean Cocteau et Jean Cocteau me parla de son livre. Mes parents auraient mieux fait de me laisser abîmer les reliures de Walter Scott. Ce livre traitait de l'éducation sexuelle des petits

Chinois destinés au plaisir d'adultes raffinés. Je parlai d'autant moins de ma découverte qu'on me défendait de fouiller le grenier. Là, je trouvais, comme dans tous les greniers du monde, toutes sortes de prétextes à mes jeux : de vieux rideaux, des tapis, de vieilles lampes. Je transformai ma chambre après m'être emparé de ces trésors. Je devins tour à tour tapissier, décorateur, menuisier, couturier. Un de mes amusements favoris était de me confectionner des déguisements avec tous les chiffons que je pouvais ramasser.

Quand ma tante ne me voyait pas jouer dans le jardin, elle montait dans ma chambre et me découvrait au milieu de mes trouvailles. « Qui t'a permis de prendre ça? » Elle appelait ma mère qui riait; et on me laissait me métamorphoser en Zorro, en corsaire ou en Pearl White.

Ma tante ne se fâchait que lorsque j'avais ouvert les malles qui contenaient les fantastiques robes de sa jeunesse. Il y avait aussi la robe de mariée de maman. Ces robes, je les mettais tour à tour, incarnant pour moi tout seul les héroïnes des romans que j'avais lus. Je dus enfin ranger les robes de ma tante. Ma mère m'autorisa à garder sa robe de mariée.

Bientôt, je me mis à confectionner moi-même des robes et des costumes que je croyais dignes du théâtre. Grand-mère m'apprenait à les couper, à les coudre. Alors mes déguisements voulaient sortir de la maison, et je demandais à faire les courses. « Tu ne vas pas sortir comme ça! », disait ma tante. « Laisse-le, si ça l'amuse », répliquait ma grand-mère. Et je partais sans aucune honte chez le boulanger, chez le boucher où j'avais l'habitude d'aller. Quelle joie quand je constatais qu'on ne me reconnaissait pas!

Je pensai même aller trouver des metteurs en scène de cinéma, persuadé que je serais engagé. Après l'engagement, je leur aurais dit : « Eh bien, je suis un homme », et ils auraient répondu : « Vous êtes un grand acteur. »

Il fallait sans doute un toupet extraordinaire, de l'inconscience, du cabotinage pour me conduire ainsi. Lorsque nous allions à la messe, le dimanche, nous traversions toute l'église pour gagner nos places, et cette traversée était pour moi une épreuve. On nous regardait. J'avais envie de fuir, tant j'étais intimidé. Je me disais timide, je me croyais timide. Je découvris que cette timidité n'était qu'orgueil. Ces gens ne devaient pas me regarder et j'imaginais, moi, qu'on ne pouvait faire autrement que de me regarder.

La messe m'emplissait de joie. Ma mère chantait. Une voix pure, nette, bien placée, sans tremblement. On se retournait pour essayer de l'apercevoir. J'entendais chuchoter derrière moi : « Quelle belle voix...! » — « Peut-être un peu trop théâtrale », répondait une pimbêche.

A la sortie, je me précipitais dans les bras de Rosalie. Je voulais que tout le monde sache que c'était ma mère. Nous repartions vers la maison comme deux amoureux. Ma tante suivait avec les colis du repas.

Un soir, ma mère, sans m'avoir prévenu, ne rentra pas. Je sentais ma grand-mère, ma tante et mon frère très inquiets. Une sorte de désespoir se lisait sur leurs visages. On m'envoya au lit. Impossible de dormir. Je me levai plusieurs fois pour aller vérifier si elle était dans sa chambre. Sa porte était ouverte, la pièce était sans lumière. J'approchai doucement jusqu'à son lit : il n'était pas défait. Je revins me coucher. « Qu'est-ce que tu fais? » dit mon frère – nous dormions dans le même lit – et il ajouta : « Elle ne rentrera pas, elle est en voyage. »

Je pleurai. Pourquoi ne m'avait-elle rien dit?

Le lendemain, mes aïeules me le confirmèrent. « Henri a raison, ta mère est en voyage. » Je restai près de la salamandre « mon amie », et je pleurai dans les poils de Kargay, la chienne, qui avait l'air de me comprendre.

Je passais mes jeudis dans une cabane du jardin, ancien garage à bicyclettes. J'avais aménagé cette cabane comme une petite maison : un vieux matelas y tenait lieu de lit; j'avais fabriqué des rideaux ainsi que les meubles à la mesure de cet endroit si exigu que mes deux bras tendus pouvaient en toucher les murs de bois, et il fallait courber la tête pour y pénétrer. J'avais un fourneau à alcool, de la vaisselle gagnée à la fête foraine. Je mangeais des goûters que je confectionnais à base de poudre de chocolat.

Que de pleurs j'ai versés dans ce lieu! Lorsque je sentais ma crise se calmer, je trouvais le moyen de la faire éclater de nouveau en récitant quelques poèmes appris par cœur ou des mots sans aucun sens. Je devenais le grand acteur que je rêvais d'être.

Cela finissait généralement par une scène d'amour que je faisais véritablement avec moi-même.

J'entendais ma tante me chercher. Je m'habillais à la hâte. « Mais qu'est-ce que tu fais là-dedans toute la journée? » – « Rien, je joue. »

Enfin, une lettre. On me la donne. « Il n'y a pas d'enveloppe? » – « Non, elle m'était adressée. Ta mère a mis les deux lettres dans la même enveloppe. Ce n'est pas la peine de payer deux timbres. »

J'aurais tant aimé avoir une lettre pour moi tout seul, mais ma tante était avare. Rosalie se moquait d'elle souvent à ce propos.

J'allai lire la lettre dans ma cabane. C'était une lettre tendre : « Une affaire soudaine et très importante autant qu'imprévue m'a obligée de partir. Cette affaire est difficile, il faut que je sois sur place. Je resterai quelque temps absente. Sois sage, travaille bien par amour de ta Rosalie qui t'aime, etc. » C'était signé M.-L. Vassord.

Je répondis une lettre désespérée, une lettre d'amour. Je demandai l'adresse : « Donne-moi ta lettre, je la mettrai dans la même enveloppe

Pour Cherbourg, ma mère était « la Parisienne ».
Son maquillage, si léger fût-il, choquait.
Ses robes à la dernière mode... scandalisaient, 1911
Photo Pierre Petit

Ma mère était tendre.
J'aimais me réfugier dans ses bras, 1914

Mon père, ma mère, mon frère et moi. 1918

On me trouvait beau, « joli comme une fille ».
Pour moi, qui voulais jouer le dur à Janson,
cette remarque me fit un curieux effet.
Jean Marais à 13/14 ans
Photo Charl

que la mienne. » Les maudites économies! J'aurais été si heureux d'écrire l'enveloppe et de la poster moi-même.

A chaque lettre, c'était la même déception. Pourquoi ma mère était-elle si longtemps absente, car un an s'était passé depuis son départ. Que me cachait-on? Elle n'était pas partie avec Jacques, puisque celui-ci venait de temps en temps à la maison. Ma tante, ma grand-mère allaient souvent à Paris, alors qu'elles s'y rendaient fort peu avant le départ de Rosalie. Mon frère, lui, avait quitté le lycée. Ma tante lui avait trouvé une place à La Providence, la compagnie d'assurances de son mari. Il aurait dû s'y faire une bonne situation. Un jour, il revint à la maison plus tôt que prévu. Il était pâle et défait. « J'ai eu une crise d'épilepsie », dit-il. Il voulut raconter comment, mais il fut pris de tremblements et expliqua : « Je ne peux pas vous raconter parce que si je vous raconte, j'ai peur d'en provoquer une autre. Je ne veux plus retourner à La Providence; jamais; je ne le pourrai pas... »

Nous étions bouleversés. On le réchauffa, on le coucha. Ma tante qui l'adorait se cachait pour pleurer.

– Maman va revenir, dis-je avec espoir.

– Non, ta mère ne reviendra pas.

Ma tante avait répondu brutalement, comme si elle avait voulu me faire taire.

Mon frère descendit dîner. Mais au moment de boire il reposa son verre et déclara : « Je ne pourrai plus boire dans un verre, c'est en regardant le fond d'un verre dans lequel j'allais boire que ça a commencé. »

Henri tremblait. Son visage grimaçait. Il renversa sa chaise en se levant. « Henri! Henri! » hurla ma tante. Henri tomba et se tordit sur le sol. Il avait l'air de se débattre contre des forces invisibles. Sa tête cognait contre le parquet, tandis que ma tante et ma grand-mère essayaient de le maintenir pour qu'il ne se blesse pas contre la salamandre brûlante. Ma tante, à la hâte, avait mis son chapeau, son manteau, et partait chercher un médecin. Moi, je restais terrifié dans un coin de la pièce, n'osant ni m'asseoir ni dire un mot. Je ne savais que répéter : « Henri, Henri... »

Ma tante revint bientôt avec le médecin qui n'habitait pas loin de chez nous. « Ce n'est pas une crise d'épilepsie, dit-il; il ne bave pas, c'est une crise nerveuse. Est-il né aux fers? » – « Oui », dit ma tante.

Le médecin prescrivit le gardénal qu'il prendra jusqu'à la fin de sa vie, gâchée par cette perpétuelle angoisse de la crise. Plus tard, les crises s'espacèrent et disparurent enfin. Henri prenait toujours son gardénal. Nous pensions qu'il n'en avait plus besoin. D'accord avec un pharmacien on mit dans des tubes de gardénal un produit inoffensif. Il eut de nouveau des crises.

Je ne pouvais admettre que ma mère ne fût pas revenue, sachant mon frère malade. Essayant de comprendre, je fouillai toute la maison en cachette de mes deux gentilles aïeules. Je ne respectai même pas le tabou Rosalie. J'ouvris ses tiroirs, son armoire. Ce que je dérangeais, je le remettais en place avec soin afin qu'on ne puisse pas s'apercevoir de mes recherches. Soulevant du linge, je tombai sur un revolver à barillet. Ma mère avait un revolver. Comme Pearl White. Je refermai l'armoire à glace et je me vis l'arme à la main. Je visai mon reflet. Puis je jouai au suicide. Je mis le revolver sur ma tempe. Je pensai tout à coup qu'il pouvait être chargé. Je regardai : il l'était de six balles. Quel dommage, je ne pourrai pas appuyer sur la détente! Si j'enlevais la balle qui est en face du percuteur, je pourrais tirer sans crainte. Je le fais, j'enlève cette balle sans savoir qu'en appuyant sur la détente le barillet va tourner et que c'est une autre balle qui va partir. A présent je peux jouer. Je me regarde dans la glace. Je suis désespéré, je pleure, je murmure des adieux déchirants, je monte le revolver vers ma tempe. J'appuie sur la détente. Elle est si dure que je n'arrive pas à la faire jouer. Je dis : « Rosalie ». J'appuie plus fort, le coup part. Le tonnerre à mes oreilles, un bruit de verre cassé. Je tremble, je grelotte. Est-ce l'instinct qui m'a fait légèrement décoller le revolver de ma tempe? Est-ce l'effort pour tenir l'arme droite? Je ne sais, mais me voilà tout tremblant devant un carreau étoilé, regardant le dossier d'une chaise brisé par la balle. Ma grand-mère et ma tante arrivent affolées, m'arrachent le revolver des mains. « Jean! qu'est-ce que tu as fait? » – « Rien, je jouais. » – « Mais pourquoi as-tu fait cela? Qu'est-ce qu'on t'a fait? Parle, on ne te dira rien, mais parle, je t'en supplie, parle!... »

Ma tante et ma grand-mère sont en larmes. Je me rends compte qu'elles croient que j'ai voulu me tuer. Je me tais. Je descends à la salle à manger. Comme toujours, je me réfugie dans mon coin habituel, celui de la salamandre. Le petit monstre refaisait surface. Je devenais très intéressant. Un enfant qui a voulu se tuer. Rosalie reviendrait peut-être.

Elle est revenue.

Joie, délire, rires, pleurs. Je n'en pouvais plus de l'embrasser. De nouveau, je serrais avec volupté la vieille robe de chambre de maman, en pilou rouge toute rapiécée, qui m'avait tant manqué. Je mettais mon nez dedans; je m'enivrais de ce parfum indéfinissable. Même en Cendrillon, ma Rosalie était la plus belle du monde! Son petit nez très légèrement retroussé, juste assez pour lui donner encore plus de charme. Le bleu de la mer devait paraître gris à côté du bleu de ses yeux. J'embrassais ses mains, ses bras, son cou. Je voulais embrasser tout ce que j'avais dit que j'embrasserais pour terminer mes lettres. La joie me donnait des ailes et aussi le goût de l'aventure et du risque.

J'avais demandé à ma mère de me retirer du collège; j'étais en seconde. Je ne croyais pas au bachot; je voulais être acteur. Rosalie commençait à s'inquiéter de mon obstination. Mon frère avait souhaité tous les métiers : scaphandrier, pompier, cambrioleur, médecin vétérinaire, et ma mère me donnait en exemple : « Jean, lui, est fidèle à son idée. Pourtant, il est plus jeune que toi, etc. » Mais le moment était venu où il fallait accepter mon choix et cela ne l'enthousiasmait pas d'avoir un fils courant après le cachet. Elle me demanda de rester encore un an au collège et me promit de m'en retirer ensuite. Mais le « monstre » jouait des coudes. Mes déguisements n'avaient encore servi à rien.

Pour les pensionnaires du collège, le jeudi était réservé à la promenade. Ils allaient au camp des Loges, en pleine forêt de Saint-Germain, accompagnés du professeur de gymnastique qui dirigeait leurs jeux et que je n'aimais pas.

Revenu à la surface, le « monstre » décida de faire une farce. J'avais prévenu mes camarades : toute idée d'improvisation serait exclue. Ce jeudi-là, je puisai dans la garde-robe de ma mère. J'emportai une robe, des bas de soie, de charmants souliers, un sac, un chapeau, une étole, un peu de maquillage. J'allai dans la forêt où je m'habillai, puis je revins attendre « la promenade » à la sortie du collège.

Je suivis cette promenade jusqu'au camp où je me fis reconnaître de quelques camarades. L'un d'eux me présenta au professeur comme sa sœur et le professeur me fit la cour tout l'après-midi. Je me trouvais un acteur fantastique sans songer aux interprétations équivoques que cela pouvait amener.

Le lendemain, au réfectoire du collège, le surveillant général vint me voir : « Marais, on m'a dit que vous êtes allé hier au camp des Loges travesti en femme? » – « Oui, Monsieur le surveillant général, et alors? » – « Alors, c'est scandaleux. » – « Le jeudi, je suis libre de faire ce qui me plaît; ça ne vous regarde pas. » – « Vous serez renvoyé. » – « Alors, je ne serai pas renvoyé pour rien. »

Le « monstre » jubilait. Toutes mes bonnes résolutions s'envolaient. Nous étions au mois de juin. Il faisait une grande chaleur, au point que le goudron de la cour se ramollissait. J'en pris une grande quantité, en fis une boule que je dissimulai, et je m'en fus boucher toutes les serrures Yale des classes.

Deux heures. La récréation était finie. Personne ne pouvait entrer dans les classes. Tous les élèves restaient à la porte. De plus, j'avais trouvé de grosses pierres avec lesquelles j'avais cassé dix-neuf carreaux. J'étais sûr de mon renvoi. Je n'ai pas attendu. Je suis parti.

En dehors du collège, je commençai à prendre conscience de ma fâcheuse situation. Qu'allait dire ma mère? Pourvu qu'elle ne sache rien!

Le lendemain, je quittai la maison comme à l'ordinaire. J'attendis le facteur. « Il y a des lettres pour nous? » dis-je d'un air indifférent. Il me les donna. Sur l'une, l'en-tête du collège. Je mis les autres lettres dans la boîte et j'ouvris l'enveloppe. Le proviseur disait son regret d'être obligé de me renvoyer. Je déchirai la lettre.

Pendant un mois, je vécus dans les trams, dans les trains, dans les gares, dans les rues, dans la forêt de Saint-Germain. Il m'arrivait de faire Saint-Germain-Paris – Paris-Saint-Germain sans discontinuer.

Ma mère m'emmena pour les vacances au Touquet. Je m'étais promis de tout lui avouer. Le soir arrivait, et je n'avais rien dit. Chaque jour qui passait me rapprochait de la rentrée des classes. J'étais à la torture.

Un jour, ma mère reçut une lettre qu'elle ouvrit en ma présence. Elle tomba évanouie. Je la crus morte. Je restais stupide, inutile. Je l'embrassais en pleurant, mais je n'avais même pas l'idée d'appeler un médecin. Ma mère revint à elle et me dit :

« Il faut rentrer à Paris. Jacques m'a escroquée de trente-deux mille francs. »

Nous sommes rentrés à Chatou.

Bientôt, ma mère alla au collège de Saint-Germain comme chaque année avant la rentrée des classes afin de régler l'année scolaire. « Mais, Madame, votre fils ne fait plus partie du collège. »

En guise de punition, on me mit dans une école religieuse, Saint-Nicolas, pour un an. Cette école était réputée sévère.

J'y trouvai l'amitié, la compréhension, le goût du travail. Le snobisme – je ne le nomme ainsi que par opposition à celui de Saint-Germain – était d'être le premier de la classe et d'être sérieux. On m'accepta à la Congrégation de la Sainte Vierge. Je servais la messe. Je priais pour ma mère, demandant pardon à Dieu de l'aimer plus que lui. J'étais devenu un élève consciencieux, mais sans aucune facilité, ce qui ne me plaçait pas dans les premiers de ma classe.

Le samedi soir, tante Joséphine venait me chercher. Je retrouvais la maison de Chatou avec bonheur. Huit jours sans avoir été dans les bras de ma mère! Les effusions n'en finissaient pas. En dépit de mes quinze ans, je me comportais en bébé devant elle. Mon frère s'en moquait gentiment. Lui, jouait les hommes. On parlait de son prochain départ pour le régiment. Il voulait devancer l'appel et partir pour la Ruhr encore occupée par nos troupes. Il y partit, hélas!

Après six mois de service militaire, il s'ennuya tant qu'il voulut revenir en France. Avec quelques camarades, il « emprunta » une voiture. Ces « évadés » eurent un accident assez loin de leur camp pour être arrêtés et jugés comme déserteurs et pour vol de voiture. Mes parents envoyèrent des certificats de médecins prouvant que mon frère était réellement malade. Grâce à cela, il échappa à la prison militaire; mais ces événements fâcheux le précipitèrent dans une nouvelle crise. On le réforma.

A Chatou, où il revint désemparé, ma tante, ma mère le soignaient avec dévouement.

Il devint vendeur de voitures, chez un concessionnaire de Peugeot, place Clichy. Au coin de la rue de Clichy, il y avait une marchande de journaux. Elle était mariée, jeune, assez belle : il tomba amoureux de la marchande de journaux. L'amour se prouve par des cadeaux...

Rosalie est de nouveau en voyage : ses robes, ses écharpes, ses sacs, ses fourrures partaient place Clichy! Pour offrir des sorties à la jolie marchande, l'argent du sac de ma tante se volatilisait.

Bien sûr, on essaya de me le cacher; mais lorsque Henri était là, les reproches étaient si véhéments que je les entendais. Déjà, j'excusais et pardonnais tout à l'amour. Je peignis même deux gouaches de fleurs que mon frère m'avait demandées pour sa maîtresse. J'espérais que cela limiterait les disparitions. Il m'était bien difficile d'excuser Henri, voleur des beaux atours de Cendrillon.

Ma mère m'écrivit. Comme à tous ses voyages, je devais remettre mes réponses à mes aïeules qui se chargeaient de les poster. Mes samedis et mes dimanches étaient donc vides et je repartais presque avec joie pour Buzenval.

Rosalie me demanda de lui confectionner des couvertures de livres de musique pour une religieuse de ses amies. Je passais mes dimanches avec des pinceaux et des couleurs. Travailler pour ma mère, c'était une façon de vivre avec elle.

5

A la fin de l'année, on me retira de Saint-Nicolas comme me l'avait promis Rosalie. Je n'ai jamais osé dire que j'avais changé d'avis, que j'aurais aimé continuer mes études. J'avais seize ans. Le moment était venu de gagner ma vie.

« Acteur! Nous verrons quand ta mère sera revenue. »

On me plaça comme apprenti chez un petit fabricant de radios. Puis à l'usine Pathé de Chatou. Mon travail : calibrer des aimants toute la journée. Je donnais mes gains à ma tante, excepté ceux des heures supplémentaires qui devenaient mon argent de poche. Pour l'augmenter, j'allais faire le caddy dans plusieurs golfs des environs. J'étais humilié de recevoir un pourboire, mais on me donnait quinze ou vingt francs et je ravalais mon orgueil, défaut que je n'avais pas encore combattu.

Je n'aimais pas l'usine. Ma tante me dit :

« Tu veux faire du cinéma; tu fais de la peinture; je t'ai trouvé une place d'apprenti chez un photographe du Vésinet. »

Photographe, je développais, je tirais, je retouchais. Ma chance, ce fut que le patron faisait de la peinture. De la très mauvaise peinture; néanmoins, il m'apprit certaines choses, certains trucs utiles.

Ma mère revint de voyage. Il y eut entre elle et mon frère une scène assez pénible. Elle le pria de ne jamais remettre les pieds à la maison.

Pour moi, je croyais que tout allait changer. Pas du tout. Elle trouva très bien que j'apprenne la photographie et me dénicha une nouvelle place chez Henri Manuel, champion du « flou artistique » *(sic)*. Rosalie non plus ne voulait pas que je sois acteur.

– Nous verrons plus tard si tu persistes à vouloir faire le « saltimbanque ».

Pour me rendre chez Henri Manuel, rue du Faubourg-Montmartre, je prenais le train à la gare de Chatou. J'allais à pied de la gare Saint-Lazare à la rue du Faubourg-Montmartre en passant par la rue de Provence. Matin et soir. Quatre filles m'avaient ému, mais je n'avais encore eu que des émotions platoniques. Il fallait goûter aux autres. La rue de Provence était bordée de filles qui disaient : « Tu viens, chéri? » Je me promis, un soir, de suivre la première qui me dirait le mot de passe. Je n'ai pas une très bonne vue, surtout de loin. Mes parents m'avaient emmené chez un oculiste qui avait prescrit des lunettes. Je les mis pour la première fois en classe. Cela déchaîna un fou rire général. Résultat : je ne les ai jamais portées.

Je suis myope-astigmate. Qui sait si ce fou rire ne fut pas une chance pour ma carrière? Avec des lunettes sur le nez, je serais peut-être devenu un autre personnage...

Donc, je voyais mal. « Tu viens, chéri. » Je suis la fille. Elle boite. Je n'ose pas fuir. Dans la chambre, il est trop tard lorsque je m'aperçois qu'elle louche.

Henri Manuel avait un service de presse. C'est là surtout qu'on m'employait : tirage en série, séchage des photographies sur un grand cylindre tournant électrique, entraînant deux toiles entre lesquelles je plaçais les photographies. Dans le cylindre, un tube alimenté par le gaz chauffait le cylindre de fer. Je travaillais un dimanche sur deux. J'arrivais le premier. Je commençais par mettre le courant à la machine; j'ouvrais ensuite la conduite de gaz, puis à l'aide d'une allumette j'allumais la rampe en pénétrant à mi-corps dans le cylindre par un triangle découpé dans le côté plat de la machine. Il fallait faire vite, car le triangle découpé passait de l'autre côté de la poutre de fonte qui soutenait l'axe du cylindre. Au lieu d'allumer d'abord la rampe de gaz et de la mettre en marche, je faisais sottement le contraire. Un jour, le gaz ne prend pas immédiatement; j'insiste, et lorsque je veux me retirer, j'ai le corps coincé entre cette barre de fonte et le triangle de fer. Je vais avoir la tête coupée lentement! Le genre de supplice dont la Pearl White de mon enfance se sauvait toujours. Personne; il n'y a encore personne. Le triangle commence à me scier le cou. Ce n'est pas possible! Je ne peux pas mourir aussi bêtement! Quelqu'un va arriver... Et le directeur arrive en effet juste à temps, se précipite, enlève la prise de courant; la machine s'arrête, mais on ne peut me dégager. Il a fallu démonter la sécheuse.

On parle de ma chance. Peut-être est-ce de ce jour que je commençai à compter avec elle? A cause de cet accident manqué, on m'appela dans le bureau d'Henri Manuel. Je sympathisai avec son secrétaire, André G..., de dix ans mon aîné. Il était musicien, écrivait, avait tâté de la peinture et du théâtre. Il chantait; il était cultivé. Je lui dois d'avoir découvert Proust, Gide, Colette, Céline, Oscar Wilde, Jean Cocteau. Chaque jour, pendant nos deux heures de liberté, nous restions ensemble. Nous déjeunions dans le même restaurant; puis nous marchions dans Paris, où j'apprenais grâce à lui tant de choses! Bien sûr, je lui avouai bientôt mes passions : le théâtre, le cinéma. Il me conseilla de travailler, m'indiqua des rôles classiques à apprendre et me suggéra de passer une audition au Conservatoire Maubel, dirigé par M. Dorival. J'étudiai *Chatterton,* d'Alfred de Vigny. Ce personnage m'exaltait. Je décidai de donner cette audition. J'avais dix-huit ans et croyais que le théâtre m'attendait. Ne connaissant personne pour me donner la réplique, j'avais choisi un long monologue.

Durant cette audition, emporté par mon exaltation désordonnée, je perdis tout contrôle de moi-même. Je me crus Chatterton. Je jouissais de douleur, je pleurais comme devant ma salamandre de gosse et je crus être sublime. « Tu as été sublime », me dis-je après avoir terminé la scène. J'émergeais de mon hypnose dans un grand silence. « Il ne sait que dire tant j'ai été merveilleux », pensai-je.

La voix de M. Dorival me réveilla tout à fait :

– Il faut aller vous faire soigner, mon petit ami, vous êtes complètement hystérique.

Un éclat de rire général ponctua l'opinion de M. Dorival. Je tombai de haut. Je ne remis jamais les pieds à ce cours. Pourtant cet homme m'avait ouvert en une phrase les portes du progrès; je lui en serai toujours reconnaissant.

Grâce à cette audition, j'avais contracté cette grave et définitive maladie : l'amour du théâtre. Bientôt, je compris que le métier de comédien ne consistait pas à se mettre en état d'hypnose et de jouir, tel un masochiste, des affres de ses personnages, mais d'exploiter notre sensibilité, nos sentiments cachés, et de les dominer en les dosant.

Pendant le déjeuner du lendemain, je racontai à André G... mon échec. Pour me consoler, il me décrivit une de ses auditions. André avait écrit à Charles Dullin une lettre désespérée, où il parlait de suicide. Il disait tenter une dernière fois sa chance en passant une audition devant Dullin. Il fut convoqué.

André était un garçon effacé, désespéré par une calvitie précoce et le manque d'affection d'une mère qu'il adorait. Assez maigre, un visage ni laid ni beau, mais avec de bons et beaux yeux verts à lourdes paupières bordées de longs et épais cils noirs, des sourcils bruns qui auraient été fournis sans une épilation trop visible. De plus, une démarche un peu trop dansante. Ses gestes étaient doux comme son regard. Il avait un bon sourire. A cause de sa timidité, il voulut prendre un remède pour affronter Charles Dullin. Avant l'audition, il but quelques cognacs. Or, il n'avait pas l'habitude de boire. Quand il arriva dans les coulisses du théâtre de l'Atelier, Dullin cherchait parmi les acteurs prêts à auditionner quelqu'un pour donner la réplique à un Misanthrope. Or, il n'y avait pas de femme.

– N'y a-t-il pas quelqu'un parmi vous qui veuille donner la réplique de Célimène?

Silence. Aucun acteur ne voulait risquer d'être ridicule devant le maître.

– Moi! dit André. Je veux bien.

Les cognacs faisaient leur effet, et devant l'auditoire ahuri, on vit une Célimène en pantalon se déchaîner.

– Votre nom? demande Dullin après la scène.

– André G...

– Comment? C'est vous qui m'avez écrit?

André ne se suicida pas cette fois-là. Il abandonna le théâtre, et devint secrétaire d'Henri Manuel.

Mon travail chez ce photographe consistait aussi à faire des courses. Je prenais l'autobus ou le métro. J'aimais tant l'autobus et sa plate-forme que je me jurais, si j'étais riche un jour, de continuer à prendre ce moyen de transport. Un jour, j'y montai en marche. « La Madeleine » dis-je au receveur en payant le ticket. « Vous vous êtes trompé, c'est le E qu'il fallait prendre. »

Pendant les quelques secondes où je m'étais trouvé sur la plate-forme, un jeune homme m'avait frappé par sa laideur et surtout par son visage rouge.

Cela se passait à Richelieu-Drouot; je décidai d'aller à pied jusqu'à la Madeleine. Je connaissais mal Paris. Arrivé à l'Opéra, je demandai mon chemin à un passant. « C'est tout droit, me répondit un autre, je vous accompagne. » C'était le peau-rouge de l'autobus. Il m'était arrivé, voulant aller du Printemps à la gare Saint-Lazare, de me retrouver à la République. J'acceptai.

Il s'appelait Édouard. « Comme le héros des *Faux-Monnayeurs* », lui dis-je. « Vous avez lu ce livre? » – « Un ami me l'a conseillé et j'en ai été si ému que je voudrais lire tous les livres d'André Gide. Je lis celui-ci en ce moment. » Je lui montrai le livre que j'avais à la main. « J'aimerais jouer Lafcadio. » – « Vous êtes acteur? » me demanda-t-il. « Non, mais je voudrais l'être. » – « Si vous le désirez, je vous prêterai des livres de Gide. Quel jour puis-je vous en apporter? »

Le lendemain, je racontai à André G... ma rencontre. Il en parut triste. C'est curieux, je m'aperçois seulement aujourd'hui qu'André G... avait les mêmes initiales qu'André Gide. André et moi, nous n'avions pas la même qualité d'amitié l'un pour l'autre. Il était prêt à tout pour moi, et moi à beaucoup moins pour lui. Je lui racontais tout; il faisait de même; mais il me donnait, m'apprenait, me guidait. En échange, je ne lui apportais que de la tristesse, que des regrets. Nos relations ne duraient que deux heures par jour. Il en souffrait. Moi, je partais retrouver Rosalie, et lorsqu'elle était près de moi, tout était bonheur. Elle voulut connaître André et nous invita tous deux à dîner chez Poccardi. J'avais tant vanté la beauté, l'élégance, la fantaisie de Rosalie que j'appréhendais le jugement d'André. Il fut séduit. A la fin du dîner, il appelait ma mère Rosalie, et m'appela Chabichou. Ce qui me plaisait de ce dîner, c'est que désormais j'allais pouvoir parler davantage de Rosalie à André. Elle voulut aussi connaître Édouard que je voyais souvent. J'avais menti, je l'avais présenté comme un camarade de collège; or, il avait presque dix ans de plus que moi.

On me permettait quelquefois de rester à Paris jusqu'au dernier train, – minuit quarante. Le visage rouge était devenu brun. Il préparait des examens pour être capitaine au long cours. C'était un homme de petite taille, les cheveux châtains séparés au milieu, des yeux noisette assez fendus, un nez droit, une peau tendue, brillante et sèche à la fois qui donnait l'impression d'extrême propreté, de santé. Des dents régulières, des gencives dont le rouge était avivé par l'Émail Diamant. Trapu, habillé simplement, sportif, avec des pantalons aux plis impeccables. Il paraissait plus jeune que son âge, mais grave, un peu supérieur. J'essayais d'imiter son allure. Quand je commandais un nouveau costume, je tâchais de choisir un tissu, une coupe qui ressemblaient aux siens. Dès qu'il y avait un rayon de soleil, je m'y exposais pour avoir sa couleur de peau. Enfin, je lui avais demandé sa photographie que j'avais mise dans mon trésor-cantine de marin qui me servait de meuble dans ma cabane – le garage à bicyclettes, où je continuais de jouer, malgré mon âge.

Je lui avais donné aussi ma photographie, espérant qu'il la placerait avec les photos de ses amis affichées au-dessus de son divan. Il ne l'a pas mise, et quand je lui en demandai la raison, il me dit : « Toi, tu es à part. »

J'allais quelquefois voir mon frère. A l'heure de la vente des journaux, après mon travail, j'étais presque certain de le trouver place Clichy avec sa marchande. Un jour, il me demanda des nouvelles de Rosalie.

– Elle est de nouveau en voyage...

– En voyage! répéta Henri en me regardant.

– Tu sais, lui dis-je, elle te pardonnera sûrement. Elle t'aime, mais elle comprend mal que tu aies pu lui prendre tant de choses en son absence. Elle pense que tu ne l'aimes pas.

– Je l'aime, dit mon frère, les larmes aux yeux.

La semaine suivante, nous devions faire pour Henri Manuel un reportage à la prison Saint-Lazare. Pour la circonstance, l'opérateur et moi, son aide, nous étions accompagnés par M. Sylvestre, notre directeur. On nous demanda nos papiers à l'entrée.

Saint-Lazare, détruit depuis, était une ancienne léproserie du XIIe siècle, devenue prison d'État à la Révolution, puis prison de femmes.

Le bâtiment avait du caractère, mais il souffrait de vétusté et de crasse. Une des gardiennes, Sœur Léonide, avait été décorée de la Légion d'honneur. C'était le motif de notre reportage.

M. Sylvestre voulut profiter de l'occasion; il chercha à photographier tous les services. Après Sœur Léonide, le directeur, les bureaux, l'infirmerie, la chapelle. Nous étions guidés par une sœur. Tout à coup, le directeur de la prison vint parler à M. Sylvestre, puis me demanda de m'en aller. Il m'accompagna jusqu'à la porte. Je demandai la raison. On m'expliqua confusément que nous étions dans une prison de femmes, et qu'étant un jeune homme, cela pouvait déclencher du désordre chez les prisonnières. Pour mon directeur, j'acceptai sans protester, tout en me disant que l'opérateur n'était pas beaucoup plus âgé que moi.

Quelques jours plus tard, j'étais renvoyé de chez Henri Manuel. « Vous comprenez pourquoi? » me dit M. Sylvestre.

Je ne posai pas de questions. Je devinais ce que j'avais refusé de comprendre. Je m'enfonçais dans un trou sans fond. Tout mon être refusait de croire, espérait encore. Je courus jusqu'à la gare. Le train semblait ne pas avancer. Je courus encore de la gare de Chatou jusque chez moi. Il faisait nuit, et je laissais couler mes larmes. Un point de côté ralentissait ma course. La grille du jardin, le lierre qui s'y accrochait, la porte, tout me paraissait différent. J'avais essuyé mes larmes, remis de l'ordre dans ma tenue, attendu que mon souffle redevienne normal; mais je n'osais toujours pas entrer. Ma tante et ma grand-mère étaient là, comme d'habitude, jouant au jacquet. Pourtant, là aussi tout semblait différent. Mes aïeules attendaient le baiser habituel de mes retours. Je restais immobile et muet. Quelles questions pourrais-je leur poser?

Je déclarai :

– J'ai été renvoyé de chez Henri Manuel.

– Pourquoi, mais pourquoi? Qu'est-ce que tu as encore fait?

– Rien... rien... Mon travail m'a obligé d'aller à Saint-Lazare,... pas la gare. Ma tante, c'est vrai?... Alors, c'est vrai?... Maman... »

Ma tante me prit dans ses bras. J'avais des hoquets de larmes. Mes braves vieilles ne savaient que dire : « Mon pauvre petit, mon pauvre petit. »

Je m'arrachai de leurs bras et courus jusqu'à ma chambre où je continuai à hurler de chagrin en frappant, frappant le lit sur lequel je m'étais jeté.

On tenta de me consoler : « Mon pauvre petit, ta mère est une malade. Ta mère est kleptomane. »

Je ne demandai pas la signification de ce terme que j'entendais pour la première fois, mais je ne voulais pas que ma mère le fût. Ma mère ne pouvait pas être malade. Je ne pleurais pas de honte, je pleurais en imaginant ma mère malheureuse, seule. Bien mieux, Rosalie devenait une héroïne. Et je ressortis mon auréole de chahuteur de collège pour lui en faire une couronne. Il ne fallait pas attendre. Il fallait très vite écrire à Rosalie que je savais et que je l'aimais toujours, que je l'aimais plus que jamais. Je serai riche et je saurai la sauver et la rendre heureuse.

Dans cette lettre, je ne l'appelai pas Rosalie. Elle devait avoir besoin que je l'appelle maman.

Et la vie continuait. Les trains marchaient, les autobus, les taxis. Les gens continuaient à s'affairer dans les rues. Il me semblait étrange qu'avec ce que j'avais dans le cœur la vie de chaque jour pût ne pas avoir changé.

Je cherchai et je trouvai une autre place chez Isabey, spécialiste de la photo de mode. Outre les tirages, les retouches, on me demandait souvent de poser pour des modèles d'homme. Cela me permettait de me faire une collection avec laquelle je comptais aller visiter les maisons de production de cinéma ou les metteurs en scène.

Je continuais à voir André G... qui connaissait par M. Sylvestre la raison de mon renvoi. Son amitié pour moi n'en avait pas été altérée. Édouard, lui, avait quitté Paris. Auparavant, il m'avait écrit une lettre pour me dire de ne pas chercher à le revoir, qu'il en avait assez de la vie parisienne, qu'il s'en allait à l'étranger pour ne jamais revenir. Je pris le train de cinq heures du matin. J'allai chez lui. Personne. Son concierge m'assura qu'il était vraiment parti.

Après les démarches obligatoires, j'allai voir Rosalie. La première fois, on me permit de la rencontrer dans le parloir des sœurs. Je crois que celles-ci avaient intercédé en sa faveur. Rosalie avait leur sympathie... Elle s'occupait de la chapelle et de la bibliothèque, chantait aux offices, jouait de l'harmonium. De plus, elle avait offert ces couvertures de livres de musique que j'avais peintes. Maman éprouvait une grande estime pour la sœur infirmière. Cette amitié dura toute leur vie. Ces sœurs aimaient la loyauté de Rosalie autant à leur égard que vis-à-vis des autres prisonnières. Aux fêtes religieuses, j'étais chargé d'envoyer des fleurs pour la chapelle et bien souvent de quoi augmenter l'ordinaire de la communauté.

Sœur M... voyait aussi ma mère en dehors. Elle était souvent invitée par la famille de cette sœur. Je ne crois pas que la famille savait où était née leur amitié. J'étais moi-même invité quelquefois.

Sœur M... entendait tous les jours des conversations de prisonnières qui ne se gênaient pas devant elle pour employer des expressions qu'elle ne comprenait pas exactement. C'est ainsi qu'à un déjeuner de première communion d'un de ses neveux, elle dit à ma mère devant toute l'assemblée : « Vous me cassez les couilles. » L'effet fut plutôt désastreux. Mais lorsque ma mère lui dit « M..., vous ne devez pas dire ça », et qu'elle répondit tout étonnée : « Pourquoi? » toute la table se mit à rire.

Ensemble, elles parlaient souvent de théologie. C'était, je crois, Rosalie qui amenait le sujet pour essayer de gêner cette pauvre sœur. Rosalie revenait, ravie d'avoir mis en échec son amie. J'ai dit plus haut que ma mère avait été élevée au couvent et qu'elle souhaitait devenir religieuse. Elle est devenue athée.

J'allais régulièrement voir Rosalie. Mais je la voyais à présent au parloir commun. J'en sortais à la fois déprimé et résolu à me battre pour elle.

Dans bien des maisons de production, j'avais laissé des photos, sans aucun effet : pas la plus mince figuration! Je décide alors d'opérer avec méthode : je relève dans un annuaire tous les noms des metteurs en scène; je vais me présenter. Je ne les vois pas.

6

Un jour, je sonne chez M. L... Un domestique chinois me dit qu'il est à son bureau. Il me donne l'adresse. J'y cours. Je monte les cinq étages à pied pour ne pas arrêter mon élan. En haut, le courage me manque. Je redescends un étage. Non, je ne serai pas monté si haut pour rien! Ces marches à regravir me semblent une montagne. J'imagine l'huissier, les secrétaires, les assistants, les questions, les réponses. J'ouvre. J'entre. Je referme la porte, le cœur battant. Personne. Du silence, des affiches de films, des photos. C'est inquiétant.

– Que désirez-vous?

Un homme d'une cinquantaine d'années est devant moi.

– Voir monsieur M. L...

– De la part de qui?

– C'est personnel.

– Mais encore? Puis-je savoir le but de votre visite?

Ce monsieur est trop élégant. C'est lui.

– Vous êtes monsieur M. L...?

– Oui, que voulez-vous?

Je perds mon sang-froid. Je bafouille.

– Faire du cinéma. Alors, j'ai pensé à vous.

– Entrez.

Je tremble. La pièce, dans le style ultra-moderne de 1930, se veut cubiste. Pour bureau, une immense plaque de verre portée par deux cubes d'ébène. Derrière, une très grande photo d'acteur dans une scène d'un de ses films : décor cubiste; cadre de la photo, cubiste.

– Pourquoi venir me voir... moi?

– J'admire vos films (je n'en connaissais pas un seul titre).

– Avez-vous besoin d'argent?

– Oui.

– Quel métier faites-vous pour le moment?

– Peintre.

– Vous exposez?

– Oui. Aux Indépendants, au Grand Palais. (C'était vrai. Tout le monde pouvait alors exposer aux Indépendants. On payait cent cinquante francs, on donnait deux toiles. J'avais difficilement rassemblé la somme, et donné deux peintures.)

– On ira les voir ensemble.

Il me donne rendez-vous.

Le jour venu, je passe le prendre. Une Auburn à chauffeur en livrée nous emporte. Nous sommes devant mes toiles.

– Elles sont à vendre?

– Oui.

– Combien?

En même temps, il feuillette dans le catalogue la liste des noms et des prix.

Moi, précipitamment :

– Non, non, ne regardez pas! Comme j'étais certain que personne ne m'achèterait, j'ai donné de très gros prix,... pour me faire plaisir : trois mille cinq cents et deux mille cinq cents.

– Et pour moi?

– Mille cinq cents et mille.

Il se décide pour celui de mille, « Jésus-la-Caille » : mon portrait contre un mur barbouillé de graffiti.

Il me donne deux cents francs d'acompte et m'invite à venir le voir dans huit jours. Il me redonne deux cents francs et me renvoie encore à huitaine, et ainsi de suite.

A huit cents francs, l'exposition terminée, je lui propose la livraison de mon œuvre. Il me dit :

– Oh!... pour le placard où elle irait, ce n'est pas la peine.

Si j'avais eu encore ces huit cents francs, je les lui aurais rendus. J'ai bu ma honte et même mangé le dîner auquel il m'invita.

– Je sens que je peux devenir un grand acteur.

– Vous ne seriez pas à ma table si je ne le croyais pas. Il me parle d'un essai pour un film que dirige un de ses amis : *Étienne,* de Jacques Deval. Ève Francis me donnera la réplique.

Je ne vis plus. Le jour venu, un gros bouton a poussé sur ma joue droite. Le maquilleur m'assure qu'on ne le verra pas. Il m'applique de la crème, de la poudre, du rimmel et du rouge à lèvres. J'ai l'air d'une fille en culotte. M. L... pousse les hauts cris.

– Enlevez ça tout de suite!

Mon trac redouble et m'affole. Dans un coin, sans regarder de glace, je crache sur mon mouchoir. Je frotte. On me place dans les lumières. Mon cœur cogne. J'ai l'impression que je brûle devant, que je gèle derrière. Je tremble. Je me sens ridicule. Je crois que le personnel du plateau rit de moi.

On tourne. Je me donne corps et âme, – tête, cœur, ventre, jeunesse. Un tic me vient au coin de la bouche. C'est fini.

Quelques jours; un long cauchemar d'attente. Projection. Noir.

Surgit un épouvantail étriqué, pustuleux, gesticulant, à voix accélérée de fausset.

Que la lumière ne se rallume jamais!

Elle revient. Je regarde droit devant moi pour ne voir personne, suant de honte. Ève Francis me tapote dans le dos :

– Ce n'est pas mal.

– Comment vous trouvez-vous? (Ça, c'est M. L...)

– Affreux, mauvais.

– C'est aussi mon avis.

Je sors à l'agonie. Je décide de travailler. Il faut trouver un cours et quitter la photographie.

Chez mon patron, on déménage. Une fois encore, j'échappe de justesse à la décapitation.

Je dois dire que mon horoscope me prescrit une grande méfiance à l'égard de l'eau et du feu. C'était la seconde fois que ces deux éléments me préparaient une mort épouvantable.

Chez Isabey il y avait un ascenseur hydraulique – un « ascenseur d'avant les ascenseurs », a dit Jean Cocteau – qui fonctionnait sans bruit avec une lenteur exaspérante. Il me sauva la vie.

Pendant le déménagement, je me penche au-dessus de la cage pour parler à un camarade au-dessous de moi. Je n'entends pas venir l'ascenseur. J'ai le corps pris, puis la tête. Je suis certain de mourir. Ma dernière et seule pensée : je ne mettrai jamais mon smoking. J'avais commandé quelques jours avant un smoking de confection. Je m'évanouis. Donc, je meurs. Fausse mort. Mon camarade a vu le danger. Il grimpe l'étage qui nous sépare, donne un coup de poing dans la porte de l'ascenseur qui s'arrête aussitôt. Il y entre, le fait monter. Je m'écroule comme une masse.

Je me suis réveillé à l'hôpital. Ma mère était auprès de moi. J'avais honte de lui avouer que ce n'était pas à elle que j'avais pensé avant de mourir. En fait, il n'y avait pas eu pour moi de différence entre mon évanouissement et la mort. Je fais parfois des rêves un peu semblables : je suis couché, ligoté sur une planche; je passe après plusieurs autres sous une sorte de herse aux dents courbées qui me décapite. Est-ce parce que je suis dressé à vaincre la peur, je n'éprouve aucune terreur de ces cauchemars. Au moment le plus terrible, je me dédouble et j'assiste à mon supplice en sachant que c'est un rêve et que je ne risque rien.

M. L... me parle de faire *Le Portrait de Dorian Gray* d'Oscar Wilde. Il veut faire des essais photographiques avec moi. Je me décolore les cheveux; je les boucle moi-même; je m'imagine ainsi être l'égal physique de Dorian Gray. Sans doute ressemblé-je plus à un Suédois qu'à un Anglais; néanmoins, je suis assez heureux du résultat. Je vais au studio par mon moyen de locomotion préféré : l'autobus. Il faut changer à Pigalle. Je descends. Un jeune homme descend avec moi et me dit : « Pardonnez-moi de vous aborder, mais je suis peintre et j'aimerais faire votre portrait. »

Confus, je lui avoue qu'habituellement je n'ai pas le même physique. Je n'ai ni les cheveux si pâles ni bouclés. Je vais faire un essai pour *Le Portrait de Dorian Gray.* Ce peintre était Jacques Dupont, devenu depuis célèbre. Il ne fit pas mon portrait et moi, je ne fus pas Dorian Gray, puisque le film ne fut jamais tourné. L'eût-il été, je ne crois pas qu'on m'aurait confié le rôle.

M. L... me fit faire de la figuration dans quelques-uns de ses films. Un jour, je l'entendis déclarer à son producteur : « N'engagez pas cet acteur, il porte malheur. » Il s'agissait d'un grand comédien.

Je fus terrifié que l'on pût freiner une carrière par superstition. Je décidai à la seconde de dire que j'avais une chance insolente et que le destin semblait toujours me favoriser. Restait à le prouver.

Une annonce dans un journal me conduit chez un certain M. Paupelix qui donne des cours gratuits tous les mercredis au théâtre Michel. Hélas, pour y être admis, il fallait prendre par ailleurs des leçons particulières chez lui! Je n'ai pas d'argent : je lui peindrai et lui tapisserai son appartement. Il me fera donner des répliques.

Il choisit pour mon concours d'entrée au Conservatoire une pièce d'Henry Bataille, *L'Holocauste,* inconnue même d'Yvonne de Bray qui avait été sa femme.

Ma partenaire jouait le rôle d'une aveugle, moi d'un paralytique! Paupelix est content :

– Il faudrait un miracle pour que vous soyez refusé.

– Prenez garde, lui dis-je, les miracles, j'en suis presque spécialiste.

Le jour venu, l'annonce de *L'Holocauste* fait un curieux effet. J'entends parmi les membres du jury : « *L'Holocauste,* de qui est-ce? Quoi? De Bataille! Connais pas. »

Je suis arrêté au bout de quelques répliques. Le miracle a lieu : recalé.

Mes camarades : « Tu nous disais avoir de la chance. »

– C'est là justement où est ma chance. Mon destin n'est pas le Conservatoire. Il me conduit ailleurs.

C'est le signe que je dois choisir un professeur anti-Conservatoire, anti-conventionnel. J'irai chez Dullin.

Une fois de plus, ma famille déménage. Nous allons habiter Chelles, près de la gare. Nouvelle maison, nouveau nom, nouveau chien : Sweet, un berger allemand.

M. L... m'invite à dîner.

Tout de bleu vêtu, costume, cravate, chemise, casquette, je passe le prendre. Le même chauffeur à livrée nous emporte dans l'Auburn noire doublée de rouge. Je me rends compte que ma casquette n'est pas de mise. Je l'enlève et la cache comme je peux.

– Voulez-vous dîner dans un endroit avec du monde ou bien dans un endroit tranquille?

Mon costume mal coupé me fait répondre :

– Où il n'y a pas beaucoup de monde.

M. L... parle au chauffeur. La voiture s'arrête au coin de la rue de Penthièvre et de la rue Cambacérès. Nous montons un escalier et je me retrouve dans un salon particulier.

La table servie me fait comprendre qu'on nous attendait. Au fond du petit salon, une porte ouverte : j'aperçois un lit préparé.

Je deviens muet, glacé. On nous sert. M. L... me parle; je ne réponds que par oui ou non. Je n'ose le regarder. Je regarde devant moi, c'est-à-dire la porte ouverte et le lit. M. L... devient à son tour très froid. Il demande l'addition, et nous nous retrouvons dans la rue.

– Tenez, vous prendrez un taxi.

– Non, non, j'aime les autobus, merci, dis-je gaiement.

– Qu'aviez-vous tout à l'heure?

– Moi, rien... rien. Merci pour le dîner. Au revoir.

Après ce dîner, chaque fois que M. L... préparait un film, il me faisait venir à son bureau pour me parler du principal rôle. Des semaines, quelquefois des mois passaient, et j'étais convoqué pour de la figuration ou de petits rôles. J'acceptais. Lorsque je rencontrais M. L... sur le plateau de tournage, il s'approchait de moi et me disait : « C'est dommage que vous n'ayez pas voulu tourner le rôle. »

Bientôt, ce fut le temps de mon service militaire. J'avais demandé Bizerte et l'aviation maritime. Je suis affecté à Versailles.

M. L... me fait demander une permission de trente-deux jours pour tourner un de ses films. Je l'obtiens en groupant toutes les permissions de l'année. Le film se tourne sans moi.

Pour occuper ma permission inutile, il me commande un panneau décoratif pour sa salle à manger de faux style espagnol. Je le lui livre, mais le trouve si affreux que je lui demande la permission d'en faire un autre à mon idée. Il accepte, et je tiens parole.

Le service militaire est terminé. Il faut vivre. Je n'ai pas de quoi me payer des cours. Mes parents voudraient que je travaille « sérieusement ». Ma tante meurt subitement. Nous déménageons encore pour habiter Paris cette fois, rue des Petits-Hôtels. Au moment du déménagement, ma mère est encore une fois absente. Je m'occupe de tout, presque seul, ma grand-mère ayant trop peu de force. J'installe l'appartement avec amour et... peu de moyens. En l'occurrence, je suis peintre, électricien, tapissier et même ébéniste. Je soigne particulièrement la chambre de Rosalie.

A son retour, ma mère me demande de l'accompagner dans des magasins, plutôt de l'y devancer, de marchander des fourrures, bref d'occuper les vendeurs. Je le fais à contrecœur, mais je le fais.

A cette époque, maman me reprochait chaque jour de ne pas gagner d'argent, de ne rien faire. « Ne rien faire », c'étaient mes cours.

N'ayant pas les moyens de les payer, j'avais accepté de la figuration chez Dullin. Les figurants avaient droit aux cours gratuits. Dans *Jules César,* quatre silhouettes dont une avec un texte que j'étais fier de dire : « Qu'ils ne voudraient pas vous voir sortir aujourd'hui; en enlevant les entrailles d'une victime, ils n'ont pu trouver le cœur de l'animal. »

De tous les rôles que j'ai joués jusqu'à ce jour, c'est le seul dont je me souvienne mot pour mot. Outre ce petit rôle, je faisais un coureur nu, un Gaulois portant le corps de César et un soldat.

Dullin avait de la sympathie pour moi parce que je travaillais. Je ne manquais jamais mon cours, le samedi de cinq heures à sept heures. J'avais toujours une scène prête lorsqu'il appelait mon nom. Ce n'était pas le cas pour beaucoup de mes camarades qui trouvaient des excuses diverses :

– Monsieur Dullin, je n'ai pas trouvé de réplique, de brochure. J'ai été souffrant... J'ai travaillé dans un film, etc.

– Marais!

J'étais prêt.

– Eh bien, puisqu'il n'y a que Marais qui veut travailler, je ne ferai passer que lui.

Cette fois-là, il ne fit travailler que moi : jeu, diction, respiration, pose de la voix. D'habitude, il ne s'attachait qu'au jeu. Je regrette aujourd'hui de n'avoir pas pris de notes. Nous étions tous émerveillés, passionnés par ses indications. Nous apprenions autant lorsque les camarades étaient sur l'estrade que lorsque nous y étions nous-mêmes. Je voudrais encore l'entendre expliquer *l'Avare* ou *Hamlet* à Jean Vilar qui était parmi nous.

Il évitait d'indiquer une intonation. Son intelligence, son instinct, sa science théâtrale trouvaient, inventaient, créaient, nous guidaient vers un théâtre que l'on découvrait et qu'on aimait grâce à lui. Rarement il jouait la scène. Cela lui arrivait quelquefois pour nous prouver la facilité, la simplicité à se mettre dans la situation, d'accréditer les sentiments d'un rôle. L'élève d'un cours dramatique veut toujours soulever des montagnes. Et Charles Dullin tout à coup jouait, vivait plutôt la scène devant nous. On assistait alors à ce que le public n'a jamais vu : un Charles Dullin professeur, encore plus grand acteur, plus grand metteur en scène que ce qu'il était aux yeux de ses spectateurs.

Mes cours étaient gratuits; la figuration me rapportait dix francs par jour. Je ne voulais pas demander d'argent à ma mère et ces dix francs ne suffisaient pas pour mes moyens de locomotion, mes repas, mon maquillage.

Je me décidai à demander une petite augmentation à Dullin.

– Combien voudrais-tu, mon petit?

– Vingt-cinq francs, Monsieur Dullin.

Il me regarde avec une grande tristesse :

– Tu veux ruiner le théâtre, mon petit.

Je sais à présent que Dullin avait d'énormes difficultés d'argent. La troupe était nombreuse; il faisait sans cesse de grands sacrifices.

En outre, il m'a donné bien plus que les vingt-cinq francs qu'il me refusait. Il m'a donné l'amour du théâtre et les moyens d'y conquérir une place.

Un jour, j'avais travaillé une scène de Néron. J'avais demandé au camarade qui faisait un coureur romain avec moi chaque soir de me donner la réplique. Avant le cours, nous répétions ensemble. Ce camarade m'écoutait, ahuri :

– Tu vas passer ta scène comme ça devant Dullin?

– Oui, pourquoi?

– Tu es fou! Tu es complètement fou! Qu'est-ce que tu vas te faire engueuler...

Je passai la scène.

Dullin ne m'engueula pas. Je sentis même de l'indulgence, de la sympathie. Les scènes, dites de Conservatoire, étaient abordées par tous les élèves. Les uns étaient bons, les autres moins bons, mais tous avaient la même façon de phraser, de réciter – le même ton.

Dans ce que j'avais présenté il y avait quelque chose d'inhabituel, sans aucun doute avec beaucoup de défauts, mais inentendu. Ce jour-là encore, Dullin ne fit travailler que moi. J'ai eu le bonheur d'avoir ce maître exceptionnel et, au fond, lorsque je disais à mes camarades que mon échec au Conservatoire était une chance, je disais sans le savoir la vérité.

Lorsque des jeunes viennent à moi pour me demander comment entrer dans ce métier, je préconise toujours des cours. On me répond quelquefois : « Je n'ai pas d'argent. » Je n'avais pas d'argent, et je crois que lorsqu'un professeur reconnaît chez un élève l'amour du théâtre, il ne refuse pas ses leçons. On me dit aussi : « Dullin n'est plus là. » Il y a d'autres professeurs, et j'en connais de très bons. Ne pas oublier aussi que chacun porte en soi son propre enseignement, à la condition d'avoir le courage de s'observer avec une extrême rigueur. La critique est d'une grande nécessité. C'est pourquoi même un professeur médiocre est utile.

Je n'ai jamais considéré mon métier comme un métier. Si on le considère comme tel, il faut l'aborder avec autant de sérieux et de patience que n'importe quel autre métier. Dès mes premiers cours, j'avais compris cela. C'est ainsi qu'après l'échec au Conservatoire, je me suis imposé, après être entré chez Dullin, d'y rester trois ans, quoi qu'il arrive.

J'étais donc choqué que Rosalie considère ma figuration et mes cours comme de l'oisiveté. A vrai dire, pour elle un travail qui ne rapportait pas d'argent n'était pas un travail. De là naquit une sorte de mésentente qui me torturait. Pourtant, curieusement, je n'en aimais que davantage le théâtre.

Depuis que ma tante était morte, toute la besogne domestique incombait à ma grand-mère. Je l'aidais de moins en moins, car je me couchais tard et me levais également tard. De plus, je restais enfermé dans ma chambre pour travailler mes scènes de cours. Aux yeux de ma grand-mère, le théâtre était un métier inavouable, une occupation de paresseux. Elle faisait chorus avec Rosalie.

Un soir, ma mère ne rentra pas. A mon retour de l'Atelier, ma grand-mère m'attendait. Ses yeux rougis me montraient combien seule pendant ces heures d'attente, elle n'avait pu noyer sa souffrance que dans les larmes. Je la pris dans mes bras. J'embrassai ses joues mouillées. La table était dressée. Les casseroles, sur le fourneau à gaz éteint. Je lui préparai du tilleul qu'elle but sans presque s'en rendre compte. Elle avait froid. Je lui apportai un fichu de laine. Nous restions près de la fenêtre. Elle, assise dans le fauteuil qui se trouvait là. Elle se levait sans cesse : au moindre bruit de voiture qui ralentissait, elle essuyait les carreaux embués avec le voilage. « Ta mère me fera mourir, ta mère me fera mourir de chagrin », répétait-elle.

Je rêvais de sauver Rosalie. De la sauver d'elle-même. Comment? J'avais vingt-deux ans, je gagnais dix francs par jour; or, il aurait fallu que j'en gagne assez pour la dégager de ce qu'elle appelait son « travail ». Combien de temps me faudra-t-il pour cela? J'aime Rosalie plus que tout au monde, et que fais-je pour elle? Rien.

Le matin, on sonne. J'ouvre. Une femme est là qui me tend une lettre. Je reconnais l'écriture de Rosalie. « Je suis à l'hôpital Lariboisière », m'écrit ma mère. Elle indiquait dans quel service, la salle, me demandait d'aller la voir à l'heure des visites et de lui apporter en cachette des vêtements : une jupe plissée, un pull, des souliers. Elle partirait avec moi. Elle ajoutait qu'elle était en bonne santé.

Exalté, heureux, j'allais pouvoir sauver Rosalie. Je comprenais bien qu'il s'agissait d'une évasion.

J'attendis avec impatience l'heure des visites. Les renseignements étaient assez clairs pour que je n'aie besoin d'aucune autre explication. Je portais la jupe et le corsage de laine à l'intérieur de mon pardessus. Les chaussures étaient enveloppées d'un tissu qui tenait à ma ceinture. Dès que je pénétrai dans la salle, j'aperçus Rosalie. Je courus l'embrasser. J'en profitai pour lui glisser la jupe et le corsage sous les draps, puis lui donnai les chaussures. Pendant qu'elle me parlait, elle mit la jupe, puis les chaussures.

Elle avait été arrêtée dans un magasin, emmenée au commissariat. Devant le commissaire qui l'interrogeait, elle avait pris une poignée d'épingles qui se trouvaient sur le bureau et les avait enfournées dans sa bouche. Le commissaire se précipita, appela; on lui ouvrit la bouche de force. On sortit les épingles. Ma mère fit semblant d'en avoir avalé, se tordit de douleur, cracha du sang. On l'emmena à l'hôpital. Elle avait confié un mot pour moi à une femme qui sortait.

— Prends-moi le bras et sortons lentement, me dit-elle.

Et nous sommes sortis.

Jusqu'au taxi que nous prîmes, je crus vivre des siècles. Mais ces siècles n'étaient pas encore assez longs, tant j'étais heureux d'être le sauveur de Rosalie. Le taxi nous emmena aux Champs-Élysées. Nous en prîmes un autre pour la gare Saint-Lazare. Là, nous avons traversé le hall, puis nous sommes sortis dans la rue d'Amsterdam où nous avons pris un autre taxi pour la rue des Petits-Hôtels où nous habitions.

— Rosalie, un jour je serai riche et je t'empêcherai de « travailler ».

— Jean, il faut penser à un travail sérieux.

— Laisse-moi encore un an. Si dans un an je n'ai pas réussi, je te promets de chercher un travail que tu approuveras. En attendant, quand tu auras besoin de moi, je t'aiderai.

Je continuai donc à visiter des fourreurs, des bijoutiers et d'autres magasins. J'étais arrivé à procéder avec beaucoup plus de désinvolture.

Je regardais Rosalie « travailler ». Bien que très élégante, elle portait toujours une jupe plissée, avec un caoutchouc à la taille qui permettait de la rendre extensible. Dessous, elle avait passé une sorte de pantalon de jersey très serré aux genoux. Son manteau cachait la manœuvre. L'été, le manteau était de tissu léger; il avait l'aspect d'une robe. Pendant son « travail », Rosalie grossissait à vue d'œil. J'avais l'impression qu'en ma présence rien de fâcheux ne pouvait lui arriver. Je commençais sérieusement à croire en ma chance. Je ne doutais pas qu'avant un an j'aurais trouvé le « rôle ». Pourtant, je comprenais bien que j'avais à l'aider, cette chance.

Le metteur en scène M. L..., apprenant que je faisais de la figuration chez Dullin, m'avait envoyé un mot :

« Monsieur Jean,

« Je me trouve un peu en retard (ou en avance) avec vous. Je fais nos beaux comptes et je constate qu'avec le chèque inclus, le petit cinéma et le grand tableau, vous avez eu dans votre vaste poche trois mille trois cents francs *(sic)*. C'est-à-dire dix pour cent de plus que je vous avais laissé entendre que vous deviez avoir. Ce n'est pas si mal.

« Pourvu maintenant que votre amant de cœur, " Monsieur le Théâtre ", ne vous fasse pas manger du pain noir, alors que vous avez refusé du pain blanc.

« Mais peut-être, vous préférez le pain NOIR. Tant pis. »

« M. L. »

Le mot NOIR était encerclé de crayon. Il ne fallait donc plus compter sur M. L... Je me présentai de nouveau dans quelques maisons de production, sans résultat.

Entre-temps, j'avais appris que Jean Cocteau allait faire jouer sa prochaine pièce. Jean-Pierre Aumont devait en être le principal acteur. Je cherchai à rencontrer Jean Cocteau. Pour cela, il me fallait son adresse.

Jean-Pierre Aumont et moi, nous avions à peu près le même genre de physique, peut-être que l'on m'accepterait pour sa doublure.

Impossible d'avoir cette adresse. Je voulais faire confiance à ma chance. Ma chance était donc de ne pas connaître Jean Cocteau. Un échec devenait un avertissement salutaire pour diriger mon destin sur une meilleure voie.

Ainsi, crois-je, vient la chance. Elle aime qu'on l'aime, flattée qu'on s'acharne à porter haut ses couleurs. C'est un avis que j'exprime et un conseil que je donne.

Dès lors, je retombe dans *Jules César* sans plus penser à Cocteau, m'appliquant seulement à bien faire. J'espérais que Dullin récompenserait ma fidélité en me confiant des rôles.

Un soir, à l'entracte de *Jules César*, une curieuse fille, belle à force d'être laide, vient me trouver.

– Voilà, je m'appelle Dina. Je suis du cours Rouleau. On y a fait une troupe de jeunes. Toute une histoire : Rouleau nous avait promis une pièce, *Altitude 3.200*, à nous, ceux de son cours. Petit à petit, il a pris des vedettes à notre place. Nous avons décidé de ne pas abandonner, de monter un spectacle à nous. C'est pour l'exposition, au mois de juillet. Il y a assez de filles, pas assez de garçons; voulez-vous faire partie de notre groupe?

– Ça m'ennuie de quitter *Jules César,* j'espère un rôle ici l'année prochaine. Je ne veux pas contrarier Dullin.

– Tant pis, dit-elle, j'aurais aimé que vous soyez parmi nous.

– Je regrette... C'est pour quelle pièce?

– *Œdipe-Roi,* de Jean Cocteau, précise-t-elle en s'en allant.

– Attendez, ça change tout!

En réalité, je ne prenais pas au sérieux cette histoire de jeunes comédiens, mais j'y voyais l'occasion de reprendre mon idée de doubler Jean-Pierre Aumont.

Je demande :

– Que faut-il faire?

– Il y a une audition samedi, studio Vacker à quatre heures.

– A cinq heures moins le quart, je serai obligé de partir. Je vais au cours de Dullin; je ne le rate jamais.

– Vous passerez dans les premiers. Vous avez une scène?

– *On ne badine pas avec l'amour.*

– Une réplique?

– Non.

– Je vous la donnerai.

– A samedi.

Le samedi, j'arrive à quatre heures juste. Cocteau n'est pas là. Quatre heures et demie, cinq heures moins le quart, toujours pas de Cocteau.

– Je suis obligé de partir. Je vais chez Dullin. Je reviendrai après le cours. Si Cocteau veut bien m'attendre...*(sic).*

A sept heures, je reviens. Il est là. Il est moins jeune que je ne l'imaginais. Sa minceur étonne, très élégant : son élégance vient de lui, pas de sa mise qui semble sans recherche. Ses manches de veste sont retroussées sur ses fins poignets, sans aucun doute pour la commodité. Ses poignets de chemise très serrés, ainsi que le col et la cravate qui semblent l'étrangler. Visage étrange, triangulaire, allongé, surmonté d'une chevelure en désordre qui l'allonge encore. Des yeux bridés, vifs, intelligents avec une très petite pupille au centre d'un iris bleu-vert bordé d'un cercle bleu clair.

Il nous parle avec simplicité, d'égal à égal, seul, car aucun de nous n'ose s'immiscer dans ce dialogue qui devient monologue. Il fait les demandes et les réponses séparées par des « quoi » qui n'attendent pas de réponse. Il enchaîne :

– Vous n'avez pas encore donné votre scène, quoi? Je vous écoute.

Je joue Perdican. Dina, qui me donne la réplique, est merveilleuse. Elle flambe, elle étincelle. C'est la première grande comédienne que j'ai en face de moi. Cela m'aide. J'ai la sensation de me surpasser.

Jean Cocteau me donne le premier rôle, le rôle d'Œdipe. J'apprends que nous devons jouer au même programme *Macbeth* que Julien Bertheau mettra en scène. J'y jouerai Malcolm. J'ai reçu tout cela comme dans un rêve.

Jean Cocteau parti, il y a une gêne que je n'analyse pas. Dina me demande mon numéro de téléphone; elle m'appellera. Que Jean Cocteau m'ait donné le rôle d'Œdipe ne faisait pas l'affaire de la troupe. Pris en surnombre, je me retrouvais à la première place. Ils vont trouver Cocteau, lui expliquent que j'étais d'un autre cours et que cela n'est pas juste. Cocteau comprend, confie le rôle d'Œdipe à Michel Vitold et me donne le rôle du chœur. Je serai cependant Malcolm dans *Macbeth.*

Dina me téléphone. Nous prenons rendez-vous. Craignant de me contrarier, elle me fait tout admettre avec gentillesse et tact. Je suis ravi : Œdipe ou chœur, je doublerai Jean-Pierre Aumont.

On répète dans une salle de patronage du quinzième. Patient, courtois, simple, drôle même, Jean Cocteau nous dirige en camarade, nous donne des indications comme si nous étions de grands acteurs. Parfois, Al Brown l'accompagne, ainsi que Marcel Kill, son Passepartout du *Tour du monde en quatre-vingts jours.* Jean Cocteau a beau être simple, je n'ose pas lui adresser la parole. Cette doublure de Jean-Pierre Aumont me pèse, me dérange, me tenaille. Non, je ne lui parlerai pas. Un jour, il s'approche de moi et me dit :

– Jean-Pierre Aumont devait créer ma pièce à l'Œuvre en octobre; des contrats de films l'en empêchent; voulez-vous la jouer?

– Oui, oui, bien sûr.

– Il faut que je vous lise la pièce.

En allant à l'hôtel de Castille où habitait Jean Cocteau, je pensais au metteur en scène M. L... Que ferai-je si je me trouve dans une situation analogue? Je frappe à sa porte. J'entre. Sa chambre serait la chambre de tous les hôtels modestes sans cette lampe à huile, sans le plateau d'argent, les aiguilles d'argent, les bagues de jade, les pipes, l'opium, sans cette odeur que Picasso dit la plus intelligente, sans les papiers, les dessins accrochés partout, sans les livres, les cahiers, dans un désordre qui n'est qu'apparent; sans quelques objets étranges, comme une pomme d'ambre aux feuilles de diamant, des boîtes d'or, une main de bois.

Al Brown, Marcel Kill assis sur le lit, Jean Cocteau allongé dans un peignoir de bain blanc, fourniture de l'hôtel, sali de résidus d'opium et de trous de cigarette, un foulard autour du cou, très serré, à tel point que la chair se rabat sur l'étoffe. Il fume.

Je suis intimidé, fasciné. Émerveillé aussi d'être là, comme si en une seconde j'avais pu franchir par miracle des montagnes et des mers pour me retrouver dans des lieux hantés et interdits. Cocteau renvoie gentiment ses amis, me fait signe de m'asseoir. Comme les vêtements recouvraient les chaises, je m'assieds par terre contre le lit, près de lui. Il a posé sa pipe. Il commence à lire, d'une voix métallique, nette, précise. Il lisait très vite tout en encerclant les mots, supprimant presque toutes les liaisons. Le rythme est inimitable. Aucun acteur ne pourrait le prendre. Jamais je n'avais entendu une telle œuvre ou du moins une œuvre qui aurait pu lui être comparée. La langue, les trouvailles scéniques, les rôles, tout était neuf pour moi. Le rôle de Galaad, le très pur, Blanche-Armure qui m'était destiné, m'émerveillait. Je le lui dis à la fin du premier acte. En même temps, je m'excuse de ne pas savoir m'exprimer, – ce qui est vrai.

– Je suis trop fatigué pour lire la suite; voulez-vous revenir un autre soir? me demande-t-il.

Dans la rue, je me mets à courir; je saute; je crie en moi : « C'est impossible, c'est impossible! »

A la maison, je n'en parle pas à ma mère. Trop de promesses de cinéma avortées avaient déclenché des drames. Ce sera la surprise. Avant un an, j'aurai eu un premier rôle. Et, cette fois, c'est pour mon talent qu'on me le donne! Jean Cocteau est désintéressé. Il n'y a pas eu l'ombre d'équivoque entre nous.

Huit jours plus tard, je frappe encore à sa porte. Même atmosphère qu'à la première visite, mais Al Brown et Marcel Kill ne sont pas là. Je pense encore au salon particulier de la rue Cambacérès. Je m'assieds de nouveau au pied de son lit. Jean Cocteau me lit d'une traite le second acte. Extraordinaire : il a l'air de lire son œuvre devant le juge le plus qualifié. Il me dit encore qu'il est trop fatigué et me prie de revenir la semaine suivante.

Je me retrouve dans la rue aussi exalté qu'à la première lecture, mais étonné. Pourtant je redoute encore la dernière lecture.

Que ferai-je si?... Je n'ose me répondre franchement. Je n'ose m'avouer que je ne suis qu'un petit arriviste.

Au jour convenu, je suis au pied de son lit. Il a achevé le troisième acte. Je ne sais que dire tant j'aime la pièce. Je suis maladroit et sincère, et il traite ce stupide petit garçon comme l'être le plus cultivé du monde, en quête de son avis comme d'une vérité. Il ne joue pas, il est sincère, lui aussi, et c'est en quoi je le trouve extraordinaire, généreux.

– Vous êtes Galaad, le très pur.

– Je désire que vous jouiez ma pièce, *Les Chevaliers de la Table ronde*. Mais vous devez passer une audition devant la directrice de l'Œuvre, Mme Paulette Pax.

Angoisse.

– Je dois encore vous prévenir que si vous jouez ma pièce, on vous dira mon ami.

Je m'entends répondre : « J'en serai très fier. »

Je me retrouve dans la rue, fou de bonheur; un peu vexé cependant.

Je passe ma scène porte-chance d'*On ne badine pas avec l'amour* avec la même fille curieuse et laide, Dina, qui m'avait déjà donné la réplique; elle jouait la récitante dans *Œdipe-Roi* et lady Macbeth dans *Macbeth.*

Paulette Pax me signe mon premier contrat. Le minimum syndical : soixante francs, qui me semble une fortune. Je ne pourrai pas encore entretenir Rosalie sur un grand pied, mais je pourrai payer mon écot à la maison. Et puis, j'ai un premier rôle! Tous les espoirs me sont permis.

Enfin, nous jouons *Œdipe-Roi* au théâtre Antoine le 12 juillet 1937. Ce spectacle était annoncé pour une semaine. Il tiendra trois semaines. Guillaume Monin avait fait les décors d'après les indications et des dessins de Jean Cocteau. Les costumes étaient inventés aussi par Jean Cocteau avec des tissus de Coco Chanel, qu'elle avait offerts. Certains de ces tissus étaient composés de métaux assemblés, articulés, mais d'un tel poids! C'était étrange et neuf. Pour le berger, Jean Cocteau, croyant nous faire faire des économies, nous avait demandé d'acheter des serpillières; et nous accrochions dans chaque maille des débourre-pipe que nous tortillions autour d'un doigt pour simuler les poils de mouton. Cette simili-peau de mouton coûta une fortune : tous les bureaux de tabac des alentours étaient dévalisés de leurs débourre-pipe tant il en avait fallu!

Pour mon compte, j'étais habillé – si j'ose dire – de bandelettes blanches comme un grand blessé. En fait, j'étais quasiment nu.

Sur un socle, dans la salle, devant la scène, immobile comme une statue couchée. Deux autres de mes camarades composaient avec moi le chœur. Je me tenais au centre, eux de chaque côté de la scène. C'étaient Alain Nobis et Lucien Merel.

Ma grand-mère était alsacienne et, petit, j'imitais son accent. On me plaisantait. On m'appelait Chan Marais. Sur mon socle, était-ce un souvenir d'enfance ou imitais-je Marianne Oswald qui me fascinait? Je mis un H aspiré devant Œdipe. L'effet devait surprendre, je l'avoue. Pourtant Jean Cocteau ne m'a jamais repris à ce sujet. Je crois qu'il a toujours aimé les accents. Il voulait que Jocaste eût l'accent slave.

André G... m'avait emmené, une fois au Palace, voir Marianne Oswald. J'en avais gardé un souvenir inoubliable. Son apparition sur scène me choqua. Longue, enveloppée d'une robe noire à manches. Un visage qui me faisait penser à la Dina de mes auditions. Un teint blafard, le rouge violent de ses lèvres débordant, ses yeux verts, sa tignasse rousse, le désarticulé de ses gestes semblaient un défi à la beauté. Elle avait l'air d'engager un match. Elle chanta, comme si elle cherchait à provoquer le public. Elle scandait, hachait, envoyait son talent comme on lapide. Son accent juif germanique ajoutait une grande singularité à son interprétation.

Tout à coup le public se déchaîna. La salle entière aboya : « Whou! Whou! Whou!... Whou! Whou! Whou! », en scandant comme elle pour se moquer.

Elle chantait une chanson de *l'Opéra de quat'sous :*

Hop la poum! dans le notaire
Hop la poum! dans monsieur le maire.

Elle prononçait poum au lieu de boum. Elle regarda la salle avec haine et cria : *Hop la poum!... dans vos gueules!*

La salle hurla, siffla. Moi, je hurlai bravo!

On m'insulta et cela faillit se terminer en bagarre.

J'avais gardé depuis ce jour une grande admiration pour elle.

Le spectacle d'*Œdipe-Roi* était d'une extraordinaire beauté, si singulier cependant que certains spectateurs restaient insensibles, voire scandalisés. Les acteurs ne se mouvaient qu'en droite ligne ou en angle droit. Chacun de leurs gestes formait un chiffre. Des spectateurs chuchotaient, d'autres ricanaient. De mon socle, je livrais bataille; je tournais brusquement ma tête vers les rieurs et les regardais, l'œil fixe. Cette statue vivante, méchante, les statufiait à leur tour. Je finissais par aimer la lutte, et ce socle m'en donna l'habitude.

Jean Cocteau écrivit à ce sujet : « Nous vîmes Jean Marais immobile dans son entrecroisement de bandelettes, combattre une foule moqueuse et, malgré son statisme, flamber d'une si intense colère contre la sottise inculte, que des flammes s'échappaient de sa personne et que, tel un dragon gardien des trésors, il parvint à vaincre les rires stupides par la seule intensité de son âme. »

Bien que jeune, l'interprétation avait de la singularité et de la beauté. Michel Vitold était déjà le grand acteur qu'il est devenu. Les autres jouaient avec tant d'amour et de violence qu'ils rayonnaient de mille feux que ne peut donner le métier.

Jean Cocteau n'allait pas dans la salle. Nous en étions tristes. Il regardait toujours le spectacle des coulisses, jouant du tam-tam lui-même. A nos prières, il nous promit d'assister un soir au spectacle. Nous étions angoissés de son jugement. Ce soir-là, il ne vint pas dans les coulisses après le spectacle. Nous étions tous désespérés. Il a dû nous trouver mauvais, pensions-nous.

On me chargea d'aller à l'hôtel de Castille. Je demandai à être reçu. Il me fit monter.

– Monsieur Cocteau, vous nous avez trouvés mauvais.

– Je vous ai trouvés tous admirables, et le spectacle si beau que j'ai fondu en larmes. J'étais ridicule, je me suis sauvé.

Pendant les répétitions et les représentations d'*Œdipe-Roi* prit nais-

au théâtre Antoine
directeur : M. Paston
Lundi 12
Juillet
Macbeth
par Julien Bertheau
gala
Les jeunes comédiens 37
Œdipe-Roi
par Jean Cocteau
à mon cher petit Jean qui m'a
de monter Œdipe
Jean

sance ma réputation de gentillesse. En vérité, je ne l'étais absolument pas; je ne le suis toujours pas. Des mauvaises réputations comme des bonnes, on ne peut se débarrasser. Je connais bien Madeleine Robinson. Nous étions au cours de Dullin ensemble. Je l'admire et je l'aime. Nous avons le même caractère, exactement. Si elle gifle quelqu'un, on l'insulte. Si je gifle quelqu'un, on parle de moi comme d'un héros.

A ces débuts, j'ai voulu cette réputation de gentillesse comme j'ai voulu celle de chance. J'avais eu à me heurter à notre jeune compagnie. Ce rôle d'Œdipe offert dès le premier jour les avait ulcérés. Jean Cocteau me demandant de créer *Les Chevaliers de la Table ronde,* c'était encore une fois le but final de leur rêve qui allait à moi. On commençait à murmurer sur moi d'assez vilains bruits en coulisse.

Une petite camarade charmante, surnommée Cricri, me les répétait, tandis qu'elle m'aidait aux changements de costume. Que faire? Gifler? Boxer? C'est très gênant pour la personne qui vous avertit, puisqu'elle est ainsi démasquée. Rendre des perfidies? Impossible, méprisable. Il ne me restait plus qu'à leur rendre service. Ni par bonté ni par gentillesse. C'était une façon à moi de me venger. Ceux qui disaient sur moi les pires horreurs, je les obligeais. Ils ne savaient plus que dire, que faire, où se mettre. Ils ont commencé par me croire complètement idiot, puis ils ont fini par se taire.

C'est devenu pour moi un système, un engrenage. Cela donne de la légèreté, de l'aisance. La laideur et la lâcheté pèsent. On se sent mal dans sa peau. C'est un confort moral. Il aide au bonheur. Et puis, j'ai constaté que les méchants perdent très vite plus qu'ils ne gagnent. La bonté triomphe à la longue.

Bien que le spectacle fût joué par une jeune troupe et annoncé pour huit jours, il fit grand bruit. Je n'avais pas imaginé que tout ce que touchait Jean Cocteau devenait important. Les journaux, les photographes rappliquaient : *Vogue, Harpers Bazaar* même envoyaient leurs meilleurs photographes. Ma photo était dans tous les journaux.

Lorsque les représentations prirent fin, Cocteau disparut. Pendant deux mois, aucune nouvelle de lui; pas davantage de Paulette Pax, ma prochaine directrice. Je m'inquiétais pour mon rôle. Je guettais le téléphone; il sonne. Jean Cocteau est au bout du fil :

– Venez tout de suite, il y a une catastrophe!

Je bondis à l'hôtel de Castille. En chemin, mille pensées m'assaillent, angoissantes. Jean-Pierre Aumont a dû se rendre libre. Il joue la pièce. On me retire le rôle. Je suis au bord des larmes, désespéré.

L'hôtel de Castille, la porte; je frappe; j'ouvre. Cocteau fume l'opium. Il me regarde. Il semble aussi désespéré que moi. Je ferme la porte et reste immobile. Je m'attends au pire. Cocteau pose sa pipe. Il est en peignoir de bain, qu'il a mis comme on met une robe de chambre après n'avoir enlevé que sa veste. Il laisse tomber ses bras le long du corps et me répète : « Il y a une catastrophe... »

On dirait d'un enfant qui craint une punition.

– Une catastrophe... Je suis amoureux de vous.

Cet homme que j'admire m'a donné ce que je souhaitais le plus au monde. Il ne m'a rien demandé en échange. Je ne l'aime pas. Comment peut-il m'aimer moi,... moi... c'est impossible.

– Jean, vous voyez comme je vis, qui m'entoure, il faut me sauver. Il n'y a que vous qui puissiez me sauver...

– Moi aussi je suis amoureux de vous, dis-je.

Je mentais. Oui, je mentais.

Expliquer ce mensonge m'est très difficile. J'avais une grande admiration pour Jean Cocteau, un immense respect qui ne correspondait pas à ses sentiments. J'étais flatté aussi.

En outre, imaginer que l'être insignifiant que j'étais pouvait sauver ce grand poète m'exaltait. A cette seconde précise j'ai dû devenir une sorte de Lorenzaccio. Dès cet instant, j'ai voulu donner le bonheur, « mettre en danger le malheur, ami des poètes », comme il me l'a écrit plus tard.

Bien sûr, il ne faut pas oublier l'arriviste prêt à tout pour atteindre son but. Je ne me l'avouais pas; je ne voulais voir en moi que ce qui pouvait embellir ma conduite. Je voulais me comporter dans le mensonge comme je l'aurais fait dans la vérité. Je me promis d'être irréprochable et de tâcher de devenir l'être qu'il imaginait. Je voulais être comédien? Eh bien, je jouerai la comédie pour que l'être que j'admire soit heureux. Je ne l'ai pas jouée longtemps, cette comédie. Qui approchait Jean ne tardait pas à l'aimer.

Voilà encore une similitude avec Lorenzaccio qui se laisse prendre à son jeu et ne peut revenir en arrière. Attention! un Lorenzaccio de petit format.

Dès ce premier jour, je me promis de le faire désintoxiquer. Pourtant, il m'arrivait souvent de l'aider à fumer. Il me demandait de venir à l'hôtel de Castille.

– Viens me chercher à midi.

Il dormait encore lorsque j'arrivais. Je lui parlais, je l'appelais, le secouais, doucement, plus fort. Les yeux restaient fermés. Il luttait pour sortir de ce sommeil. Il finissait par remuer la bouche. D'abord, je ne comprenais rien, car il ne prononçait aucun mot. Cela ressemblait plutôt à une longue aspiration. Il voulait fumer. Pour se réveiller, il voulait fumer et n'avait pas la force de se redresser, d'allumer la lampe, de faire les petits cônes d'opium. Il voulait que je le fasse pour lui. Comment? Je l'avais vu faire, mais y parviendrai-je? J'allume la lampe à huile. Avec une aiguille d'argent ciselé, je prends une goutte d'opium. Je la cuis légèrement à la flamme; sur une bague de jade, j'essaie de lui donner la forme voulue; je retrempe dans l'opium et je rebrûle, et j'arrive petit à petit à façonner le cône nécessaire, puis je le dépose sur la pipe que je place elle-même au-dessus de la flamme. Le cône colle au fourneau de la pipe et je le perce de l'aiguille d'argent. Je tends la pipe à Jean tout en faisant attention à ce que l'opium ne bouche pas le trou minuscule du fourneau. Jean aspire. Il se réveille. Ses premiers mots ne sont pas pour me remercier ni pour me dire bonjour; il dit :

– Je voudrais mourir.

Je reste coi. Les larmes me viennent aux yeux... Je le voulais heureux.

Tout à coup, il me voit, comprend, me demande pardon, me prend dans ses bras.

– Jean, tu ne veux pas mourir.

– Non, plus maintenant. Dans mon sommeil, j'avais oublié que j'étais heureux. Une vieille habitude.

Il était étonné que j'aie su manipuler l'opium. Après son réveil tragique, il devenait très gai. Il me racontait avec qui il avait dîné la veille, qui il avait vu. Il était si drôle que je croyais qu'il inventait la plupart des histoires. Plus tard, lorsque nous avions ensemble vécu quelques anecdotes et que je les lui entendais raconter, je constatais avec surprise qu'il n'inventait rien, que tout ce qu'il disait était rigoureusement exact. Même sa façon de voir, sa manière d'exprimer étaient si cocasses, si poétiques, que la plupart des gens supposaient qu'il inventait. Lorsqu'il allait dans des milieux différents, il lui arrivait de raconter la même histoire. Je l'entendais donc plusieurs fois et je ne m'en lassais pas. Je trouvais chaque fois l'histoire embellie, plus cocasse, sans qu'elle se fût pour autant écartée de la vérité.

Sa toilette était rapide. Pendant qu'il fumait je lui faisais couler son bain.

Il me raconta que si Al Brown avait de l'amitié pour lui, c'est qu'un jour le grand boxeur lui avait demandé la permission de prendre un bain chez lui. Or, après l'avoir pris, il allait vider la baignoire, quand Jean Cocteau lui cria :

– Nous sommes en retard, ne vide pas la baignoire, je prendrai mon bain dans ton eau.

– Jean, tu ne crains pas que l'hôtel sache que tu fumes?

– Allume la lampe Berger.

– Jean, quand je suis venu la première fois, la lampe Berger était allumée. De l'ascenseur on sentait cette odeur très particulière.

– Picasso dit que c'est l'odeur la plus intelligente.

Sa toilette achevée, il se frictionnait avec une eau de Cologne dont Coco Chanel lui avait donné la recette. C'était l'eau de toilette de l'impératrice Eugénie qu'il avait rencontrée.

Le merveilleux Harpagon si fluet, crochu, légèrement bossu... J'aimais Charles Dullin comme j'aimais le théâtre, et le théâtre, comme moi, était mutilé par sa mort.

Jean Marais dans
le rôle de Néron de Britannicus, 1941
Photo LID

Visage triangulaire, allongé, surmonté
d'une chevelure en désordre qui l'allonge encore...
Jean Cocteau en 1937

Jean Cocteau avait exigé
que Madeleine Sologne et moi
nous allions en même temps chez le même coiffeur,
afin d'avoir la même couleur de cheveux.
L'Eternel Retour, 1943

Jean avait donné cette recette à la pharmacie Leclerc qui la fabriquait spécialement pour lui.

Cela me semblait presque impossible qu'il ait pu rencontrer l'impératrice Eugénie. J'en étais émerveillé parce que c'était vrai.

Vers quatre heures de l'après-midi, nous sortions pour déjeuner. A cette heure-là, il n'y avait que Prunier d'ouvert. Nous mangions au comptoir des plats très épicés, car nous manquions d'appétit – sans doute à cause des heures curieuses de nos repas.

Nous déjeunions là presque tous les jours, bien que Jean n'eût pas d'argent. Les notes de l'hôtel s'accumulaient. Lorsqu'il y en avait trop, l'hôtel les envoyait à Coco Chanel qui payait. Elle avait donné des ordres.

Jean me trouvait peu dépensier.

– Non, lui répondis-je, je le suis beaucoup, au contraire.

Jean répliqua :

– Tu rentres chez toi à pied au lieu de prendre des taxis. Pourtant je sais que tu les aimes!

Je lui avais raconté que lorsque je n'avais que dix francs dans ma poche, je prenais un taxi et que, lorsque je voyais le compteur à neuf francs, je le faisais arrêter, même si j'étais loin d'être arrivé, car je tenais à donner un pourboire.

– Je rentre à pied parce que je n'ai pas d'argent.

– Mais je vais t'en donner.

Non. C'est ma nouvelle façon d'être dépensier : ne pas te demander d'argent.

On a souvent dit que Jean Cocteau était avare, qu'il ne demandait jamais l'addition dans un restaurant lorsqu'il était avec des amis. Tout simplement, il n'y pensait pas. Il parlait, parlait, et il y avait toujours quelqu'un pour réclamer l'addition. Il s'en apercevait quelquefois longtemps après. Un jour, il me demanda de le lui rappeler, mais je n'osais pas. Plus tard, je payais tout simplement.

Mais avare, non! Je ne puis tolérer qu'on le dise : il a donné toute sa vie et à tout le monde. Même lorsqu'il manquait d'argent je l'ai vu vendre des objets auxquels il tenait pour pouvoir aider une ou un ami.

Il est assez facile de donner de l'argent quand on en a. Jean donnait bien davantage : il ne pouvait pas refuser une aide, un article, une préface, un dessin, une démarche, un travail. Cette mise en scène d'*Œdipe-Roi* qu'il avait faite pour une jeune troupe inconnue en est la preuve. Il nous avait accordé trois mois de son temps. C'est une plus grande générosité que de payer une addition dans quelque restaurant.

A l'hôtel de Castille, beaucoup d'amis venaient voir Jean Cocteau. Le visiteur le plus assidu était Christian Bérard. C'est lui que je préférais. Tout le monde l'appelait Bébé, malgré sa barbe. Boris Kochno l'accompagnait souvent. Son chien Cola, petit ténériffe de toutes les couleurs, ne le quittait jamais. Il devait aimer la peinture de son maître, car il en était couvert. Bébé avait les cheveux longs blond-roux, assez en désordre, qui se mélangeaient avec sa barbe de la même couleur. Une peau comme celle d'un bébé, claire, fine et presque rose, généralement luisante, de grands yeux tendres et intelligents à la fois, bordés de cils très touffus et très longs. Un air enfantin dans l'expression, et, comme celui des enfants, interrogatif. Mais ses interrogations livraient des trouvailles et ouvraient mille chemins plus séduisants les uns que les autres.

Ses vêtements n'avaient jamais l'air d'avoir été neufs, même quand ils l'étaient. La plupart du temps, la veste jurait avec le pantalon qu'il oubliait souvent de boutonner. Ses chemises n'avaient jamais l'air blanches, sauf lorsqu'il s'était habillé pour un dîner ou une première. Ces jours-là, ses cheveux se voulaient bien coiffés, mais toujours une mèche rebelle, sans doute brillantée, faisait des siennes.

Boris, au contraire, était impeccable. Le cheveu rare, très bien coiffé, la tenue correcte, des souliers cirés qui avaient toujours l'air neufs, la chemise blanche, la cravate parfaite de goût et d'allure. Des yeux noirs, brillants, durs, ironiques, une barbe rasée qui laissait une trace bleutée. Une bouche très dessinée, rouge de santé, le visage blanc.

Il tirait de sa poche des boîtes en or de Famberger, des briquets somptueux, des portefeuilles de la même qualité. Il aimait qu'on s'en aperçoive et les montrait avec délice.

L'un et l'autre me plaisaient. La chambre de l'hôtel de Castille prenait un air de fête dès qu'ils étaient là. Souvent on se serait cru au spectacle. Bébé s'emparait des porte-serviettes, des éponges, des draps, des dessus de lit. Jean prenait ce qui restait de disponible : les oreillers, la corbeille à papier, les peignoirs, le linge sale, et tous se travestissaient pour improviser des scènes irrésistibles dont j'étais souvent le seul spectateur hurlant de rire.

Je raconte cela pour souligner la jeunesse, l'insouciance de ces moments, alors que nous étions plongés par ailleurs dans le drame, la souffrance physique et morale.

Il y avait un visiteur que j'aimais moins, Maurice Sachs. Jean m'avait raconté certaines histoires qui m'avaient indigné. Par exemple, qu'ayant envoyé cet « ami » chez sa mère, Mme Cocteau, pour chercher dans sa chambre de jeune homme certains papiers, il en avait profité pour faire main basse sur une quantité de manuscrits et des lettres intimes qu'il avait ensuite vendues. Jean en fut averti par un libraire qui trouvait suspect que certaines lettres fussent mises en vente. Je ne comprenais pas que Jean continuât à voir un tel personnage.

7

Avant de commencer les répétitions des *Chevaliers de la Table ronde,* Jean m'emmena dans le Midi, à Toulon, chez une amie décoratrice, Coula Roppa.

Ma mère ne me voyait pas partir de gaieté de cœur. C'était la première fois que j'allais dans le Midi. Non, je me trompe : j'étais allé une fois la voir à Montpellier, dans une centrale où elle purgeait quelque peine. Je n'avais donc du Midi qu'un souvenir triste, d'autant plus que j'avais failli me noyer à Palavas-les-Flots. Cette plage est partagée en deux par un canal. En voulant aller à la nage d'une plage à l'autre, je fus emporté par le courant. Je n'osais pas appeler à l'aide; je me serais trouvé ridicule. On vint me chercher. Mon horoscope! « Prenez garde à l'eau et au feu », – toujours.

Ma mère ne voyait pas d'un bon œil que je passe ces quelques semaines avec Jean Cocteau. Je lui expliquai que cela était nécessaire à la préparation de la pièce. Rosalie ne m'avait donné aucun avis sur *Œdipe-Roi* et *Macbeth.* Elle ne croyait pas encore à mes vrais débuts dans *Les Chevaliers.* Je ne participais plus à la figuration chez Dullin. Aussi n'admettait-elle pas mes rentrées nocturnes. Moi, j'étais si heureux que j'avais envie qu'elle le fût avec moi. Elle, elle souffrait que je puisse l'être en dehors d'elle. Notre entente extraordinaire se disloquait.

Pour la première fois, je voyageai en wagon-lit. Ce compartiment n'était pas comme les autres : l'opium lui conférait un mystère; on allumait la lampe Berger; on plaçait des serviettes au bas de la porte, on allumait enfin la lampe à huile et on ouvrait légèrement la fenêtre. Je ne fumais pas. Mais, surtout, je retrouvais mes impressions de collège lorsque je faisais quelque chose de défendu.

Après avoir fumé, Jean restait étendu, les bras le long du corps, immobile. Il était sur la couchette du bas, moi sur celle d'en haut. J'éteignais pour qu'il crût que je dormais. Il gardait les yeux ouverts. Je savais qu'il travaillait.

« Après Valence commence le Midi. Tu vois les toits de tuiles roses... »

Tous les paysages, tous les pays, toutes les villes vus avec lui étaient incomparables. Grâce à lui, je découvrais des beautés que je n'aurais jamais soupçonnées, jamais vues moi-même. C'est ainsi qu'à Toulon il m'arrêtait devant la moindre porte dont le marteau était beau ou d'une élégante naïveté. Bien sûr, j'admirai les fameuses caryatides, devant la patache. Nous marchions des heures dans les rues. Son enthousiasme pour tout ce qui était beau, singulier, m'en apprenait plus que quiconque ne m'avait jamais révélé jusqu'alors. Et cela sans chercher une seconde à me donner une leçon. Je pouvais aussi lui poser des questions qui dévoilaient ma désespérante inculture. Il y répondait avec patience, sans avoir l'air surpris. J'étais heureux. Je ne jouais plus la comédie : j'aimais Jean.

Coula Roppa, chez qui nous habitions, avait un très joli appartement sur le port – deux chambres et un salon mansardés.

Vite, une chambre habitée par Jean lui ressemble; ses bibelots personnels, ses papiers, son désordre ordonné la transforment. J'allais travailler *Les Chevaliers de la Table ronde* sur la terrasse ou sur la plage. A mon retour, je découvrais des merveilles : des dessins pour ses décors, pour les costumes, pour les meubles des *Chevaliers*. D'autres pour moi, ou de moi. Lorsqu'il voulait y ajouter quelques couleurs, il se servait de ce qu'il trouvait, des encres multicolores, de la craie, les fards de Coula Roppa.

Un soir de promenade, Jean s'extasie sur une enseigne de gantier. Chaque fois que nous passions devant cette boutique, il rêvait de posséder ce gant de fer peint en rouge. Souvent, le but de notre promenade était de revoir cet objet. Une nuit, j'allai, sans rien dire à Jean, jusque chez le gantier. Je grimpai au premier étage et m'accrochai au gant jusqu'à ce qu'il cède. Je le rapportai à Jean qui n'en croyait pas ses yeux.

Coula Roppa fumait aussi l'opium, mais rarement avec Jean. Nous étions servis par un boy indochinois qui ajoutait au côté étrange de l'appartement.

Nu sur le lit, je dormais dans la chambre de Jean. Il faisait très chaud. C'était sept heures du matin – la nuit pour nous. On frappe, on ouvre sans attendre. Ce sont des policiers, ils sont six. J'ai enfilé un peignoir. Ils ne me regardent pas. Ils feront toujours comme si je n'étais pas là. Pourtant, j'ai appris plus tard que, pris dans la chambre d'un fumeur, on est considéré comme tel.

Poliment, en s'excusant de leur devoir, ils font un constat et emportent tous les accessoires du fumeur. Ils ont fait de même dans la chambre de Coula Roppa. Jean est atterré.

– Que faire?

– Tu vas te désintoxiquer, lui dis-je.

– Non, mon Jeannot, non. Une désintoxication coûte très cher, et puis cela prend du temps. Je n'ai pas le temps. Je dois rentrer à Paris pour mettre en scène notre pièce.

– Jean, tu dois te désintoxiquer.

– Non, je vais me jeter dans le port. Je ne veux plus fumer; je ne veux pas me faire désintoxiquer; je veux mourir.

– Jean!

– De toute façon, je risque une attaque en cessant de fumer. Ce sont des souffrances atroces; je ne veux pas attendre.

– Jean, tu m'as dit qu'on pouvait refaire de l'opium avec du dross. (Lorsqu'un fumeur nettoie sa pipe, il en sort une matière qui pourrait ressembler à du marc de café.) Eh bien, l'autre jour, je ne savais pas où mettre le dross; je l'ai mis dans une grande enveloppe que j'ai collée. Elle doit être là, dans tes papiers.

On cherche, on trouve l'enveloppe. Jean et Coula le cuisent à la cuisine. L'appartement empeste. Ils font des boulettes qu'ils avalent dans du café.

Jean m'envoie en mission à Marseille. Il m'a donné une adresse. Je m'y rends, lui rapporte de l'opium et ce qu'il faut pour fumer.

Combien de temps me faudra-t-il encore pour le faire désintoxiquer? Je me suis souvent reproché de n'avoir pas profité de ces circonstances-là.

Enfin, nous répétons *Les Chevaliers de la Table ronde*. Lucienne Bogaert, pour qui le rôle de la reine avait été écrit, le refuse, Edwige Feuillère ne veut pas le jouer. Paulette Pax propose une jeune inconnue, Annie Morène. Le rôle de la reine, rôle étourdissant, présente de grandes difficultés. Annie Morène n'est que très bien, alors qu'il faudrait du génie.

J'ai fait choisir Michel Vitold pour le rôle de Merlin. Jeune pour le rôle, mais quel talent et quel amour démesuré de son métier! Jean-Louis Barrault refuse le rôle de Gauvin, Jean le confie à Georges Rollin. Il sera sans mystère, sans sexualité, sans trouvaille. Blanchette Brunoy, charmante dans Élandine. Samson Fainsilber fera le roi Arthur; Pascal, Lancelot; Yves Forget, Segramon.

Jean se livre à un travail considérable de mise en scène. En même temps la courtoisie, la gentillesse même. Précis, direct, il ne prépare rien à l'avance. Il improvise. De plus, il aime ses interprètes sur lesquels il se répand en louanges.

Après une répétition, il me dit :

– Dans la dernière scène, tu as été si émouvant que j'ai fondu en larmes.

Le lendemain, après la répétition où il avait fait venir un de ses amis :

– Untel m'a dit qu'un chevalier ne devait pas pleurer.

Je corrige mon jeu.

La veille de la générale :

– Je n'ai jamais retrouvé l'émotion que tu m'avais donnée à une certaine répétition. Refais ce que tu faisais alors.

Je n'ai jamais pu. Mon effort pour me maîtriser, pour changer, avait été tel que j'étais incapable de retrouver le ton.

Mon rôle de Galaad, le très pur, m'épouvantait. On parlait de mon arrivée pendant tout le premier acte. Les trompettes de Purcell sonnaient mon entrée. Le mur s'ouvrait dans une brusque montée de lumière. J'entrais, blanc brodé d'or, droit devant moi, sans rien voir, et je devais – selon la mise en scène de Jean Cocteau – parler comme une trompette.

Purcell me coupait les jambes; la lumière me tuait. Toutes ces excuses pour en venir à l'aveu que j'étais – à mon avis – franchement mauvais.

Paris a partagé cette opinion. Un article disait : « Quant à Jean Marais, il est beau. Un point c'est tout. » Ça, je ne le trouvais pas. Mes photos me semblaient, me semblent encore, bonbon fondant. Du moment qu'on parlait de mon physique, c'est qu'on ne me trouvait aucun talent. Et pour comble, je me sentais de leur avis. Cette beauté... D'abord on a cru que je m'en pavanais; plus tard, on s'est imaginé que j'en souffrais. Les deux sont faux et absurdes. D'abord, je ne me suis jamais trouvé beau. Ce n'est pas une coquetterie à l'envers. Si j'avais reçu la beauté parfaite, je ne m'en serais pas plaint. La beauté est aussi une question de mode.

Dans *Splendeurs et misères des courtisanes,* Balzac dépeint Esther comme une femme laide. Telle qu'il la dépeint, Esther a la beauté des superstars actuelles. En revanche, les femmes qu'il nous décrit comme des beautés seraient de nos jours sans aucun charme.

Je suis persuadé que mon physique de jeune homme a mystérieusement correspondu au goût vague d'une époque. La beauté qu'on m'a prêtée, je ne l'ai jamais aimée ni boudée. Elle fut pourtant un élément de ma chance que je me suis efforcé d'aider.

Si un rôle exige de la beauté, je ferai tout pour arriver à paraître beau. Ce sera donc une composition au même titre que je m'appliquerai à devenir laid si le rôle l'impose.

Ma plus grande joie des *Chevaliers de la Table ronde* me fut donnée un soir, vers les dernières, par une journaliste qui avait assisté à la générale. Elle était revenue voir la pièce et me déclara : « Vous avez fait d'énormes progrès. » N'estimant pas l'acteur que je commençais d'être, dès lors, je n'eus qu'un but : faire des progrès. Brusquement, pendant que je jouais *Les Chevaliers de la Table ronde,* Jean Cocteau partit en voyage. Je sus après que Marcel Kill et Al Brown l'accompagnaient. Pendant deux mois, je n'eus aucune nouvelle de lui, pas le plus petit mot, pas le moindre signe. Je cherchais en vain à comprendre son attitude.

A la maison, Rosalie, plus calme, commençait à admettre que je sois acteur. Sur les soixante francs que je gagnais, j'en donnais quarante pour la maison. J'avais été surpris que ma mère, si sévère pour tout ce que je faisais, m'ait trouvé bien dans *Les Chevaliers.* Comme je me considérais mauvais, j'attendais d'elle une critique sévère.

Le murmure flatteur à mon entrée en scène *(sic)* l'avait émue.

– Tu verras, bientôt je gagnerai beaucoup d'argent et tu n'auras plus besoin de « travailler ».

– Nous verrons.

Je ne l'accompagnais plus dans les magasins. Je le regrettais presque, car je croyais que ma présence seule la protégeait.

La santé de ma grand-mère nous inquiétait. Le médecin était pessimiste.

Rosalie ne voulait toujours pas revoir mon frère. J'intercédai. « Il faut tout oublier, lui dis-je, le soigner. » Enfin, ma mère consentit à ce qu'il revienne à la maison. Nous évitions de parler de son aventure. Sa maîtresse l'avait quitté. Il était triste et mal en point physiquement. Tout cela nous rapprocha, Rosalie et moi. Je retrouvais presque la Rosalie de mon enfance.

Comme je m'en étais donné l'ordre, je continuais mes cours chez Dullin. Je travaillais double voulant être à la hauteur de cette chance que je n'avais pas méritée.

Dullin me proposa deux rôles dans la prochaine pièce qu'il allait monter : un gigolo nu dans la première partie, un rôle plus intéressant dans la seconde. Ne pouvant demander conseil à Jean qui ne revenait pas, j'acceptai.

Depuis *Œdipe-Roi,* j'étais souvent invité par le photographe de *Vogue.* Chez lui, je rencontrai Lucino Visconti. Il était assistant de Jean Renoir, mais je l'ignorais. Il avait vu *Les Chevaliers de la Table ronde,* et me proposa de travailler en Italie. Je refusai. Nous sommes restés cependant de grands amis.

Jean Cocteau était revenu. Il vint me surprendre dans ma loge du théâtre de l'Œuvre. C'étaient les toutes dernières représentations. J'étais triste de terminer ma première grande pièce.

Heureux de le revoir, je ne posai aucune question. Plus tard, à l'hôtel de Castille, il me dit qu'il était parti parce qu'il avait peur des proportions que prenait notre amitié. Son départ avait eu des allures de fuite en quelque sorte; il m'en demandait pardon. Après la pièce, nous n'avons pas quitté la chambre de l'hôtel de Castille pendant trois jours. Nous y faisions monter nos repas.

En son absence, j'avais lu des livres de lui : *Opium* et *Le Mystère laïc.* Dans *Opium,* il dit qu'il ne pourrait pas vivre auprès de quelqu'un qui ne fume pas. Je me promis de vivre avec lui, de ne jamais fumer et de le faire désintoxiquer.

On a dit que Jean Cocteau faisait du prosélytisme, qu'il demandait à ses amis de fumer. Jamais il ne me l'a demandé, je l'affirme. Mieux, je crois qu'il avait pour moi une certaine admiration, précisément parce que je n'étais pas tenté. Il me voyait comme le rôle qu'il m'avait donné, le très pur, Blanche-armure, protégé par une cuirasse invulnérable. Et cependant la lampe et les accessoires du fumeur, l'atmosphère de la chambre me séduisaient. Jean m'expliquait que l'opium ne donnait aucune vision, aucun rêve euphorique. Il était né tout de travers : ses cheveux poussaient dans tous les sens; ses dents, sa colonne vertébrale étaient de travers; il se sentait perpétuellement mal à l'aise. L'opium lui donnait seulement un équilibre dont il avait besoin. Les êtres qui fument ne sont jamais vulgaires. L'opium confère une élégance morale, une politesse exquise alors que ce n'est pas le cas pour les autres drogues. Lorsque Marcel Kill est désintoxiqué, il boit et devient un autre personnage avec lequel je me sens étranger.

Je me gardais bien de dire à Jean que j'étais séduit par l'opium. Mon métier comptait avant tout et je savais confusément qu'il fallait choisir. L'opium doit être pris aux mêmes heures; on ne peut s'en passer sans d'affreux malaises; on est esclave.

Or, le métier d'acteur exige une santé, une force que l'on ne peut acquérir que par une discipline exemplaire.

Le Mystère laïc parlait d'un peintre que j'ignorais : Chirico. A propos de ce peintre, Jean Cocteau formulait des réflexions qui me dépassaient. Je fus donc très étonné de fondre en larmes à sa lecture, au point que j'étais obligé de m'arrêter de lire. J'en demandai l'explication à Jean. Il me répondit :

– C'est parce que tu as le sens de la perfection.

Il me prit dans ses bras en riant comme pour s'excuser d'une phrase qui pouvait me paraître prétentieuse. Il n'y avait jamais de prétention chez lui. Il disait la vérité.

J'ai observé ensuite mes réactions devant des œuvres d'art. J'étais bouleversé d'une réussite parfaite, plus que d'un sujet écrit ou peint pour être émouvant. J'en eus encore la preuve un soir où Jean Cocteau m'emmena dans une avant-scène de l'Odéon. Yvonne de Bray jouait *Catherine empereur*. Pièce et avant-scène disparurent. J'eus la révélation de ce que pouvaient être les monstres sacrés dont parle Cocteau. Elle me souleva de mon fauteuil. Je me retrouvai, comme dans un rêve, l'acclamant, debout.

Jean décida, ce soir-là, de nous écrire une pièce.

Je répétais chez Dullin. Huit jours avant la générale, on me retire un des rôles, le plus intéressant. Je n'ai plus à jouer que le gigolo nu dans *Plutus*. Je quitte Dullin. Jean me demande de le suivre à Montargis pendant qu'il écrirait sa pièce. Nous nous installons à l'hôtel de la Poste.

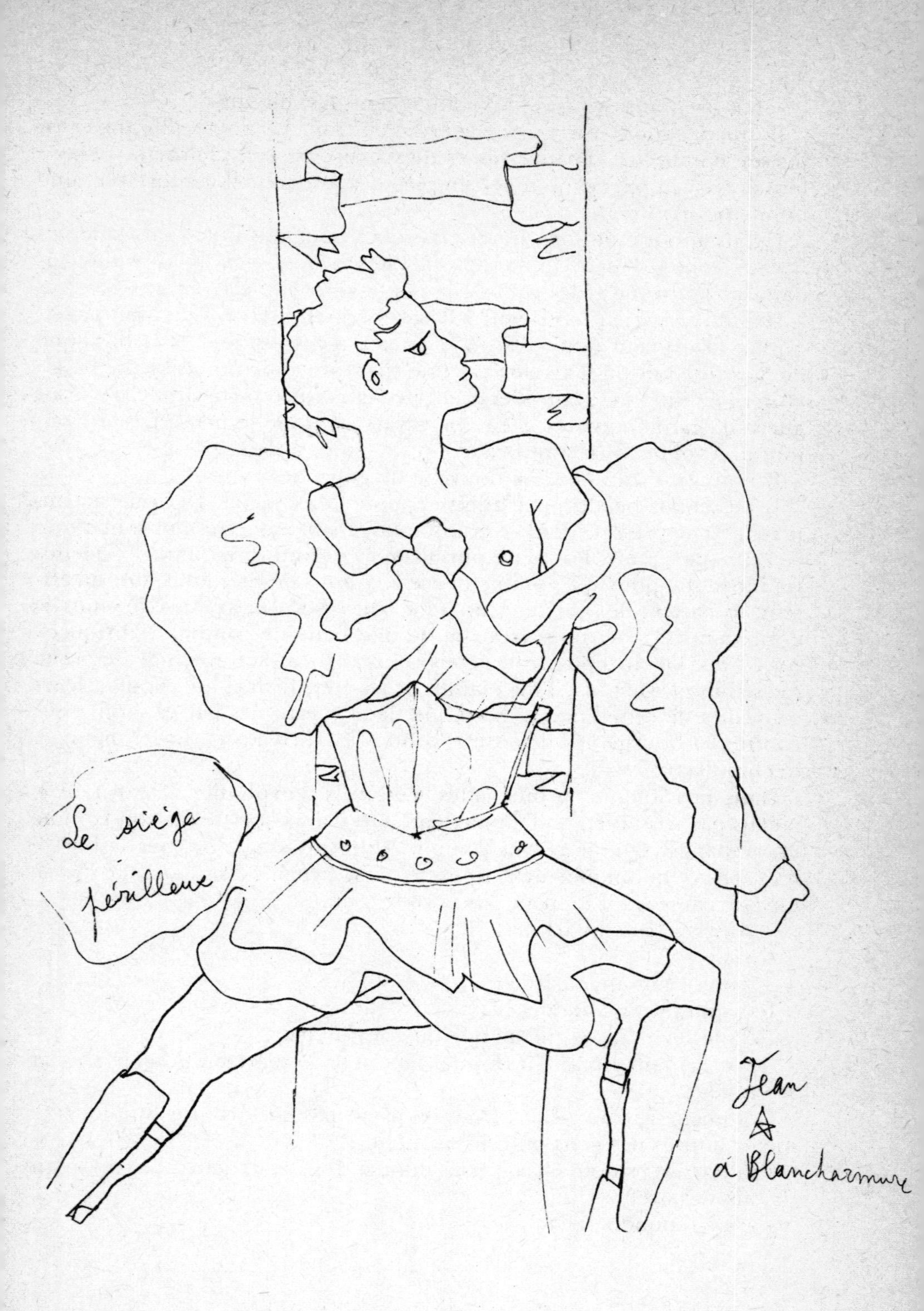
Le siège périlleux
Jean
à Blancharmure

— Ici, les ondes néfastes ne m'atteignent pas, me dit-il.

Il aimait — pour écrire — ce genre d'endroit. La petite ville traversée de ses nombreux canaux, ses vieilles maisons, son charmant théâtre fermé, ses campagnes. L'hôtel simple, avec un accueil confortable, une bonne nourriture.

J'avais apporté des brochures classiques pour travailler, ainsi que des livres. Jean dessinait, fumait, restait des heures étendu, m'emmenait dans la campagne et les rues de la petite ville. Il n'écrivait pas.

Des amis venaient nous voir : Roger Lannes, Marcel Kill, Max Jacob.

Max Jacob était notre voisin. Il nous a reçus, un jour, à la basilique de Saint-Benoît où il vivait dans une chambre assez misérable. Il faisait visiter l'église. On le considérait un peu comme le sacristain. On n'avait guère d'égards pour lui. S'en apercevait-il? Je ne le pense pas. Il était tout à sa foi et consacrait beaucoup de temps à dessiner.

Il nous montra une série nouvelle de gouaches.

Je ressentais beaucoup d'affection pour Max Jacob. De toute façon, je m'attache presque d'office et instantanément aux êtres qui sont aimés de ceux que j'aime. Pour être plus juste, je devrais dire qu'une coquetterie innée me pousse à vouloir plaire aux amis de mes amis afin qu'absent, ils parlent de moi de façon à me conserver leur amitié. Ne serais-je donc que calcul et ne suivrais-je qu'une ligne de conduite fabriquée? Avec Max Jacob cependant, j'étais spontané, car son intelligente bonté me séduisait. De plus, il me plaisait de les voir, Jean et lui, évoquer leurs souvenirs de cette époque héroïque, leur guerre des lettres — offensive contre le bourgeois, défensive contre le surréaliste. Leur dialogue m'éblouissait.

Dans nos longues promenades, j'essayais d'expliquer à Jean que je n'étais pas aussi bien qu'il l'imaginait. Qu'il avait tort de me voir comme un archange. Que je n'étais pas pur. Il m'expliqua alors que la pureté n'est pas ce qu'on entend. La pureté, c'est être fait d'un bloc. Le diable est pur parce qu'il ne peut pas faire le bien.

— Alors, je suis le diable.

Il rit :

— Tu es mon ange gardien.

Je souffrais aussi de ma bêtise.

Cela le révoltait, et même quelquefois l'irritait.

— Ne dis jamais ça! Tu donnes aux gens le marteau pour te cogner sur la tête.

Comment à côté de lui pouvais-je ne pas me trouver stupide? Et même auprès des gens qu'il fréquentait.

Il n'écrivait toujours pas. J'étais inquiet. Il m'avait demandé : « Qu'aimerais-tu faire? »

J'avais répondu :

— Un rôle moderne, vivant, excessif, où je devrais pleurer, rire et ne pas être beau.

La table était prête, l'encre, les plumes, le papier, mais il restait étendu, les mains le long du corps, les yeux ouverts ou fermés. De temps en temps il lisait mes brochures classiques, *Britannicus, Le Misanthrope,* ou des livres policiers. Nous nous endormions très tard.

Une nuit, vers quatre heures du matin, il se leva, se mit à la table, ouvrit un cahier et commença d'écrire. C'était la première fois que je le voyais écrire. Je n'osais plus tourner la page d'un livre, remuer, presque respirer.

Il m'a raconté qu'une garde-malade lui disait : « Quand vous écrivez, je n'aimerais pas vous rencontrer au coin d'un bois. » Exact : je l'observais par-dessus mon livre; son visage a quelque chose d'effrayant; sa bouche se crispe à tel point que les coins de ses lèvres descendent d'au moins deux centimètres. Tous ses traits se transforment et semblent exprimer la douleur. Il écrit, il écrit vite d'une main qui tremble, comme secouée par de terribles tics.

Huit jours, huit jours et huit nuits, d'une traite, sans rature, presque sans repos, il écrit. Sa figure se rayait, se froissait, se crispait — une mine féroce, un assassin. Un assassin de ses personnages. Je luttais contre le sommeil pour ne pas l'abandonner. Je succombais. A mon réveil, j'avais honte. Il me rassurait.

Au bout de huit jours, la pièce était terminée. Cette rapidité me surprenait.

Il y avait deux mois que nous étions à Montargis. Il me révéla que lorsqu'il était étendu, la pièce se formait en lui, acte par acte, scène par scène, phrase après phrase, mot après mot et que lorsqu'il écrivait — ce qu'il détestait — il devenait en quelque sorte son secrétaire.

Le huitième jour, il m'a lu la pièce. D'une traite malgré sa fatigue. Je me taisais. Il me regarda, lut sur mon visage à quel point j'étais consterné.

— Tu ne l'aimes pas? m'a-t-il demandé.

— Je la trouve merveilleuse.

— Alors pourquoi cet air consterné?

— Jean, je suis bouleversé, ému à un point que tu ne peux pas imaginer. Ta pièce est fantastique et je l'adore.

En fait, j'étais désespéré. Je me criais à moi-même que je ne pourrais jamais jouer un tel rôle, que je n'en avais ni le talent ni la force. Je ne voulais pas le lui avouer pour ne pas détruire sa confiance.

Je lui dis simplement :

— C'est le plus beau rôle qu'un jeune acteur puisse rêver; je vais beaucoup travailler pour en être digne.

Puis nous avons cherché un titre. Je dis « nous » car — comme toujours – Jean tenait à me faire participer à son travail, par générosité. J'en étais heureux et fier. C'est seulement en écrivant ces lignes que je me rends compte que je n'étais d'aucun secours. Aucune attitude en cela : il était sincère et je le croyais.

Plus tard, pour d'autres pièces, il s'arrêtait quelquefois d'écrire et me disait :

– Il se forme un nœud que je n'arrive pas à dénouer.

Je lui demandais de me l'expliquer, et il m'expliquait. Je lui donnais, alors, des solutions qu'il discutait. Après quoi le nœud se dénouait. Peut-être ai-je pu ainsi lui être de quelque utilité; encore que je soupçonne qu'il avait déjà trouvé la solution au moment où il me décrivait l'obstacle.

Nous nous sommes proposé des centaines de titres. Deux seulement semblaient lui convenir : *La Roulotte* et *La Maison des portes qui claquent.* Nous sommes rentrés à Paris sans avoir décidé.

Jean avait écrit la pièce pour Jouvet, Madeleine Ozeray, Gabrielle Dorziat, Yvonne de Bray et moi. « Admirable! C'est du tout cuit » *(sic),* dit Jouvet.

Moi, très fier à l'idée de travailler avec lui. Huit jours après, il rendait la pièce sous prétexte qu'elle ne « ferait pas un franc » *(re-sic).*

Jean a toujours supposé que Madeleine Ozeray trouvait le rôle trop mince. Moi, je pense plutôt que Jouvet devait être inquiet à cause de moi. La suite des événements le prouvera.

Nous avons « démarché » dans tous les théâtres de Paris, sans succès. Les appréciations étaient diverses, les refus invariables.

Quand on pense que les directeurs actuels de théâtre courent après les pièces qu'ils ne trouvent pas! Étrange... Je suis resté deux ans directeur de théâtre sans que l'on m'apporte une pièce. Entre-temps, je faisais plus ample connaissance avec Yvonne de Bray. Je voulais que son amitié réponde à mon admiration débordante. Elle me l'a vite donnée.

Un jour, devant Jean Cocteau, sur son lit, elle a voulu répéter avec moi un bout de la pièce. Peut-être pour voir ce dont j'étais capable. Je veux fuir.

– La scène du lit, dit-elle.

Je me dérobe; je supplie; cette fois, j'allais prouver que je n'avais aucun talent, donner la réplique à un génie! Impossible! Elle insiste. Je m'obstine. Elle me lance :

– Quelle heure est-il?

– Six heures.

J'ai enchaîné malgré moi.

– Michel! continue-t-elle.

Je vois son visage bouleversé. Elle est au bord de la crise de larmes, de nerfs. D'une vérité incroyable. J'enchaîne sans presque me rendre compte. Son talent m'emporte à un niveau que je ne croyais pas atteindre. Tout devient facile. Je n'ai plus qu'à la suivre, à la regarder, à l'écouter. Elle est si drôle que je ris à gorge déployée, si bouleversante que je ruisselle de larmes. En somme, je n'avais plus à jouer : je vivais, grâce à son visage qui se transformait par les sentiments qu'elle ressentait et par un surnaturel plus vrai que le vrai. Dans cette minute-là, j'ai cru être sauvé. Je n'avais plus envie que de travailler avec elle. Était-ce « travailler » que m'ébattre du rire aux larmes en répondant à ses yeux?

Jean lit la pièce à Gabrielle Dorziat qui accepte son rôle avec enthousiasme. Mais pas de théâtre : aucun ne s'ouvre!

Le théâtre Édouard-VII est à vendre. Si on l'achetait? N'ayant pas d'argent, il en cherche. Il ne réunit qu'une petite somme. Il manque trente-deux mille francs, trente-deux mille francs introuvables.

Dire que récemment une aventurière qui s'était fait passer pour la femme de Jean Cocteau avait réussi à escroquer trente-deux millions! Le millième nous suffirait. Un soir, Gabrielle Dorziat, Yvonne de Bray, Jean Cocteau, son secrétaire Raymond Muller et moi, nous sommes réunis au Bœuf sur le toit. Jean Cocteau est désespéré; nous le sommes aussi. « Personne ne veut de moi, dit Jean calmement, mon père s'est suicidé, je ferai comme lui. » Nous sommes atterrés. C'est la première fois que Jean parle de ce drame. Je suis pris de panique. Il faut le sauver. Une idée jaillit. Sans rien dire, je monte au téléphone. Je cherche dans l'annuaire le numéro du Ritz. Seul dans la cabine, je ne me contrôle plus; je pleure comme un enfant. Je peux à peine lire les maudites petites lettres de l'annuaire. Mlle Chanel est au bout du fil.

– Mademoiselle, Jean veut se suicider. Je sais que vous avez fait beaucoup pour lui, pour le théâtre. Il n'en trouve pas un pour jouer sa pièce. Le théâtre Édouard-VII est à vendre. Il lui manque trente-deux mille francs. Je vous en supplie, prêtez-les-lui.

– Quelle heure est-il? me demande Chanel pendant que j'essaie de maîtriser les sanglots qui me sortent de partout et qu'elle ne pouvait pas ne pas entendre.

– Je crois, une heure.

– Mon petit ami, je suis une femme qui travaille de bonne heure, et on ne me réveille pas en pleine nuit pour des histoires de théâtre dont je ne veux plus jamais entendre parler.

Elle raccroche.

Mes larmes ne s'arrêtent plus. Je ne peux redescendre. Et pourtant, il le faut. J'arrive à me calmer. Je vais au lavabo; je m'asperge le visage d'eau froide. En bas, tout le monde exulte. Le secrétaire de Jean est allé voir Alice Cocéa et Roger Capgras, le directeur du théâtre des Ambassadeurs, qui lui ont dit : « Jean est chez lui dans notre théâtre. » Ils prennent la pièce sans lecture.

Ce n'est qu'en rentrant à l'hôtel de Castille que j'ose parler de mon coup de téléphone.

– Mon Dieu! Qu'est-ce que tu as fait? me dit Jean.

Je ne sais pas au juste ce que Coco Chanel et Jean ont pu se dire le lendemain au téléphone, mais ils ne se sont plus revus jusqu'à la générale de la pièce. Ils s'étaient brouillés, je crois, parce que Coco Chanel a prétendu que j'avais voulu l'escroquer de trente-deux mille francs. Jean n'a jamais voulu me dire la vérité.

Alice Cocéa et Roger Capgras nous reçoivent dans leur appartement de la rue Nungesser-et-Coli pour la lecture. Appartement somptueux et moderne de deux étages avec d'immenses baies vitrées donnant sur le bois de Boulogne. Je suis ébloui. Jean trouve tout cela grotesque. Il me dit : « Comment vais-je pouvoir lire dans cet aquarium? »

En outre, pendant la lecture, Alice n'arrête pas de tremper des biscottes beurrées dans du thé, – ce qui me rend fou.

Ils expriment leur admiration à la fin. Les superlatifs pleuvent. Roger Capgras propose un titre : *Les Parents terribles*. Accepté. On répétera au mois de septembre.

Je racontai tout à Rosalie. Je ne la mettais pas au courant tous les jours de ce qui m'arrivait; j'attendais d'en éprouver un besoin irrésistible. Mais tôt ou tard, elle était ma confidente. Je lui parlais de Jean, d'Yvonne. De mes merveilleux projets.

– Cette fois, j'espère gagner assez pour que tu n'aies plus besoin de « travailler ».

Rosalie me laissait rêver, interrogeait souvent. Généralement coupait mon élan. Ses questions me gênaient la plupart du temps. Parfois, j'étais surpris des mots qu'elle employait, qui n'étaient pas dans son vocabulaire d'avant. Je la trouvais aussi moins élégante, mais mon amour pour elle n'en était pas diminué. J'en parlais sans cesse à Jean qui s'en était servi pour *Les Parents terribles*. Dans la pièce, j'appelle ma mère « Sophie », alors qu'elle s'appelle « Yvonne », parce que j'appelais ma mère « Rosalie » alors qu'elle s'appelait Henriette ou plutôt Marie-Aline. J'avais aussi décrit nos maisons du Vésinet et de Chatou comme l'appartement de la rue des Petits-Hôtels.

L'« incroyable » des *Parents terribles* ne venait pas de ma mère, mais de moi. Je disais à tout propos : « C'est for-mi-da-ble. » Jean qui ne trouvait pas ce mot français, le changea en « in-croya-ble ».

Il y avait aussi les scènes que Rosalie me faisait à propos de mes sorties ou mes amis. Sauf pour André G... que je continuais à voir. Il était le seul admis. Bien sûr, j'avais désiré que Rosalie et Jean se rencontrent. Jean avait fait de son mieux pour lui plaire, mais sa courtoisie, sa gentillesse naturelles n'arrivaient pas à la séduire et souvent je ne pouvais accepter le jugement sévère et injuste qu'elle portait invariablement sur lui. Jean m'emmena dans le Midi pour attendre septembre. Nous allions chez une de ses amies, Tytaïna, grande journaliste, qui avait une merveilleuse maison à Pramousquier. J'ai omis de préciser qu'après la descente de police de Toulon nous avions déjà été chez elle. Je ne m'y étais pas tellement trouvé à l'aise : on me recevait à cause de Jean et on se serait très bien passé de moi.

Cette fois-ci, elle fut charmante. J'étais heureux au bord de la mer où j'essayais les appareils de plongée sous-marine du commandant Leprieur dont Jean parle dans *Les Parents terribles*. Je fus donc, par hasard, un des premiers à faire de la chasse sous-marine avec les appareils que Cousteau a perfectionnés plus tard après s'être approprié le brevet que le commandant Leprieur ne pouvait plus payer. Charmant, distrait, le commandant était le type même de l'inventeur tel qu'on le caricature. Il habitait une petite maison dans le port de Saint-Raphaël. Lorsque le facteur mettait le courrier dans sa boîte aux lettres, elles tombaient directement sur son lit. Ainsi les recevait-il sans bouger, dès son réveil.

Tout chez lui ressemblait à ce détail. Il a aussi, entre autres, inventé le miroir qui sert presque dans tous les films; on l'appelle « transparence ». L'acteur joue devant des vues projetées sur cette glace. Il peut ainsi avoir l'air de conduire une automobile, qui en réalité reste immobile, faire des gros plans comme s'il était à cheval, avoir l'air d'être à Tokyo alors qu'il est dans un studio parisien. Là aussi, les Américains ont attendu que le commandant Leprieur cesse de payer son brevet pour l'utiliser.

Jean Cocteau ne lisait aucun journal; cependant, il savait toujours tout, était au courant de tout. Les conversations de juillet 1938 étaient terrifiantes. On parlait d'une guerre probable dans les mois à venir. Je ne parvenais pas à l'imaginer. Je me refusais à l'admettre. On commençait à envisager une mobilisation; d'ailleurs je crois que certains contingents étaient mobilisés. Ce qui est horrible, c'est, en fait, que je ne me représentais pas une guerre, ni les souffrances de millions et de millions d'êtres, ni la mort. Je pensais : « Je ne jouerai pas *Les Parents terribles.* »

Avec une naïveté déconcertante, je priais. Cela ne m'était pas arrivé depuis ma première communion, ou presque. « Tout ce que je vous demande, mon Dieu, c'est de reculer la guerre d'un an. » Cette prière, que j'ajoutais au Notre Père, je l'ai faite jusqu'à la première des *Parents terribles*. J'ose à peine raconter cette histoire dont je rougis, tant elle est naïve, égoïste, superficielle, à peine croyable. Mais ce mélange incompréhensible d'enfant et d'homme, de bien et de mal, de faiblesse et d'arrivisme, de croyance et d'incroyance, de rouerie et de franchise, d'intelligence et de bêtise, c'est moi.

Je ne crois évidemment pas que la guerre ait été reculée d'un an à cause de ma prière; mais elle a bel et bien été repoussée d'un an, et je me suis imposé de continuer à prier. J'obéis toujours à cet ordre. Est-ce que je crois en Dieu? Je le pense. Pourtant, j'ai cessé de pratiquer et de fréquenter les églises dès que j'ai commis des actes réprouvés. D'abord, par la honte de les confier à un prêtre, et surtout parce que je n'aurais pas voulu promettre de ne plus les commettre. Je m'appliquai à prier en pensant intensément à ce que je formulais dans ma prière. « Pardonnez-nous nos offenses comme nous pardonnons à ceux qui nous ont offensés », – cette injonction morale s'imposa à tel point que j'essayai d'en faire ma ligne de conduite, non sans peine. Bien des fois, ma méchante spontanéité passa outre. Je me demandais aussi si je ne priais pas par superstition. Lorsqu'on demande à Dieu d'exaucer un certain vœu, c'est qu'on le souhaite par-dessus tout et, le souhaitant au-delà de ses forces, on s'emploie davantage à vaincre les obstacles surgis de toutes parts que l'on finit par vaincre. Est-ce donc la prière ou la violence de notre désir qui nous exauce?

Bientôt, j'eus honte de toujours quémander. J'allai jusqu'à supprimer la seconde partie du Notre Père.

Je me confessai à Jean. Il ne se moqua pas et même m'encouragea à la prière. J'eus l'impression qu'il en était content. Il avait compris que je vivais un drame. Il m'interrogea. Je lui expliquai que Rosalie venait d'être arrêtée et lui racontai qui était ma mère. Il me prit dans ses bras, et trouva les mots qui pouvaient tempérer mon chagrin. Je n'avais plus de secrets pour lui. Mon amitié s'en trouva augmentée.

Avant de revenir à Paris, nous passons par Dax pour voir Capgras et Alice Cocéa qui y faisait une cure. Je répète avec Alice dans sa chambre d'hôtel. Elle me trouve vrai, authentique. Elle est persuadée que je jouerai bien le rôle.

Jean a commencé un grand poème, *L'Incendie,* qu'il me dédiera. Je suis heureux.

8

Paris : on répète. Premier désastre : Yvonne de Bray malade. A la suite d'une opération, elle a des crises qui la poussent à boire. Capgras ne veut pas prendre de risques; elle-même hésite. Je m'accroche à elle, à Capgras, à Jean Cocteau. Rien à faire. On prend une autre actrice, excellente, Germaine Dermoz. Pour moi, tout s'écroule.

Je ne pourrai jamais jouer sans Yvonne. Je constate que les répétitions en chambre et les répétitions sur scène n'ont aucun rapport. Mes sentiments ne passent pas la rampe. Il faut que je transpose. Sans Yvonne cela me sera impossible. Je lutte avec mes pauvres moyens. A la place de Dermoz qui est en face de moi, j'imagine Yvonne; je vois ses yeux intenses, j'entends sa voix; je réponds à Yvonne dans son registre, et je passe la rampe!

Je demande pardon à Germaine Dermoz, je l'ai trompée; je l'ai trompée comme un amant, comme trompe un mari. Autrement j'aurais dû abandonner. Lorsque je vais embrasser mon Yvonne malade, j'ai aussi l'impression de la tromper. Elle m'encourageait. Je lui avais expliqué ce qui se passait. Elle avait appris par Jean et même par Capgras, combien je m'étais battu pour elle, bien qu'en réalité ce fût pour moi. Yvonne m'avait donné toute son amitié. Je peux dire son amour.

Aux répétitions, un malaise persiste. Alice Cocéa n'a pas confiance en moi, me semble-t-il. Mon personnage, si bien construit en chambre, s'était-il écroulé aux premières répétitions?

C'était une grande leçon pour ma carrière. J'avais compris que le naturel de la vie n'est pas le naturel du théâtre. Il faut une technique d'agrandissement, de transposition, amplifier les sentiments et se mettre à leur hauteur, surtout lorsqu'on est desservi, comme je l'étais, par une voix dont le volume ne correspondait pas à mon aspect physique. J'avais fait des progrès rapides. Mais Alice n'était toujours pas contente. En coulisses, elle disait : « Ou lui, ou moi. » Jouvet la soutenait.

Pendant un entracte du *Misanthrope* qu'Alice Cocéa jouait aux Ambassadeurs, il lui avait dit : « Jean Marais?... Vous aurez de charmantes surprises! » Je l'ai su quelques jours avant la générale, – ce qui m'a fait penser que j'avais dû être une des causes, sinon la seule, de son refus.

Jean avait tenu bon en face des mises en demeure directoriales. Mais comme il devait être inquiet! Il me le cachait. La sympathie de mes autres camarades m'encourageait.

Le jour de la générale vint. J'étais, à la lettre, plié en deux dans les coulisses. Tout Paris était là. J'écoutais mes camarades vivre en scène. Il y avait un silence de mort dans la salle, et la mort s'installait en moi. Mes mains étaient moites. Une sueur froide me ruisselait de la tête aux pieds. Le trac. Le trac me fouillait le ventre, sensation à la fois terrible et fantastique. L'estomac me brûlait. Je ne pensais plus à mon entrée, sûr de m'évanouir avant. Des machinistes, des régisseurs devaient me parler : je n'entendis pas. Un régisseur, tout près, m'énumérait les noms des personnalités présentes dans la salle. Les noms des plus connus me paraissaient étrangers, mais l'un, soudain, me réveille : Jouvet. D'un coup, l'agressivité tue le trac, ou presque. Il m'en reste juste assez pour m'emplir du sentiment de mon personnage, jeune homme qui rentre chez ses parents après avoir découché.

Voici le moment : je me précipite dans l'eau froide; je ne me noie pas; je dois dire bientôt à mes parents : « Écoutez, mes enfants! » Si le public pouvait rire à cette réplique! Il rit. C'est gagné. Je joue le reste dans une détente allègre. Dès le premier entracte, on ne peut plus douter du succès. Le public se rue dans les coulisses, envahit les loges, même la mienne.

Au second acte, je suis applaudi au milieu de ma grande scène. Quand je retombe en pleurs dans le fauteuil, on m'acclame. Je sors, encore sous les applaudissements, brisé, en nage. Je me déshabille, m'éponge, me frictionne. Tout à coup, j'entends un tonnerre d'applaudissements. On baisse le rideau. Il faut saluer. Je suis nu. On me crie que le public me réclame. Je pénètre sur le plateau en peignoir de bain. Une ovation. Je pleure. Je n'en crois pas mes yeux ni mes oreilles. Est-ce bien moi? Ma loge est envahie par toutes les vedettes que je n'aurais jamais cru pouvoir approcher. Mieux : je ne suis pas mécontent de moi. Je suis grisé. Yvonne de Bray me sacre « génie ». Cela me dégrise : je suspecte sa tendre amitié. Marguerite Jamois tombe à pic en m'assurant que je ne pourrai jamais jouer d'autres rôles. J'y penserai. Et si sérieusement, que je dois énormément à cette phrase. Grâce à elle, je rechercherai toute ma vie la difficulté et les rôles contraires à ma véritable nature.

Au troisième acte, je suis calme. Je décide, un quart d'heure avant mon entrée en scène, après m'être lavé le visage, de m'étendre devant la porte de mon entrée et de pleurer. Je pleure pour avoir les yeux rouges et parler du nez. L'étonnement des machinistes redouble quand je sèche mes larmes avant d'entrer, afin que seulement demeurent les yeux et le nez rougis, et la voix nasillarde, vestige de mon chagrin.

Cette figure bouffie et pâle, ce poil ébouriffé, surtout mon pantalon trop large de la ceinture, qui tombe et que je retrousse en mangeant un morceau de sucre, provoquent un grand rire dont je suis fier.

Au rideau, triomphe. On pleure, on rit, on hurle debout, on crie à Molière et à Racine. Je suis heureux au-delà des limites du bonheur, lorsque s'ouvrent d'un coup la porte de fer et les bras de Coco Chanel : je lui tourne le dos. La porte se referme et claque. J'entends de l'autre côté la voix de Chanel, qui jette en s'en allant : « Le petit Marais est un mufle. »

– Qu'est-ce que tu as encore fait? me dit Jean.

Jouvet, lui, n'était pas dans la salle.

Le lendemain, Coco Chanel téléphone à Jean. En fin de compte, elle m'approuve. J'ai agi comme elle aurait agi, lui dit-elle; « Demande-lui de me pardonner et de venir déjeuner avec toi. » De ce jour, elle n'a cessé d'être une bonne fée pour moi, et je le raconterai à son heure.

Cette année-là commence vraiment la joie de ma vie. J'allais chaque soir au théâtre comme on va retrouver sa maîtresse. Je le quittais comme on la quitte, épuisé, béat. Je faisais des progrès chaque soir. Les critiques avaient été unanimes; ils me louaient, moi, et la pièce, et mes camarades, tous extraordinaires, surtout Gabrielle Dorziat et Marcel André. Dorziat était un modèle de talent, d'élégance, de vérité, de conscience. Quel dommage qu'Yvonne de Bray n'ait eu cette discipline!

Je gagnai deux cent cinquante francs par jour. Jamais je ne me suis senti aussi riche. La première fin de semaine, j'eus l'impression de voler l'argent que l'on me donna, tant j'avais eu de plaisir à jouer. Je m'y suis vite habitué.

J'étais fier de pouvoir donner cent francs par jour à ma mère. Serait-ce suffisant pour qu'elle s'arrête de « travailler »?

Bien que le directeur ait augmenté le prix des places, on joue à bureaux fermés. Quand un groupe d'étudiants demande à voir la pièce, Cocteau répond en proposant d'inviter d'abord les professeurs qui jugeront ainsi quels élèves pourront venir au spectacle. Cela déclenche une terrible offensive dans le *Journal officiel des conseillers municipaux de Paris :* on y lit que Jean Cocteau voulait montrer aux enfants des écoles une pièce propre à inciter les adolescents à la débauche *(sic),* – inceste étalé au grand jour *(re-sic)*. La lecture de ce bulletin officiel, que Capgras met sous les yeux de Jean Cocteau, provoque une rage folle chez Jean. Il répond dans *Ce Soir,* le plus gros tirage de la presse parisienne : « Je n'admets pas que des collectionneurs de cartes postales obscènes se permettent de juger ma pièce. »

Le scandale devient énorme. Le théâtre des Ambassadeurs appartenant à la Ville de Paris, nous sommes mis à la porte. Nous partons un lundi. Le mardi, nous jouons aux Bouffes-Parisiens. Paris s'y ruait pour voir une pièce obscène, et le public, de ce côté-là, était totalement déçu. Moi, ayant inspiré mon propre personnage de fils, je me sentais personnellement atteint par cette accusation d'inceste... Lors des quêtes de fin d'année dans la salle, j'interrogeais les spectateurs sur l'immoralité de l'œuvre. Tous se récriaient d'un air étonné.

Aux Bouffes-Parisiens on jouait généralement des opérettes. Un soir, à la sortie des *Parents terribles,* un homme, les yeux encore embués, disait à sa femme : « Eh bien, tu me la copieras, ton opérette! »

Rosalie ne se reconnut pas dans la mère des *Parents terribles*. A présent, elle acceptait que je fasse ce métier. Elle continuait le sien. D'où des scènes douloureuses, insupportables. De plus en plus dans nos conversations, elle ne pouvait s'empêcher de critiquer Jean Cocteau en se fondant sur ce que je lui avais confié. Je la menaçai de quitter la maison si elle continuait à vivre comme elle en avait l'habitude.

Jean souhaitait ne plus habiter l'hôtel.

On cherche un appartement. Son secrétaire en trouve un place de la Madeleine, quartier favori de Jean – un grand salon, une bibliothèque, une chambre pour Jean, une pour moi, et une salle à manger, dont on ne se servit jamais. Nous n'avions pas un meuble. On acheta deux sommiers et des matelas. Yvonne de Bray, Gabrielle Dorziat nous donnèrent des couvertures, des draps, des oreillers. On acheta au marché aux puces quelques objets dont nous fîmes des lampes; une cantine de marin nous servit de table de nuit. Jean ne pouvait pas encore toucher ses droits d'auteur, et moi, je n'étais pas encore assez riche.

Nous n'avions pas de sièges. Jean trouvait cela vraiment trop incommode. Je me proposai d'aller en chercher dans les jardins des Champs-Élysées, près du théâtre des Ambassadeurs. Devant un sergent de ville et deux prostituées étonnées, je mis sur ma tête deux fauteuils de jardin en fer. Je les portai ainsi jusqu'à la place de la Madeleine. Je les peignis en blanc et confectionnai des coussins pour les rendre plus confortables. Jean, en riant, racontait cette histoire à qui voulait l'entendre. Petit à petit, l'appartement se meubla. Rien n'y était de prix; pourtant, cet endroit ne ressemblait à nul autre.

Yvonne de Bray donna à Jean la table de travail d'Henry Bataille. Dans ma chambre, une vieille table de jeu repeinte en blanc, avec, pour remplacer son tapis, un dessin de Jean en couleurs, recouvert d'une plaque de verre. Une colonne de plâtre blanc soutenait un vieux coq de fer rouillé. Des dessins de Jean aux murs, dont un très grand qu'il avait fait sur un drap. Un candélabre baroque avait, à la place de bougies, des boules de pêche en verre. J'enfermais tout ce que j'avais de précieux dans la cantine de marin au pied de mon lit. Le salon possédait enfin une table, quelques chaises, ainsi que la bibliothèque qui s'y trouvait déjà avant notre arrivée.

Que j'aille habiter place de la Madeleine provoqua un drame avec Rosalie. Elle ne pardonna que beaucoup plus tard à Jean – qu'elle rendait seul responsable –, alors que la décision venait de moi.

Les Parents terribles n'en finissaient pas de se jouer et de plaire, moi d'en être heureux. Un soir, mon directeur, Roger Capgras, vint me trouver et me dit qu'un jeune homme en pyjama bleu ciel, babouches aux pieds, bouteille de whisky et boîte de cinquante Chesterfield à la main, s'était présenté au contrôle pour être placé dans la salle. « Comme il est venu pour toi et que je ne peux pas le placer, je te l'envoie. »

A l'entracte, je remonte dans ma loge, sans plus penser à mon visiteur. J'y trouve le jeune homme assis par terre, fumant et buvant. Il était, malgré sa tenue, élégant, américain et beau, désarmant par la désinvolture de ses dix-neuf ans. Je lui demandai pourquoi il venait au théâtre dans cette tenue, bien que cela ne me choquât nullement. Il me dit qu'il était malade et que ses amis l'avaient quitté en emportant ses vêtements, car ils savaient qu'il voulait venir me voir. « J'étais donc obligé de sortir en pyjama », conclut-il. Je le fis placer dans une baignoire grillagée comme il en existait à l'époque. A la fin du spectacle, tous mes camarades voulaient le voir. Jean et moi, nous le raccompagnâmes jusqu'à la rue du Bac où il habitait, dans ma Licorne, – voiture dont j'ai oublié de raconter l'histoire, car elle en a une.

Roger Capgras était un directeur pas comme les autres. Un soir, il me dit : « Un jeune premier doit avoir une voiture. As-tu ton permis de conduire? » – « Oui. »

En réalité, j'avais obtenu mon permis par miracle cinq ans auparavant. Jamais je n'avais conduit depuis. C'est dire que, n'ayant aucune pratique, je ne savais pas conduire.

– Eh bien, poursuivit Capgras, il y a deux voitures d'occasion à vendre porte de Clichy. Tu vas y aller; tu choisis celle que tu préfères et tu reviens avec. Je paierai et te retiendrai chaque semaine une partie de la somme.

Je vais porte de Clichy. J'ai le choix entre une Grampage et une Licorne. La première est une grosse voiture américaine – elle m'intimide –, la seconde une petite voiture décapotable à deux places. Je la prends, me voilà parti.

Avenue de Clichy, j'entre dans un taxi; mon pare-chocs s'accroche au sien. Le chauffeur de taxi hurle, m'insulte. Je descends de voiture, décroche mon pare-chocs. Je n'ai pas mis le frein : la voiture recule toute seule dans un autobus dont le chauffeur hurle à son tour.

Je regarde les deux chauffeurs et je dis, honteux : « Pardonnez-moi, je ne sais pas conduire. »

Ils rient tous les deux et m'aident à repartir car, pour comble, ma voiture a calé et ne redémarre plus.

1939 a été l'année où je fus le plus heureux parce que je considère que ce fut mon premier vrai succès. Et aussi parce que les débuts sont les moments les plus passionnants.

J'ai oublié de dire que le lendemain de la première des *Parents terribles,* j'avais vu arriver une étrange corbeille de fleurs, composée d'arums et de muguet, le tout saupoudré de poudre d'or. C'était consternant. Jean Cocteau me dit, étonné : « Qui peut t'envoyer une horreur pareille? »

Sans lire la carte qui accompagnait cette corbeille, je réponds : « Cela ne peut être que de M. L..., le metteur en scène. »

Nous regardons la carte. Je ne m'étais pas trompé.

Les producteurs de films commençaient à s'intéresser à moi. Le premier pour *L'Embuscade,* d'après une pièce de Kistemaekers. Valentine Tessier et Jules Berry étaient déjà engagés. A cause d'eux et parce que j'étais fier que le cinéma me demande, j'acceptai et signai. Je reçois le scénario. Je suis catastrophé. Je téléphone au producteur pour essayer de rompre. Il me passe Jules Berry qui essaie de me convaincre. Intimidé par le grand acteur, je n'ose pas maintenir mon refus. Après avoir raccroché, j'écris une lettre recommandée pour préciser que quoi qu'il m'en doive coûter, je refuse de jouer dans ce film. Il faut payer un dédit; je n'ai pas assez d'argent et j'emprunte pour reprendre ma liberté. J'ai donc commencé ma carrière cinématographique en payant pour ne pas jouer. Jean, pour me consoler, me promit de tirer un film des *Parents terribles.* Je n'avais pas besoin d'être consolé; j'étais heureux : ce genre d'aventure me grisait.

De toute façon, je disais que lorsqu'on joue au théâtre on a trois heures de bonheur par jour, quoi qu'il vous arrive. Je faisais mon métier comme d'autres satisfont un vice : j'arrivais presque au bord de la jouissance.

Quand, un jour, mon visage transfiguré de joie fut atteint d'un mal étrange : des plaques, puis des croûtes suintantes, que je devais arracher chaque soir avant d'étendre une pommade spéciale; et, par-dessus, le maquillage. Au bout d'un quart d'heure, les suintements recommençaient. J'ai vu quantité de médecins qui ont cru à tout : à une maladie de foie, à quelque impossible maladie vénérienne. Un jour que Jean faisait une conférence je me trouvai par hasard devant une glace et fondis en larmes. Jean me ramena en voiture, essayant de me consoler, en vain. Je n'arrêtais pas de pleurer à l'idée que je ne pourrais sans doute plus jouer. J'aurais préféré le plus horrible des maux internes. Enfin, un spécialiste découvre que j'avais une maladie infantile : la gourme. Il me donne une pommade au mercure, en me prévenant qu'il y a une chance sur mille que je ne la supporte pas. Je l'applique; je crois mourir, devenir fou. La pommade me brûle, mais je refuse de la retirer tant je veux guérir. Je me cogne aux murs de ma chambre, un mouchoir entre les dents, les yeux en pleurs. Jean me supplie d'enlever la pommade; je finis – à six heures du matin – par lui céder. Il avait l'air de souffrir encore plus que moi. J'essuie et lave mon visage. Il est brûlé. L'irritation m'avait donné une sorte de rhume de cerveau. Au matin, le médecin me prescrit une autre pommade; quarante-huit heures après j'étais guéri. Je n'avais pas arrêté de jouer.

Soudain, dès le premier acte, en scène, je me mets à saigner du nez. J'essaie d'étancher le sang avec mon mouchoir tout en continuant à jouer, mais le mouchoir est bientôt inondé. J'en prends un deuxième qui me servait de pochette : idem. Germaine Dermoz me passe le sien, puis son écharpe. Puis des spectateurs de l'avant-scène me tendent leurs mouchoirs qu'ils sont allés tremper dans les lavabos. Le sang coule toujours. Ainsi, tout le premier acte.

A l'entracte, le médecin de service est là. Il me fait une piqûre et me bourre le nez de gaze. Je joue les deux derniers actes avec le goût du sang dans ma gorge.

Je me réveille, le matin, avec de vives douleurs dans les oreilles : otite double.

Le médecin m'autorise à jouer le soir, à mes risques et périls. Chaque intonation me fait éclater le crâne. Le lendemain, plus question de jouer : quarante et un et le délire.

Yves Forget, le jeune acteur qui avait joué Segramor dans *Les Chevaliers de la Table ronde* avait appris le rôle sans prévenir personne. Bien qu'il ne fût pas physiquement le personnage – il était créole –, on fut bien content de le prendre. Il se décolora les cheveux qu'il avait noirs et crépus et la pièce ne fut pas interrompue. La recette baissa.

J'en suis très fier. Cela dit, j'étais très malade, et plus encore de ne pas jouer.

Pendant mon délire, ma mère accourut. Elle me veilla avec Jean. Le médecin craignait une mastoïdite, peut-être une méningite. La pénicilline n'existait pas encore.

Lorsque Rosalie me veillait, Jean restait dans le couloir où il marchait de long en large, laissant couler des larmes qu'il ne pouvait retenir. Il gémissait comme s'il était malade lui-même. Rosalie comprit et respecta la profonde amitié qui nous liait.

Le docteur Aubin, qui me soignait, se prit d'affection pour moi à la suite de l'opération pour laquelle j'acceptai de ne pas être endormi. Je rechutai; il m'opéra une seconde fois. Jean, devenu fou, voulait faire venir un autre médecin. Je refusai, il s'en ouvrit au docteur Aubin. Cet autre médecin était un charlatan dont Jean eut beaucoup à se plaindre plus tard pendant *La Belle et la Bête*. Le docteur Aubin n'en dit aucun mal, mais déclara que si ce médecin venait me voir, il serait obligé de cesser de s'occuper de moi. Même cette maladie semblait appartenir à la fête de mon année 1939. J'avais l'impression que j'étais malade pour la première fois, malgré tous les maux que j'avais eus dans ma jeunesse.

Tout Paris venait me voir, m'apporter des cadeaux, des fleurs, des fruits rares, me faire mille amitiés, m'embrasser.

Je demandai à Jean une liste des livres que l'on doit avoir lus. Je voulais profiter du lit pour améliorer ma culture qui laissait beaucoup à désirer. Non seulement il établit la liste, mais fit acheter les livres qu'il me donna. Il ne citait qu'un livre par auteur, mais lorsque j'avais lu, je voulais évidemment lire les autres. Je lus donc chef-d'œuvre sur chef-d'œuvre :

Adolphe, de Benjamin Constant; *Impressions d'Afrique,* de Roussel; *Guerre et Paix,* de Tolstoï; *La Saga de Gösta Berling,* de Selma Lagerlöf; *Pan,* de Knut Hamsun; *Pelléas et Mélisande,* de Maeterlinck; *Le Rouge et le Noir,* de Stendhal; *Manon,* de l'abbé Prévost, *Le Chevalier de Maison-Rouge,* d'Alexandre Dumas; *Splendeurs et misères des courtisanes,* de Balzac; *Le Diable au corps,* de Raymond Radiguet; *La Ballade de la geôle de Reading,* d'Oscar Wilde; *L'Idiot,* de Dostoïevski; *La Montagne magique,* de Thomas Mann; *Le Nègre du* Narcisse, de Joseph Conrad; *Les Hauts de Hurlevent,* d'Emily Brontë; *Nouvelles fantastiques,* d'Edgar Poe; *Croc-Blanc,* de Jack London; *La Princesse de Clèves,* de Mme de La Fayette.

Je me souviens avoir lu *L'Idiot* de Dostoïevski avec quarante de fièvre. Je ne pouvais plus quitter ce livre, malgré les réprimandes de Jean qui craignait pour la fatigue.

Le « pyjama » du théâtre, Denham Foots, vint, lui aussi, me voir. Il était très élégant, toujours désinvolte. En me quittant, il se pencha pour m'embrasser. Je fus très surpris qu'un Américain m'embrasse à la russe.

9

Le docteur Aubin ordonna deux mois de convalescence.

Désespoir. Encore deux mois sans pouvoir jouer! Pour moi, au seuil de ma carrière, jouant une pièce que j'adorais, quel supplice! Jean Cocteau décida de venir avec moi pour me l'alléger. Il en profiterait pour écrire une nouvelle pièce et me demanda quel genre de rôle je souhaitais.

Je venais de lire *Crime et châtiment*. Pris de passion pour Raskolnikov, je lui suggérai de s'en inspirer.

Il achète une voiture à des amis qui partaient définitivement pour les Indes : une Matford havane que Jean baptise *Le Chevreuil*. Nous engageons un chauffeur, car j'étais loin de pouvoir conduire, et nous voici en route pour le bassin d'Arcachon.

Pendant le voyage, j'assistai à une chose inoubliable : Jean me demande soudain si j'ai du papier et de quoi écrire. Je n'ai que mon livre d'adresses (pas très rempli); je le lui donne. Il écrit, il écrit. Dans le rétroviseur, je vois son visage d'assassin des grands jours.

Je n'ose plus me retourner. Je me tais, persuadé qu'il écrit la nouvelle pièce, la future *Machine à écrire*. Je me trompais. Son livre, que j'estime être l'un de ses plus beaux, *La Fin du Potomak,* sortait de lui par décharges; il s'en libérait afin de pouvoir ensuite écrire sa pièce. J'eus donc ainsi la preuve qu'il employait un terme exact lorsqu'il disait n'avoir pas d'inspiration, mais de l'expiration. Il termina ce livre à Excideuil où nous nous rendîmes après Piquey, avec Roger Lannes.

Nous descendons au Piquey dans un petit hôtel inconfortable, véritable cabane en bois où, naguère, Cocteau, Pierre Benoit et Radiguet avaient séjourné assez longtemps ensemble. C'est là que Jean enfermait Raymond Radiguet dans sa chambre; il ne lui permettait de sortir qu'après avoir rédigé au moins dix pages, dûment vérifiées. Ainsi l'obligeait-il à faire son œuvre.

Pendant que Jean écrivait, je me reposais et j'apprenais à peindre sans oser peindre. Je m'imaginais le tableau que j'aurais aimé réussir. Je me demandais quelles couleurs j'emploierais et comment j'arriverais à guider ce pinceau que je dirigeais dans ma tête. Bientôt mon désir de peindre fut si fort qu'après avoir acheté le nécessaire, je m'installai en face d'un groupe d'arbres morts. On eût dit des fantômes d'arbres. Un jour, Jean me demande de voir ce que je fais. Je refuse : c'est primaire, enfantin, lui dis-je : une carte postale! L'après-midi, il s'approche de moi. J'avais peint par miracle l'endroit exact où il venait s'asseoir et se reposer avec Radiguet. L'émotion de ce souvenir, son immense amitié pour moi me font trouver plus que suspecte son admiration. Il me dit que je peins comme tous les peintres aimeraient peindre et que c'est moi qui ai raison. Il me demande de lui donner cette peinture. Pour cette seule raison, je l'achève.

Rentrés à Paris après un bref séjour en Dordogne où Jean termine *La Fin du Potomak,* je retrouve mon rôle avec bonheur. Capgras fait une grande publicité pour mon retour. C'est la première fois que je lis mon nom en aussi gros caractères dans un journal. J'en suis si fier que je le montre à Gabrielle Dorziat sans songer que la publicité ne comporte aucun autre nom que le mien. Mais Gabrielle m'aime bien et me dit gentiment :

– Jeannot, j'ai mis trente ans avant d'avoir eu ce genre de publicité.

J'invite mon médecin à venir voir la pièce. Il me déclare :

– Si j'avais su ce qu'était votre rôle, je ne vous aurais jamais permis de jouer.

Couché dans la poussière, à pleurer tous les soirs avant mon entrée, crise de larmes au deux, crise de larmes au trois : de là venait sans doute l'inflammation des sinus qui avait causé mes malheurs.

Quant à mon infirmière qui avait vu la pièce le soir tragique, elle m'avait dit avoir surtout admiré « la scène du saignement de nez ». J'ai trouvé inquiétante cette naïveté chez une infirmière.

Raymond Muller, le secrétaire de Jean le quitta. Pour le remplacer, je propose André G... dont j'ai souvent parlé. Jean l'accepta sans aucun doute pour me faire plaisir.

La maison (l'appartement) avait un charme, dû à l'arrangement à la fois simple et étrange, mais aussi aux visites de Georges et Nora Auric, de Picasso, Jean Hugo, Christian Bérard, Marcel Kill, Jean Desbordes, Yvonne de Bray, Dorziat et tant d'autres amis merveilleux.

Je parlais peu. J'écoutais, passionné, des projets se former. Je voyais des œuvres se créer. Appel Fenosa faisait le portrait de Jean, puis le mien. Un extraordinaire sculpteur. J'étais fasciné par la sûreté de sa main tremblante.

Le travail était notre principale distraction.

Bientôt, je demandai à Jean de poser pour moi et je commençai son portrait.

Le lendemain matin, je trouvai un poème glissé sous ma porte :

LE PORTRAIT

Il le faut d'amour trait par trait
Il le faut plus vrai que ma vie
Te poser est ma seule envie :
Je veux devenir ton portrait.

Je saurai me tenir raide comme la rose
Comme elle armé, comme elle immobile et frisé
Et quand j'aurai fini la pose
Que le modèle soit brisé.

Je veux n'être de moi que ce qu'il imagine
Le peintre, l'acteur, le chœur, le pur, l'ange Michel
Et qu'on ne sache plus qu'un autre à l'origine
Était ce portrait d'astre et de romanichel.

Ce fut pour moi un immense bonheur. Je l'enfermai dans ma cantine de marin qui me servait de table de nuit. Mon trésor s'enrichissait.

Quelques jours après, sous ma porte une feuille jaune. Le poème s'intitulait :

LE SOLEIL NOIR

Le portrait sera ressemblant
Comme le blanc ressemble au blanc
Et comme la rose à la rose
C'est pareil et c'est autre chose.

Il est ressemblant ce portrait
Mais c'est à nos cœurs qu'il ressemble
Lorsque tu dessines mes traits
Nos traits se tissent tous ensemble.

L'orage éclate après l'amour
(Il éclate après notre orage)
Et l'éclair illumine autour
Le soleil noir de ton visage.

Un jour, visite de Marcel Kill. Jean était occupé. Je le reçois. Je lui dis que Jean n'avait pas dormi de la nuit. Il m'explique que la cause en est la cocaïne.

– Comment? Jean ne prend pas de cocaïne.

– Bien sûr que si.

Marcel parti, j'interroge Jean. Il nie. « Jure-le-moi sur ma tête. » Il jure. Je suis calmé. Le soir, allongé sur son lit, je fais semblant de dormir. Jean va plusieurs fois dans la salle de bains. Je n'entends pas l'eau couler. A la fin, je me dresse et j'affirme :

– Tu prends de la cocaïne.

Il avoue.

– Tu as juré sur ma tête. Je devrais être mort.

Il me promet de ne plus en prendre et me donne le paquet que je jette dans les cabinets. Il a tenu parole. Bien mieux, il m'a promis de se faire désintoxiquer de l'opium.

Pour en arriver là, je comprenais qu'il me fallait attendre un moment opportun. L'idée cheminait dans l'esprit de Jean. A preuve ce papier plié en forme d'étoile qu'il glissa sous ma porte :

INTOXIQUÉ

Ton soleil est plus fort que le soleil d'Afrique
Contre lui je ne veux aucun vélarium
S'il est vrai que je m'intoxique
C'est de toi, plus que d'opium.

Jean s'occupait beaucoup de la publication de *La Fin du Potomak.* Il écrivait la préface, corrigeait les épreuves. Le mystérieux, c'est qu'il avait écrit *Le Potomak* en 1913, à la veille de la guerre et que maintenant, en 1939, il écrit, *La Fin du Potomak* où il décrit des villes détruites.

Nous habitions place de la Madeleine. Il avait habité tout autour : rue d'Anjou, rue Vignon, rue Cambon et à présent la place même.

– Lorsque tu décris ma chambre, dans *La Fin du Potomak,* tu parles du coq en fer, au cou loqueteux, aux pattes raides, qui se tenait en haut du tas de fumier d'or. Bien sûr, je reconnais le coq, mais le fumier d'or?

– Le fumier d'or?... C'est toi, me dit-il.

Il m'écrivit encore, à propos du portrait, ce poème :

LE BUT

J'ai posé jusqu'au bout des pistes de l'amour
J'ai posé jusqu'en haut du sommet de tes sources
Et maintenant je suis si léger et si lourd
Que je chavire afin de terminer ma course.

Course vers ce portrait qui nous ressemble à nous
Vers ce portrait masqué d'un pâle crépuscule
Car des vagues de nuit montent à nos genoux
Et le portrait avance et le diable recule.

Presque chaque jour je trouvais des feuilles jaunes, blanches, pliées de différentes façons, de telle sorte que lorsque je les dépliais, cela formait un dessin différent. Ces poèmes, mieux que tout autre commentaire, décrivent notre amitié.

UN POÈME, UN!

Ce matin j'ai caché les chansons que je t'offre;
Jaunes, elles jonchaient le couvercle du coffre
Mon ange serait-il aux vers habitué?
Par l'habitude, en nous quelque chose est tué
Aussi j'imiterai ta sagesse amoureuse
Qui fait l'âme des sens attentive, nerveuse,
Joyeuse, et tu n'auras qu'un poème à ton seuil.

LES AUTRES

Je dis : Tu n'auras qu'un poème
Et voilà que j'en glisse deux
L'un pour te répéter : « Je t'aime »
L'autre : « Je suis ton amoureux. »

Mon cœur trouve réponse à l'éternel problème
Toi c'est moi — moi c'est toi — nous c'est nous —
Eux c'est eux.

A force de voir travailler Fenosa à son buste et au mien, Jean ne peut résister à modeler lui-même. Il entreprend un faune. Il ne me prend pas pour modèle; mais ce faune me ressemble comme beaucoup de ses dessins qu'il faisait avant de me connaître. Il m'écrit ce poème :

LE FAUNE

Qu'arriva-t-il? J'étais révolté par le Louvre
Où la force d'amour veut partout se cacher
J'eusse voulu pouvoir sur les bronzes cracher
Et voler des secrets afin qu'on les découvre.
Je me sauve, j'écume et rentre sous mon toit
Et je cherche à combler un gouffre qui m'effraye...
Vite je sculpte un nez, une bouche, une oreille
Et cette route encor me mène jusqu'à toi
Diable, mort et malheur vous pouvez rire jaune!
Je croyais vivre, hélas, courbé sous votre loi,
Aujourd'hui, redoutez les cornes de mon faune.

Et celui-ci :

MON CHEF-D'ŒUVRE

Ta beauté s'orne de tant d'ailes
A l'épaule, au pied, aux cheveux

Que tout ce qui n'est pas près d'elle
Me semble lourd, mort et baveux.

Oui quelque monstre dans sa bave
Mourant une lance au côté
Tandis que saint Georges se lave
Dans le fleuve de ta beauté!

Ah! Jeannot je chante, je chante
Pour t'avoir le même demain
Car la vie a l'air trop méchante
Sans la caresse de ta main.

Que me veulent toutes ces pieuvres
Qui fouillent jusque sous mon toit?
Dix-neuf cent trente-neuf : mon unique chef-d'œuvre
C'est d'être un jour pareil au Jean aimé de toi.

10

J'aimais Jean. Le petit Lorenzaccio s'était laissé prendre à son jeu. J'avais voulu donner le bonheur; sans doute, sans me l'avouer (car le petit cabot que j'étais aimait les beaux rôles), pour me cacher le petit arriviste que j'étais. Pour voir clair en moi, je me posai la question : « Que serais-tu capable de faire pour lui? » Je me répondis sans hésiter : « Tout! Je donnerais ma vie pour lui. »

Cette question, je me la suis posée pour d'autres. Jamais je ne me suis donné la même réponse. Je n'étais pas pour autant l'archange que Jean imaginait. Il me plaisait de sortir avec des amis de mon âge. Je profitais pour cela des soirées où Jean ne pouvait m'emmener. Je lui racontais ces soirées, et avec qui je m'étais trouvé. Je les racontais aussi à André G..., son secrétaire, qui les rapportait lui-même à Jean, à sa façon.

Je sortais souvent avec Denham Foots, « le pyjama », et avec ses amis. Ce garçon me fascinait par tout ce que je ne possédais pas. Un Américain, racé comme un Anglais. Son assurance désinvolte, sa façon de commander, de recevoir, de parler malgré ses dix-neuf ans évoquaient pour moi une sorte de Dorian Gray.

Jean et moi, nous étions invités à un bal chez Étienne de Beaumont. Un bal costumé : « Louis XIV et son temps ». Je n'avais jamais été à ce genre de soirée. Je savais qu'Étienne de Beaumont avait servi de modèle à Raymond Radiguet pour *Le Bal du comte d'Orgel*. J'étais déjà allé à l'hôtel particulier de la rue Duroc. Bien que grand ami du comte, Jean ne voulait pas assister à cette soirée, encore moins se déguiser. Il me conseilla d'y aller en compagnie de Denham et de J. F. L. P., – un ami de Jean. Nous n'étions pas riches. On improvisa des costumes avec ce que nous avions : descente de lit en peau de panthère qu'Yvonne de Bray m'avait offerte, bottes d'où sortaient des feuilles de vigne, perruque Louis-XIV composaient mon costume.

Denham et Jean-Louis avaient confectionné les leurs avec des fustanelles de soldats grecs que Jean leur avait prêtées. Au milieu des personnages richement costumés, nous fîmes une entrée remarquée, d'autant que Denham laissa tomber en entrant une boîte d'or d'où se répandit de l'héroïne qu'il essaya de ramasser comme il put.

La soirée était assez ennuyeuse. Je donnai raison à Jean de s'en être abstenu. De plus, mourant de soif, nous cherchions en vain quelque chose à boire. Si bien que nous avons rapporté très tôt nos oripeaux place de la Madeleine où Jean nous expliqua en riant que nous avions sans doute mal compris le thème de la soirée. Ce devait être « La famine sous Louis XIV ». Le jeu était de trouver un verre d'orangeade caché sous un fauteuil.

Plus de poème sous ma porte. Jean était très occupé par mille travaux. Une tendresse presque paternelle pour moi. Je respectai cette nouvelle attitude sans chercher à l'approfondir. Je sortais après le théâtre et découvrais des endroits, dits amusants.

Un matin, je trouvai sous ma porte cette lettre :

« Mon Jeannot adoré,

« Je suis arrivé à t'aimer si fort (plus que tout au monde) que je me suis donné l'ordre de ne t'aimer que comme un papa, et je voudrais que tu saches que ce n'est pas parce que je t'aime moins, mais davantage.

« J'ai eu peur à en mourir de vouloir trop, de ne pas te laisser libre et de t'accaparer comme dans la pièce. Et puis j'ai eu peur de souffrir atrocement si tu tombais amoureux et que tu ne veuilles pas me faire de peine. Je me dis que si je te laissais libre tu me raconterais tout et que je serais moins triste que si tu devais me cacher la moindre chose. Je ne peux pas dire que cette décision ait été très dure à prendre parce que mon adoration est mêlée de respect. Elle a un caractère religieux, presque divin, et que je te donne tout ce que j'ai en moi. Mais j'ai la crainte que tu t'imagines qu'il existe entre nous quelque réserve, quelque malaise. Et c'est pourquoi je t'écris au lieu de te parler, du fond de mon âme.

« Mon Jeannot, je te le répète, tu es tout pour moi. L'idée de te gêner, de prendre barre sur ta merveilleuse jeunesse serait atroce. J'ai pu te donner de la gloire et c'est le seul vrai résultat de cette pièce, le seul résultat qui compte et qui me réchauffe.

« Pense. Tu rencontrerais quelqu'un de ton âge que tu me cacherais ou que tu t'empêcherais d'aimer par crainte de me désespérer. Je m'en voudrais jusqu'à ma mort. Sans doute vaut-il mieux me priver d'une petite part de mon bonheur et gagner ta confiance et devenir assez brave pour que tu te sentes plus libre qu'avec un papa ou une maman.

« Tu as bien dû deviner mes scrupules et mes angoisses. Tu es un petit Jeannot malin qui sait bien des choses. Seulement il fallait que je t'explique mon attitude, pour que tu ne puisses pas une seconde croire qu'il existe l'ombre d'une ombre entre nous. Je te jure que je suis assez propre et assez haut pour n'avoir aucune jalousie et pour m'obliger à vivre d'accord avec le ciel de nos prières. Ce ciel nous a tant donné qu'il doit être mal de lui demander davantage. Je crois que des sacrifices trouvent leur récompense. Ne me gronde pas, mon bel ange. Je vois dans ton regard que tu sais que personne ne peut t'adorer plus que moi, et j'aurais honte de mettre à ta route ensoleillée le plus petit obstacle.

« Mon Jeannot, adore-moi comme je t'adore, serre-moi contre ton cœur, aide-moi à être un saint ou à être digne de toi et de moi. Je ne vis que par toi. »

•

Noblesse, bonté, franchise : ainsi l'ai-je toujours connu. Et si je transcris ces lettres à mes dépens, c'est que j'espère faire découvrir qu'il n'y avait jamais de bassesse dans sa conduite. Que ses sentiments étaient aussi nobles que rares.

J'acceptai cette attitude paternelle. Quelques jours plus tard, deux feuilles jaunes étaient encore sous ma porte :

« Jeannot bien-aimé,

« Je te supplie de lire cette lettre avec ta belle âme et notre amour, comme elle a été écrite et n'y trouve pas l'ombre de jalousie, de solitude, d'amertume de l'âge, etc.

« Je suis très très triste, mon Jeannot, parce que la chance m'a aidé à te mettre au pinacle et que tous t'aiment. Seulement le monde guette les moindres fautes et s'en félicite. Or, que tu sortes sans cesse avec des gens de ton âge est parfait. Ce serait Mercanton, Gilbert, etc., je n'y verrais que simplicité, que travail, que joie. Ce dont ta pureté t'empêche de te rendre compte, c'est que la petite bande avec laquelle tu sors est aux yeux des gens une bande de truqueurs mondains, d'oisifs entretenus, indignes de toi, et que ta présence rehausse alors qu'elle t'abaisse. Je ne te le dis pas parce qu'on me l'a dit. J'engueule qui m'en parle. Je te le dis parce que j'ai voulu analyser ma détresse, savoir d'où elle sortait et si ses motifs étaient bas. Non. Je suis sûr d'avoir raison. Remarque, je ne te demande pas de tourner le dos à ces amis naïfs. Je te demande d'imiter la réserve avec laquelle je les fréquentais jadis. Attendant pour les voir un signe de temps en temps.

« La conversation de D. n'est pas pour toi. Ses goûts ne sont pas pour toi, son style d'existence n'est pas pour toi. Tu en fais un prince charmant, mais à mes yeux et aux yeux des autres, c'est un pauvre gosse mal situé dans l'existence et paresseux devant le destin.

« Sois brave, ouvre les yeux. Pense à mon travail, à nos projets, à notre pureté, à notre ligne droite, et mets en balance mon atroce malaise de te savoir toujours envolé de ta chambre vers ces lieux qui te dégradent sans que tu t'en rendes compte.

« Ne m'en veuille pas de ma franchise. J'ai combattu avant d'écrire ces lignes. Il me serait plus commode de profiter de ta gentillesse et de me taire.

« Médite ces lignes et trouve en toi-même la réponse. Ne me la fais pas. Vis-la. »

« Ton Jean. »

Un autre jour :

« Mon Jeannot bien-aimé,

« Je te parle si mal que je veux t'expliquer mieux mes sottises. Je ne voudrais pour rien au monde ressembler aux " autres " et que tu puisses me croire " jaloux ".

« Mon Jeannot, je ne savais pas qu'on pouvait adorer un être comme je t'adore. C'est au destin que j'en veux, pas à toi. Imagine ce rêve : s'adorer sans une ombre, sans une réserve, sans une fausse note. C'est, hélas, impossible. Moi, je croyais pouvoir me libérer et, puisque des garçons et des femmes veulent encore de moi avec violence, aller chacun notre petite route. Mais dans mon âme et dans mon corps il n'existe plus de petite route. L'idée de toucher un autre être que toi, de lui adresser des paroles tendres me révulse. Je m'y refuse. Ne crois pas que cela implique un blâme à ton adresse. Tu es libre et, puisque la malchance nous empêche de vivre ce rêve, je serais fou de t'entraver dans ta jeunesse et dans ton élan.

« Mes révoltes, mes souffrances ne viennent que d'un pauvre réflexe animal. L'idée de toi entre les bras d'un autre ou tenant un autre dans tes bras me torture. Seulement, je veux m'y habituer et savoir que ta bonté infinie m'en a de la reconnaissance.

« Je te demande surtout de ne te gêner, de ne te contraindre en quoi que ce soit et, comme des mensonges, des mystères me tueraient davantage, je te demande de mesurer ma peine et de la rendre supportable. Un geste, un mot, un regard de toi suffisent. Je ne suis pas « jaloux » de qui tu aimes, je l'envie, et ma douleur est de ne pas être, de ne plus être digne de cette immense joie. J'ai fait l'expérience hier. J'étais aussi triste que toi des ennuis de Denham. J'aurais haï quelqu'un qui m'aurait cru capable de m'en réjouir.

« Bref, j'aimerais, puisque me voilà privé d'amour et presque d'air respirable, devenir une espèce de saint. Car ce qui me resterait serait le vice et je m'y refuse. Mon bel ange, je t'adore, je te le répète. Je ne cherche que ton bonheur. »

« Ton Jean. »

Je n'ai pas retrouvé mes lettres qui correspondent aux siennes. J'imagine par la nouvelle lettre de Jean que j'avais été bouleversé par sa bonté, par sa tendresse. Je m'en étais ouvert à Yvonne de Bray et avais écrit à Denham pour rompre toutes relations. Étais-je sincère lorsque je disais avoir cru à son indifférence? Je ne le crois pas. De plus, j'avais une façon de mentir presque impossible à déceler. Je mentais en disant la vérité de façon à n'être pas cru. Lorsque je disais à Jean que je n'étais pas l'ange qu'il imaginait, par exemple. S'il m'arrivait de mentir réellement, c'étaient des mensonges incontrôlables et dans lesquels je persistais afin qu'ils deviennent semblables à la vérité. Si par exemple, je disais à un acteur que je le trouvais bien, je disais à tout le monde que je l'avais trouvé bien alors que je l'avais trouvé médiocre. Ainsi je ne pouvais être pris en flagrant délit de mensonge. Pourtant mon admiration pour Jean, ma tendresse pour lui, mon amitié augmentaient de jour en jour et rien ni personne ne pouvait lui être comparé. C'était sans doute ce que je lui écrivais. Il me répondait aussitôt, se glissant en quelque sorte une nouvelle fois sous ma porte :

« Mon Jeannot,

« Je lis et relis ta bonne lettre. Comment as-tu pu croire à mon " indifférence "? J'ai eu la bêtise de jouer un rôle parce que je croyais te libérer et te rendre plus heureux. Mais si mon bonheur est utile au tien, sache que chaque nuit je pleurais et souffrais de ne pas te tenir dans mes bras et que tous mes rires et mes farces étaient de commande. Je te l'avoue dans ma joie de sentir la chance revenir à la maison et quand je t'ai embrassé ce soir, j'ai bien vu que cela te rendait ému comme moi et que nous gâchions le miracle de notre vie qui ne ressemble pas à celle des autres. Mon bel ange, je ne veux que ton bonheur, que le nôtre, et quand Yvonne m'a dit que tu écrivais à D..., j'ai cru mourir de reconnaissance et de tendresse. Je travaillerai avec mille fois plus de courage et je lutterai contre les mauvaises gens qui te craignent comme le diable craint l'eau bénite. Mon Jean, je t'adore..............

P. S. Je m'en veux tellement de m'être mal expliqué. »

A JEANNOT

Je t'aimais mal, c'était un amour de paresse
Un soleil de cheveux qui réchauffe le cœur
J'aimais ta loyauté, ton orgueil, ta jeunesse
Et quelque chose de moqueur.
Puis j'ai cru qu'un trésor était à tout le monde
Que je jouais l'avare et qu'il ne fallait pas;
Que tu distribuerais ta force rouge et blonde
Que tes pas quitteraient mes pas.
Je me trompais. Et plus, je te trompais de même.
L'amour me couronnait d'un feuillage de feu
Ta rencontre c'était mon drame et mon poème.
Je n'avais donc aimé qu'un peu!
Je te donne mon âme et mon cœur et le reste.
Les fantômes de neige amassés sous mon toit.
Mon destin ne saurait obéir qu'à ton geste
Et ma mort ne vivre qu'en toi.

ILS

Ils peuvent te donner des corps durs et robustes
Des rendez-vous cruels joyeux et clandestins...
Peuvent-ils te donner un palais de tes bustes?
Peuvent-ils te donner l'étoile des destins?

Je suis venu vers toi, malgré l'ombre et le vice,
Pur comme le très pur, naïf et glorieux;
Peuvent-ils, ces voleurs, te rendre le service
Du portrait idéal et du tien dans mes yeux?

Une autre lettre :

« Jeannot, tu vas dire que j'ai la manie des lettres. Mais c'est bon, la nuit, de t'écrire et de glisser ma tendresse sous ta porte.

« Mon Jeannot, tu m'as rendu le bonheur. Tu ne sauras jamais ce que j'ai souffert. Et ne t'imagine pas que je te priverai de tes caprices. Tu me les raconteras et nous nous retrouverons dans l'amour plus fort que tout. Je t'adore. »

Une autre fois, sous ma porte :

« Mon Jeannot,

« Merci du fond de l'âme de m'avoir sauvé.

« Je me noyais et tu t'es jeté à l'eau sans une hésitation, sans un regard en arrière. L'admirable, c'est que cela te coûtait et que tu ne l'aurais pas fait si ton élan n'était pas sincère. C'est donc une preuve de force que tu me donnes, une preuve que toutes les leçons de notre travail portent leur fruit. La chèvre et le chou n'existent pas en amour et il n'existe pas de petites amours. L'amour, c'est Tristan et Yseult. Tristan trompe Yseult et il en meurt. En une minute tu as compris que notre bonheur ne pouvait se mettre en balance avec une sorte de regret, de tristesse sans bases. Jamais je n'oublierai. Écris-moi deux lignes, tes petites lettres sont mes fétiches. Je t'adore. »

« Jean »

Il y avait aussi un poème :

TON SILENCE

L'amour est une science
Et de toi j'ai tout appris
Et j'écoute ton silence
Que je n'avais pas compris.

T'ai-je mal aimé, cher ange!
Ange doux, ange brutal...
Pur, limpide, sans mélange
Fermé comme le cristal.

Dans ce cristal je contemple
Le désespoir évité.
Mon bonheur élève un temple
A ta jeune antiquité.

Et, un autre matin :

SUR UN GENOU

C'est en relisant les épreuves
De cette Fin du Potomak
Que me devint léger le sac
Des cruautés vieilles et neuves

Je me suis dit que j'étais digne
De ton soleil capricieux
Et que les feuilles de ma vigne
Cachent mal le sexe des dieux

Je me suis dit que j'étais Prince
Et qu'un prince met un genou
Devant le papier rond et mince
Où le ciel se cache pour nous

Je me suis dit que ma guérite
Était peinte de tes couleurs
Et que ma sottise mérite
Que tu fasses couler des pleurs.

Tu dois me baiser et me mordre
Remettre et m'ôter ton anneau
Et quelquefois me passer l'ordre
Où pend un cadavre d'agneau

Bientôt nous finissions de jouer *Les Parents terribles.* Il m'écrivit ce dernier poème : tous les vers étaient soulignés :

PRIÈRE À GENOUX

Faisons un voyage de noces
Mais un vrai! La lune de miel
Soyons fous, excessifs, féroces
Pour ce qui ne vient pas du ciel

Oh! mon ange, je t'en supplie
(Car tu l'aimes : me rendre heureux)
Ayons quatre jours de folie
Le ventre plus grand que les yeux.

Rien qui freine, rien qui sermonne
Le cœur qui bat à se briser
Et sous l'œil, le mauve anémone
Des bienheureux martyrisés.

« *P.S.* – Si tu veux me répondre un beau poème écris-moi OUI sur une feuille de papier, pour mon trésor! »

J'ai écrit OUI.
Ce n'était pas le dernier poème...

Ne laisse jamais la paresse
Qui prend la main et les genoux
Se glisser, furtive, entre nous
Et retarder notre caresse.

Le bonheur est-il un métier?
Je crois que le bonheur s'enseigne
Et que le sang blanc que je saigne
Fait revivre le monde entier.

☆

NOUS NOUS SAUVERONS DE PARIS DE PARIS...

Nous allons partir en voyage
(Ma bouche l'a lu dans ta main)
Si tu m'aimes j'aurai ton âge
Ton rythme, ton ciel, ton chemin.

Ne me prive pas de l'auberge
Où l'on ne trouve qu'un seul lit
Des Grieux couche avec Tiberge
C'est encor beaucoup plus joli.

Nous allions partir pour Saint-Tropez : mes plus belles vacances. Jean avait écrit à Versailles sa nouvelle pièce, *La Machine à écrire*. J'allais le rejoindre après le théâtre. Les deux rôles qu'il me destinait me faisaient peur, d'autant plus qu'Yvonne de Bray les trouvait pour moi un « casse-gueule ». Elle ne savait pas si bien dire puisque, à cause de cette pièce, je rossai un critique. Mais n'anticipons pas.

Il y eut le « cas » Claude Mauriac qui continuait ses visites pendant que Jean écrivait sa pièce. Visites qu'il faisait régulièrement depuis des mois déjà rue Montpensier. Jean l'avait reçu comme un fils. Claude Mauriac se proposait d'écrire un livre sur lui, mais ce n'est pas pour cette raison que Jean lui ouvrait les bras; c'était, comme toujours, par affection et pour aider un jeune écrivain dans ses ambitions. Il venait rue Montpensier presque chaque jour. N'ayant sans doute pas terminé son travail, il continuait son enquête à Versailles.

Si je manque d'intelligence, j'ai en compensation un instinct aigu. J'avais pour Claude Mauriac une méfiance que j'aurais dû écouter. Mais je pouvais me tromper. Je me refusai donc d'en parler à Jean de peur de lui faire une trop grande peine. Pourtant, peut-être lui aurais-je épargné celle qu'il eut à la sortie du livre de Claude Mauriac. Il en a été choqué à tel point qu'il fut malade pendant plusieurs jours et triste pendant des mois comme après la perte d'un fils.

Jean me demanda comme preuve de notre amitié de ne pas lire ce livre. J'ai tenu ma promesse. Mais je n'avais pas promis de ne pas lire le suivant, *Une amitié contrariée,* que Claude Mauriac publia plus tard.

Jean Cocteau disait : « Lorsqu'un artiste peint une paire de souliers, un compotier de fruits, un paysage, c'est son propre portrait qu'il peint.

La preuve est que l'on dit un Cézanne, un Picasso, un Renoir, et non une paire de souliers, un compotier, etc. »

Il en est de même pour les biographes. En analysant quelque grand homme, ce sont leurs propres sentiments qu'ils décrivent. Ils peignent leur propre portrait.

Or, Claude Mauriac, dans *Une amitié contrariée,* se dépeint comme un détracteur jaloux et aigri. Peut-être parce que fils d'un écrivain célèbre, reste-t-il petit, sans importance. En tout cas, il est le contraire de la générosité. Son jugement cruel aurait été plus objectif s'il avait le cœur généreux et bon, s'il avait de la charité puisque, en l'occurrence, il s'affirme chrétien. Si je n'avais été moi-même acteur de certaines scènes racontées par lui, je ne me rendrais pas aussi bien compte de sa mauvaise foi.

Par exemple, lorsqu'il décrit un déjeuner avec Jean Desbordes. Jean n'a jamais eu de sentiments aussi bas.

Pour ma part, j'aimais tous ses amis tant que je n'avais pas une preuve de leur fourberie ou de leur trahison comme pour Maurice Sachs et Claude Mauriac.

En outre, Jean Desbordes ne faisait absolument pas pitié; Jean Cocteau était peut-être bronzé puisque nous revenions du Piquey, pas maquillés. Moi, je peux affirmer que ce n'était pas son style et que pendant toutes les années où je l'ai vu, jamais Jean ne s'est fardé. Chaque jugement de Claude Mauriac décèle sa petite âme.

Il croit encore que Jean avait le goût de briller. Il brillait comme un diamant. Comme cette pierre précieuse, il n'en avait pas le goût. Outre ses jugements faussés par sa propre nature, j'ai relevé dans son livre trente-neuf erreurs, volontaires ou involontaires.

Si le premier livre, que je n'ai pas lu, était pire, je comprends la tristesse de Jean.

Il y eut aussi l'extraordinaire cas d'Al Brown.

Jean, amené par Marcel Kill dans une boîte de nuit, vit l'ancien champion du monde faire un numéro de claquettes, tout en sautant à la corde comme à un entraînement de boxe. Le numéro était superbe. Jean invita le boxeur à sa table et l'interrogea. Al Brown avait perdu son titre en 1935 en faveur de l'Espagnol Baltazar Sangchili. Le jour du match, il avait été empoisonné et n'avait pu déclarer forfait à la dernière minute. Ruiné par son entourage, il gagnait sa vie dans un night-club. Il se droguait. Il buvait. Jean décida de le sauver et de le faire remonter sur le ring. D'abord, il le fit accepter à l'hôpital Sainte-Anne, où il serait désintoxiqué. Al croyait être dans une luxueuse clinique.

Puis, aidé par Coco Chanel, on trouva des fermiers qui consentirent à transformer leur ferme en camp d'entraînement. Jean essaya de contacter des managers de boxe. Hélas! aucun ne s'intéressait plus à Al Brown. A ce moment, le journal *Ce soir* demanda des articles à Jean Cocteau en lui laissant le libre choix des sujets. Jean commença alors une série d'articles sur Al, poétiques et passionnants. Al était mort et son fantôme reviendrait reprendre son titre. Al Brown le poète de la boxe, la mante religieuse. Tous les soirs, une page était consacrée au boxeur. Les managers commencèrent à dresser l'oreille. Ils proposèrent un match à la Salle Wagram, pensant bien la remplir avec une telle publicité. C'était comble. Lorsque Al Brown apparut, il se fit insulter de toutes parts. On criait : « Poète! Danseuse! »

Les reporters photographiaient davantage Jean Cocteau que les boxeurs. Le match dura un quart de round. L'adversaire était K.O. On l'emmena endormi au vestiaire, pendant que la salle faisait un triomphe à Al. Il fallait, je crois, douze matches pour qu'il puisse rencontrer à nouveau Sangchili qui détenait toujours le titre. Jean m'emmena à tous, et toujours les reporters le visaient. Al gagna onze matches par K.O. Il était extraordinaire : long, maigre, une sauterelle. L'adversaire, toujours plus petit, ne savait jamais où le saisir. De temps en temps, Al tapait légèrement de son gant le dos de son adversaire et levait les bras comme pour lui dire : « Je suis là », puis frappait.

Al détestait recevoir des coups. Son allonge le protégeait. Il disait qu'il avait fait de la boxe parce qu'il avait eu le nez cassé lorsqu'il était enfant et non qu'il avait le nez cassé parce qu'il boxait. Il arrivait quelquefois sur le ring tout habillé, en costume toujours très élégant, pull, casquette. On le déshabillait sur place. Les insultes pleuvaient. Et chaque fois le K.O. ramenait les hurrahs!

Le jour du match avec Sangchili, je crus qu'il allait perdre. Il avait trente-six ans et il fallait tenir quinze rounds. A un moment, Al comprit que, quoi qu'il arrive, s'il tenait jusqu'au bout il aurait gagné aux points. L'arcade sourcilière en sang, il s'accrochait, repoussait son adversaire. Je n'osais plus regarder Jean que les flashes des photographes mitraillaient continuellement. Enfin le gong résonna, on leva le bras d'Al. Il était vainqueur.

Bien sûr, certains imaginèrent que Jean avait voulu faire parler de lui, étonner, obtenir un nouveau spectacle, alors qu'il n'avait pensé qu'à sauver un être humain.

J'ai toujours été surpris des interprétations que l'on donnait à ses actes et à ses écrits.

Un biographe écrivait de lui récemment que, malgré les services que Marcel Kill lui avait rendus en tant que Passepartout pendant son *Tour du Monde en quatre-vingts jours,* cela ne l'avait pas empêché de le remplacer par Jean Marais.

Encore un biographe qui se dépeint lui-même.

Jean n'a jamais renvoyé personne; Marcel Kill était parti de lui-même, amoureux d'une adorable fille, et Jean continuait à l'aider.

Marcel était un mélange de pureté, de folie, de gentillesse et de violence. Un charme immense que je n'ai plus rencontré que chez Alain Delon.

Un jour, je trouvai Jean avec des côtes cassées, et tuméfié. Marcel avait été pris d'une crise incompréhensible de folie. Je voulais le corriger. Je trouvai un gosse en larmes qui me demandait pardon et me disait : « Je suis un monstre, je suis un monstre. J'ai frappé Jean, moi qui l'adore. »

Il était sincère et touchant.

Après le titre reconquis, Al tenta un autre match contre Angelmann : il gagna de nouveau par K.O.

Lorsqu'il décida d'abandonner le ring, Jean s'arrangea avec le cirque Amar pour qu'il parte en tournée. Ensuite, il devait partir pour l'Amérique y monter une salle d'entraînement.

Pourquoi lui refusa-t-on un passeport, je l'ignore. Jean écrivit au président de la République en disant qu'il n'avait jamais demandé de faveur pour lui-même et qu'il souhaitait qu'on facilitât les démarches d'Al Brown. Le lendemain, un garde municipal apportait le passeport.

Al s'en fut en Amérique. Nous restâmes sans nouvelles de lui à cause de la guerre. Plus tard, Jean apprit qu'il était plongeur dans un bar de Harlem. Il partit pour New York, vit Al, l'aida financièrement et lui promit de l'aider. A son retour en France, il rencontra Marcel Cerdan, lui parla d'Al, et Cerdan promit à son tour d'ouvrir une salle d'entraînement que dirigerait Al. Cerdan devait mourir dans un accident d'avion et Al de tuberculose dans un hôpital de New York.

Si je devais citer tous les amis que Jean a aidés, ces pages n'y suffiraient pas.

11

J'avais, pendant cette année 1939, eu de nombreuses propositions de films. J'entendais débuter à bon escient. Mon otite m'avait contraint à manquer le premier film qui m'intéressait : *Nuit de décembre.*

Une autre fois, c'était *L'Homme qui cherche la vérité,* avec Raimu. L'auteur, Pierre Wolf, tenait une chronique de critique dans un journal important. Il crut devoir m'avertir que si je refusais son film, il me « coulerait ». C'est à cause de ce chantage que j'avais refusé le film, – un film que j'aurais volontiers accepté pour jouer avec Raimu. Enfin, on me fit faire des essais pour le rôle de Des Grieux, dans *Manon.* Après la projection, les producteurs et le metteur en scène trouvèrent que j'étais Danton et non Des Grieux.

Jean, révolté par cette drôle d'affirmation, m'écrivit ces poèmes :

Je voudrais rayonner sur ton corps devant eux
Je voudrais te couvrir du parfum des rois mages
Pour qu'un ange qui se déguise en Des Grieux
Entre à ce studio et sorte des images.

Ils ne savent pas ces hommes imprudents
Que ton âme est de feu, de cristal et de neige
Et qu'il ne s'agit plus d'avoir de belles dents
Mais d'alourdir un ange et de le prendre au piège.

PREUVE

Vraiment c'est à mourir de rire
Cette image de Des Grieux!
Il faut à peine savoir lire
A peine entendre avec les yeux
Pour comprendre ce calme où veille le délire
Pour connaître que tout est maussade, ennuyeux

A côté de ton astre enfantin, glorieux
Pour chercher au triomphe un autre point de mire.

C'est si fort que j'y trouve une preuve des dieux
Ils écartent les doigts des cordes de ta lyre
Ils veulent garder pur le fils mélodieux
Chargé du seul secret qu'ils permettent de dire.

Ah! quand tu souffres c'est le pire...
Et cela doit avoir un sens mystérieux
Mon amour sur ton mal n'a donc aucun empire
J'ai honte de ces vers : je devrais t'aimer mieux.

La souffrance dont parle Jean était due à mes dents. Il m'avait emmené chez son dentiste qui – après radio – voulait m'arracher toute la bouche. A vingt-quatre ans! Quel drame! Ce dentiste avait chez lui un jeune collaborateur que mon cas intéressait. Il proposa de me soigner. Prêt à tout, j'acceptai. Il soigna les canaux de toutes mes dents. Plus tard, je partis à la guerre avec des pansements provisoires.

Pour Jean, mon mal se métamorphosait en poèmes.

LE POÈTE INDIGNE

Contre le mal tu te défends
Tu deviens pareil à l'enfant
A l'animal et tu m'approches
Avec leur œil plein de reproches :
« Tu devrais en avoir des secrets dans tes poches
pauvre poète triomphant! »
Ainsi parle ton œil qui toucherait des roches
Et sans savoir guérir mon pauvre cœur se fend.

CETTE NUIT

Cette nuit je voulais m'endormir dans tes bras
Et tu souffres, Jeannot, et rien ne te soulage
Un fantôme d'amour entre nous deux voyage...
Je traverse le mur, habillé de mes draps

TON SALE MAL

Mon Jeannot je baise tes pieds
Qui te mènent de long en large...
Je n'ose veiller, t'épier,
Vivre dans ta douleur, en marge

Si je savais chanter les lais
Que chantèrent les fées aux reines
Et qui endorment des palais
Si j'avais la voix des sirènes,
Je te soulagerais un peu
(Et déjà, ce serait énorme)
Mais hélas, hélas, rien ne peut
Contre ce mal. Ah! qu'il s'endorme!
Satisfait d'être chanté tant
Et d'habiter ta belle bouche
Que mon porte-plume le touche
Et qu'il se repose content.

ANORMAL

Lorsque mon Jeannot a du mal
C'est une fleur qui se contracte
C'est la marche d'un animal
A qui tout le reste est égal
Avec le diable ou Dieu laissez-moi faire un pacte,
Forces qui dirigez nos actes!
Voir souffrir de la joie est par trop anormal.

LE CERF D'AUTOMNE

Avant que ton amour l'amour ne me découvre
Je croyais connaître le jeu!
Le jeu des « ils », le jeu des « je »
C'était une Vénus sur un socle du Louvre.
C'était l'ombre d'une ombre et moi le mort vivant.
Le bronze où se calme le faune
Une frénésie, une aumône
La sève qui se trompe et quitte un fou rêvant
Ne m'en veuille jamais d'attendre que tu m'offres
Le jeune arbre de ta beauté
Tandis que tu dors à côté
De ma plainte nocturne au fond d'un rouge coffre

Ah! que ce maudit mal s'en aille de ton corps!
Qu'il me rende ce qui m'étonne
Et que je ne sois plus ce pauvre cerf d'automne
Qui surveille l'appel des cors.

PARDONNE-MOI (On n'est pas plus bête!)

La vie a de ces insolences!
La vie est un tournoi d'amour

La vie acclame le silence
On ne peut pas tourner autour.

On ne peut marcher devant elle
On ne peut pas entrer dedans
Ce soir la vie était cruelle
Parce que tu avais mal aux dents.

La vie est vivante et morte
On est son vaincu, son vainqueur
Tu ne fermais que ta porte
J'ai cru que tu fermais ton cœur.

LE PORTRAIT

Ciel qui nous mélangez ensemble,
Que Jeannot soit guéri demain
Que le mal sorte par sa main
Et devienne ce mal d'amour qui me ressemble.

J'ÉTAIS

Il y a les films, le dentiste
Il y a les bustes, l'amour
Et le malheur triste, si triste
Que je reste à mes projets, sourd.
Qu'ai-je fait depuis que j'existe?
Chaque minute, chaque jour...
Hélas, je n'étais qu'un artiste.

Jean décida de faire un film avec *Les Parents terribles.* Il trouva un producteur. On devait le commencer en septembre.

VIVE MON ROI

Le ciel m'aide à tourner un beau film en septembre.
Sous un aigle emporté, bien au-dessus des lois,
Comme il mouille nos yeux, comme il dresse nos membres,
Il me fasse être un dieu qui protège le roi.

Jean ferait la mise en scène. Yvonne de Bray jouerait le rôle écrit pour elle, Marcel André, Gabrielle Dorziat, le leur, moi le mien. Ni le producteur ni l'opérateur ne voulaient d'Alice Cocéa pour la jeune fille. Ils la trouvaient trop âgée pour le rôle et sans pureté.
Jean en parle à Capgras, notre directeur de théâtre.

– Pourquoi ne m'en as-tu pas parlé avant? J'aurais aimé être ton producteur.

– Parce qu'on ne peut pas prendre Alice.

– Mais c'est évident. Je le comprends très bien. Je me mets en rapport avec ton producteur.

Capgras devient le principal commanditaire du film. On construit les décors; on engage les acteurs, les opérateurs, les techniciens, et Capgras déclare : « Maintenant ce sera Alice ou on ne fait pas le film. »

Toute l'équipe est catastrophée. Que faire?... Quelqu'un propose qu'on fasse des essais avec Alice. Elle jugera elle-même.

Au jour dit, Alice ne vient pas. On m'envoie la chercher. Elle refuse en disant que c'était normal qu'on fasse des essais avec moi, jeune débutant, mais qu'elle avait fait assez de films pour pouvoir s'en passer. Je reviens au studio. Jean lui téléphone pour lui expliquer que ce sont des essais indispensables pour l'opérateur afin qu'il puisse lui faire de belles photos. Elle accepte. Je retourne la chercher.

Honnêtement, l'opérateur essaie de la rajeunir avec des trames de gaze, de papiers découpés et troués. Pendant la projection, Alice se trouve ravissante, jeune, charmante. Ces mots sortent sans cesse de sa bouche.

Pour nous, c'est Voltaire à Ferney.

Que faire? Il faut qu'un de nous lui dise la vérité. Personne n'en a le courage.

Je m'en charge, je me jette à l'eau. Je prends à part Alice toute souriante. Bientôt son sourire se crispe. Puis elle ne sourit plus du tout. Je trouve la force de lui dire tout ce qu'on ne devrait jamais dire à une femme en me souvenant de son attitude à l'égard de Jean, au cours des précédentes semaines.

A propos de la prochaine pièce, *La Machine à écrire,* elle avait exaspéré Jean. Elle suggérait de mettre le troisième acte à la place du second, le second à la place du premier, hésitait à jouer la pièce, estimant qu'il serait préférable pour elle de jouer *La Parisienne* ou bien la nouvelle pièce de Salacrou ou bien *Phèdre,* ou encore je ne sais plus quelles autres, – tout cela en trempant, très calme, des biscottes dans du thé. Bref, Jean en avait été démoralisé. Cela, je ne pouvais le supporter.

On démolit les décors; on rompit les contrats. Plus question du film.

Nous partîmes, Jean et moi, pour Saint-Tropez. Déjà, cet endroit était extravagant. Pour y être dans le ton, il fallait en quelque sorte se déguiser. Nous étions descendus dans un petit hôtel de l'endroit, Le Soleil, d'où la nuit nous entendions les flonflons d'un bal populaire, Le Palmyre. La rengaine à la mode s'intitulait *Sombreros et Mantilles,* chantée par Rina Ketty.

Ce bruit empêchait Jean de dormir et de travailler. Nous changeâmes d'hôtel. Le nouveau était tenu par un ami : J. P. Haguenauer. L'Aïoli était meublé avec goût et nous avions l'impression d'être dans une maison particulière. C'est là, qu'un matin, des camarades vinrent, habillés en citadins, me prévenir qu'ils partaient mobilisés.

– Mobilisés! Pourquoi?

– Comment, pourquoi? Tu ne sais pas que la guerre est déclarée?

Je ne savais rien. Ni Jean ni moi ne lisions les journaux et nous n'attachions aucun crédit aux bruits qui circulaient.

– Mais si vous êtes mobilisés, je dois l'être aussi.

– Quel fascicule as-tu?

– Je ne sais pas.

– Nous avons le 6.

Nous étions à peu près du même âge; je devais avoir le même. Nous décidâmes de partir. On fit étape à Lyon. Tout le monde rentrait. Impossible de trouver une chambre d'hôtel. On finit par en trouver une, incroyable, dont les draps de lit, par la couleur et la consistance, nous semblaient de carton.

Place de la Madeleine, je constatai que non seulement j'étais mobilisé, mais encore que j'étais en retard pour me rendre à mon centre de mobilisation, qui était Versailles. Je téléphonai à ma mère. Elle était si désespérée que je fis un détour pour aller l'embrasser. A Jean comme à elle je prédis que je serais de retour dans huit jours. Je ne croyais pas une seconde à la réalité : il ne pouvait pas y avoir de guerre. C'était un immense bluff.

J'abandonnai la voiture de Jean dans une rue de Versailles, voisine du centre. Je me promettais de lui téléphoner pour lui dire de la faire prendre.

Je n'étais pas le seul à être en retard. On me donna des vêtements militaires sans me faire de remontrance. Des officiers se plaignaient de ne pas avoir assez de voitures légères. Je proposai la Matford de Jean. Ils acceptèrent avec joie. On mit à la voiture un faux numéro militaire.

Le soir, je pus retourner place de la Madeleine. On dîna avec Coco Chanel qui voulut être ma marraine de guerre. Je refusai en lui faisant comprendre que j'aimerais qu'elle fût la marraine de ma compagnie entière – ce qu'elle accepta. Elle voulait sans doute se faire pardonner notre histoire des *Parents terribles*.

12

En route pour une destination inconnue! Nous arrivâmes à Montdidier, dans la Somme. La plus grande partie des soldats couchaient sous une tente de toile. Je proposai à mes officiers de coucher dans le même hôtel qu'eux pour être à leur disposition, et de payer moi-même la chambre puisqu'ils n'avaient pas le droit d'en réquisitionner pour un soldat. Ils acceptèrent. Je commençai donc ma guerre d'une curieuse façon.

Je payais aussi l'essence du *Chevreuil,* notre Matford, parce que je trouvais plus commode d'aller à une pompe que de demander des bons pour faire faire le plein par la compagnie. Et puis, je me servais du *Chevreuil* pour mes besoins personnels...

Tout cela aurait dû m'attirer l'antipathie de mes camarades. Je commençais à apprendre et à travailler *La Machine à écrire :* la prochaine pièce. De loin, mes camarades me voyaient parler tout seul et me prenaient pour un fou.

J'appartenais à une compagnie de l'Air. En quelque sorte l'hôtel-garage d'escadrilles problématiques. Je dis « problématiques » parce que l'on ne voyait jamais d'avions.

Je fus appelé chez le lieutenant commandant l'unique escadrille que nous ayons reçue. Il me dit : « Quand on s'appelle Jean Marais, on se présente à ses officiers. Je vous ai vu jouer dans *Les Parents terribles.* »

Il était bien le seul de tous ceux qui formaient notre base. Cela me donna une leçon de modestie. La façon dont Paris et Saint-Tropez m'avaient fêté m'avait fait presque croire à ma célébrité.

Je répondis à l'officier : « Mon lieutenant, si j'avais eu le courage de me présenter et que vous m'ayez répondu : “ Jean Marais? qu'est-ce que vous voulez que ça me fasse? ” j'aurais eu l'air malin. »

Tout le monde apprit ainsi que j'étais acteur. On me sut gré de ne pas l'avoir dit, et on me regarda d'une façon différente. Le médecin militaire reprocha même un jour à mes officiers de me déranger la

nuit pour faire des rondes *(sic)* : « Il faut qu'il se repose, ce petit. »
Pour faire excuser ma situation plus que fausse, je m'appliquai à rendre des services. « Tes parents sont à vingt kilomètres? Je vais t'y conduire... Tu as besoin de papier à lettres, je t'en apporterai », etc. Petit à petit les copains ne voyaient plus l'injustice de mon cas ou bien ils acceptaient avec le sourire.
Et surtout, il y eut Coco Chanel.
Dans ma poche, j'avais un mot que Jean m'avait fait porter à Versailles après lui avoir dit au téléphone que je partais à cinq heures.
Ce mot, je le relisais sans cesse en attendant de nouvelles lettres :

« Mon Jeannot, à cinq heures, le pire sera venu. Je t'embrasse du fond de mon cœur. Je te jure de faire l'impossible pour nous rejoindre. »

J'avais emporté aussi un petit buste de Jean en bronze que Fenosa avait moulé pour moi. Place de la Madeleine, il était sur mon coffre, sous les étoiles de cuivre que j'avais accrochées au mur. Ce buste ne m'a jamais quitté. Ainsi je trichais et vivais près de Jean.
Une étrange faculté me permet de m'endormir éveillé et de ne me réveiller que pour ce qui m'intéresse.
Cette guerre je la comprenais mal; je ne l'acceptais pas.
Peut-être en première ligne me serais-je conduit autrement?
Enfin, une lettre :

« 3 septembre 1939.
« Je viens de recevoir ta petite lettre que tu as écrite après m'avoir vu. Tu me demandes de la garder! Mon Jeannot, j'ai tes moindres lignes dans ma poche et je n'existe que pour les attendre. André nous a quittés pour rejoindre son poste. Je vais prendre Fenosa à la maison. Il y dort cette nuit. Vivre est très dur, mais je t'ai fait une promesse à laquelle je ne manquerai pas. Simplement tu retrouveras un pauvre Jean mince comme un fil. Le docteur, chez Coco, va essayer de me rendre un peu de force et de poids. Je n'arrive pas à croire que ce n'est pas un mauvais rêve et que tu vas me réveiller d'une chambre à l'autre. Car ta porte reste ouverte et je marche d'objet en objet et de dessin en dessin. J'ai bien gravé ton image en bleu debout au bord de cette route. Il ne fallait pas s'émouvoir et c'était la pire minute de ma vie après ton départ devant chez Maxim's. J'ai si mal aux yeux que je te quitte. Tu sais que je ne te quitte pas d'une seconde.
« Rosalie a passé la fin de la journée à la maison; que faire? Parler de notre fils et l'attendre. Voilà mon seul but. Je terminerai ma lettre demain matin. Deux lignes pour te dire bonjour.
« Pour ce qui concerne la voiture, il est essentiel que tu la gardes. Il

en résulte que ton poste est bon et que je le mets sur le compte de ton étoile.

« Répète-toi sans cesse que mon cœur bat dans ta poitrine. Que ton sang coule dans mes veines et que je suis beaucoup moins seul que bien d'autres puisque nous ne formons qu'un, malgré l'espace.

« Mon Jeannot, j'ai embrassé ta maman de ta part et je la verrai souvent, sois tranquille. Prie. Je prie et ne change rien à ma prière. C'est la même que celle de Saint-Tropez.

« Si cette attente et ce vague me ruinent l'organisme malgré moi, je sais que tu n'aimeras que davantage ton pauvre poète qui a reçu la foudre et sur qui la foudre continue de tomber lentement. Payons-nous d'avoir été trop heureux. C'est cher, mais pas cher si je songe à nos vacances.

« C'est de toi que j'attends du courage, voilà le comble. Tu es la vie, la force, la joie, rien ne peut t'abattre.

« Je n'arrive pas à quitter cette lettre. Je crois être un somnambule, que j'invente tout cela et que je vais te trouver endormi sous tes petites étoiles. Je crois encore un miracle possible. Je te serre contre moi. »

A partir de cette lettre, le vaguemestre n'a plus cessé de m'en apporter. De Jean, il y en avait parfois trois, quatre au même courrier. Comme il demandait à mes amis de m'écrire il arrivait qu'on appelait « Marais » une vingtaine de fois au rassemblement. J'en étais si gêné vis-à-vis de mes camarades qui ne recevaient aucun courrier que je finis par demander qu'on me remette mes lettres à part. Ce fut accepté.

« Mon Jeannot,

« Je suis l'homme le plus heureux du monde.

« Existe-t-il des gens heureux?

« Nous, même l'apocalypse ne peut plus nous séparer. C'est une grande énigme. Le lendemain de la date terrible, j'ai senti un calme formidable; c'était la certitude prodigieuse de ton cœur et de mon cœur qui voyagent et qui se nouent comme les ondes. C'étaient les ondes de notre amour qui chantaient dans le silence. La gloire est peu de chose à côté de l'amour. Notre gloire est de nous aimer.

« " Je suis heureux de t'aimer. " Cette petite phrase de toi vaut qu'on paye cher sa chance. J'accepte à cause d'elle ce drame et ce tunnel où nous sommes engagés.

« Je plains les neutres qui n'aiment pas de toutes leurs forces. »

« Ton Jean »

« Jeannot bien aimé,

« Je sors de chez Coco. Elle avait une lettre de toi et au nom de cette lettre m'a prié de venir auprès d'elle. Je ferai donc une valise et coucherai au Ritz. Tu peux m'y écrire. Bien que j'aille à la maison faire la promenade des chambres, je ne peux me priver de ce bonheur. Cette lettre ne compte pas. Je t'écrirai ce soir du Ritz. Le mauvais rêve n'est possible qu'à cause de toi, de nous, de ton coffre de poèmes. Il faut vivre de miracles et prier notre ciel.

« Samedi.

« Mon Jeannot,

« Je ne peux pas m'empêcher de t'écrire encore quelques lignes. Je viens de voir ta maman. Inutile de te dire de qui et de quoi on parlait. Je me refuse à quitter l'appartement. L'appartement c'est toi, c'est ta chambre ouverte, c'est la porte sous laquelle je glissais les poèmes. Mon Jeannot, soyons braves et patients. Le ciel veille et nous protège. Notre ciel. Car nous avons un ciel pour nous deux et ce ciel ne nous abandonne pas. Je t'adore. »

J'avais trouvé un petit bâtard de chien, du genre fox, ressemblant à celui de « La Voix de son Maître » : blanc avec une tache noire sur l'œil gauche. Je l'appelai 107, le numéro de notre compagnie. Il avait à peine trois mois. Je lui avais mis un collier rouge et la patronne de l'hôtel lui avait fait un vêtement bleu. Ce chien m'aimait tant que je ne pouvais le quitter une seconde sans qu'il pleure. Les officiers l'acceptaient dans la voiture. Les soldats l'adoraient et comprenaient une fois de plus que je sois favorisé.

A Paris, Jean tentait démarche sur démarche pour obtenir un laissez-passer afin de pouvoir venir me voir, et auprès d'amis pour qu'ils le conduisent.

Coco Chanel faisait travailler toute sa maison pour notre compagnie : des passe-montagne, des pulls, des gants que Jean devait apporter à son premier voyage.

« Mon Jeannot, fasse notre étoile que je puisse arriver dimanche comme un père Noël. S'il m'empêche j'aurai le cœur gros, mais tu comprendras que ce n'est pas ma faute et toi tu feras un prodige pour venir et chercher les cadeaux. Coco est très chic. Tout le monde est émerveillé par les couvertures qu'elle vous confectionne et qui ne ressemblent à aucune de celles qu'on envoie d'habitude. Elle veut pour vous des couvertures et des passe-montagne qu'elle porterait elle-même,

doubles, ne grattant pas, et chauds même si ils sont mouillés. Je crois que les lieutenants seront épatés de ce qu'elle leur réserve.
« Je t'embrasse sur le cœur. »

Finalement, Jean dut partir sans laissez-passer. Les amis se désistaient par crainte d'ennuis. Il arriva enfin, conduit par Violette Morris. Coureur automobile, elle s'était fait couper les seins sous prétexte qu'ils la gênaient pour conduire. Les cheveux coupés en brosse, elle portait des costumes d'homme. On m'annonça que Jean et mon frère étaient là. Ils avaient pris Violette pour mon frère.
Violette repartit. Jean resta à l'hôtel du Commerce où j'habitais. Je le raccompagnai au train.
Malgré mille difficultés, il vint me voir tous les dimanches. Ses lettres diront mieux que moi notre bonheur :

« Jeannot, j'ai vu le bonheur sur ta figure et tu as vu le bonheur sur la mienne. Rien de plus beau n'existe que notre étoile. Rien de plus pur, rien de plus extraordinaire. Je ne pense pas que le diable ose se mettre entre nous dimanche et me barrer la route. Si cela était il y aurait encore un motif céleste devant lequel je m'inclinerais et qui nous viendrait en aide.
« Mon Jeannot, je me couche pour rêver à nous et je te serre contre mon cœur. »

« Mardi.
« Jeannot, n'est-ce pas admirable de pouvoir se dire, du fond de l'âme, dans cette grande énigme terrible : je suis parfaitement heureux ?
« J'en arrive à croire que notre bon Dieu a fait dans ce désordre, de ce désordre cette chose parfaite : tout – la chambre du haut, la chambre du bas, la lampe bleue, les roses, l'aube – m'apparaît comme un chef-d'œuvre, une merveille sans la moindre faute. Tes camarades, leurs figures se gravent comme des médailles parce que le sourire de ces figures anonymes exprimait ta bonté, ta gentillesse, ta grâce. Mon Jeannot, je suis fier de toi, de moi, de nous. C'est notre secret.
« On ose à peine avouer tant de bonheur au milieu de cet univers en larmes. Et derrière la vitre du train, ta petite figure tendue vers moi était le plus beau portrait du monde. Si on lit cette lettre on y trouvera l'exemple d'une France légère et sublime. La France du cœur et de la joie la plus grave. Je t'adore. »

Jean avait apporté les plaids d'Écosse signés Chanel, les pulls, les passe-montagne, les gants, des Thermos individuelles, des cigarettes.

Bientôt des camions arrivaient apportant des vins et encore de quoi avoir chaud et fumer.

Coco Chanel fit encore bien davantage. Elle se renseigna sur les soldats mariés et pères de famille, s'enquit de leurs adresses et envoya pour Noël des jouets, des robes, des chandails, des bijoux. Et elle envoyait aux femmes et aux enfants comme si c'était un cadeau de leur mari et père.

Après avoir recensé auprès de moi les noms des soldats qui ne recevaient pas de courrier, elle voulut qu'ils eussent aussi leurs surprises. Cela provoqua un petit drame. Un soldat qui avait reçu un colis avait remercié sa femme, croyant que l'envoi venait d'elle. La femme crut que son mari avait une maîtresse. Le pauvre garçon vint me demander si c'était moi qui avais fait expédier ce colis : je niai.

– Je te supplie de me dire la vérité.

Et il me raconta sa mésaventure. J'étais obligé d'avouer.

Bien sûr, toute la compagnie le sut du même coup. J'avais beau expliquer que c'était Mlle Chanel, on rejetait sur moi tous les bienfaits. Je devins en quelque sorte tabou à tel point qu'un jour toute la compagnie fit grève pour m'empêcher d'être puni. Voici l'histoire :

Évidemment, il y avait des camarades que je préférais à d'autres. Parmi eux, Lucien Vallée, un sergent-chef de la météo. Je sortais souvent avec lui. Il faisait bien son travail, mais n'avait pas du tout l'esprit militaire.

Un jour, les officiers me laissèrent entendre que je serais plus à ma place en sortant avec eux qu'avec Vallée. Je leur fis comprendre que je préférais la compagnie des soldats et du sergent-chef à la leur. Quelques jours plus tard, on me prévint que le colonel se plaignait qu'une voiture civile servait à notre compagnie et on me pria de la faire disparaître.

Mon frère, un dimanche, avait accompagné Jean. Il ramena la Matford à Paris. Je devins chauffeur d'une voiture militaire.

Avec le sergent-chef nous avions pris l'habitude de « déplanquer », c'est-à-dire que nous allions en fraude à Paris. Moi, j'allais voir Jean, et Vallée sa famille ou sa maîtresse.

N'ayant plus de voiture, nous prîmes celle de l'armée. Nous rentrions très tôt le matin avant l'appel. Mais un jour de brouillard, je demandai à Vallée de prendre le volant, pensant qu'il conduirait mieux que moi. C'est dans un fossé que je constatai qu'il n'en était rien. Impossible de sortir la voiture du fossé. A nous deux nous n'arrivions à rien. On stoppa un camion qui nous tira de là à l'aide d'un câble. La voiture était plus que bosselée. Le moteur marchait, mais à chaque tournant nous devions descendre et la soulever pour la remettre sur la route.

Vers huit heures du matin, nous avons trouvé un garage civil ouvert qui a redressé la ferraille, mais n'a pas pu nous rendre une voiture neuve. Il fallait voir l'allure de cette pauvre voiture!

Nous arrivons à neuf heures au lieu de six. Les officiers me font demander. Je laisse la voiture devant leur P.C. J'entre dans leur bureau :

– Où étiez-vous?
– Dans ma chambre.
– Non, vous n'y étiez pas. On est allé vous chercher.
– A quelle heure?
– A huit heures.
– Je sors tous les matins à six heures pour faire de la culture physique.
– C'est bien. Où est la voiture?
– Devant la porte.
– Nous partons.
– Bien, mon lieutenant.

Il voit la voiture toute biscornue.

– Vous avez eu un accident?
– Non, mon lieutenant.
– Comment, non! Mais regardez-la!
– Oui, mon lieutenant.
– Oui! Vous convenez que vous avez eu un accident.
– Non, mon lieutenant.
– Hier soir, elle était en parfait état. Regardez-la, nom d'un chien!
– Elle a toujours été comme ça, mon lieutenant.
– Vous voulez me faire passer pour fou!
– Non, mon lieutenant.
– Alors?
– Alors, elle a été toujours comme ça, mon lieutenant.

C'était moi qui étais fou de nier l'évidence. Mais avec ce système il n'y avait pas d'autres questions à me poser et je ne voulais pas qu'on m'en pose. En attendant, je fus mis en « prison ». Comme il n'y avait pas de prison, à la garde.

Quelques jours avant, un camarade avait cassé la poignée de cette voiture. Croyant que j'étais le coupable, l'officier m'avait puni. J'avais accepté sans rien dire, mais mon camarade s'était dénoncé.

Tout le monde, y compris les officiers, croyait que je jouais un jeu identique. Mes camarades firent grève afin que je ne reste pas à la garde.

J'eus beaucoup d'autres preuves de leur amitié.

Lorsque j'ai été démobilisé, mes officiers me demandèrent :

– A présent, vous pouvez nous dire qui avait cassé la voiture.

Et j'ai répondu avec un sourire :

– Mais elle n'a jamais été cassée, mon lieutenant.

Tout cela s'est passé bien plus tard...

Nous sommes encore à Montdidier. Nous n'avons pas encore cassé la voiture. On me vole mon petit 107. J'en suis inconsolable. Un dimanche, Jean m'amène un autre chien, un berger allemand de trois mois que j'appelle aussi 107. Puis, un jour, nous partons de Montdidier pour aller à Amy, toujours dans la Somme. Amy est tout près de Tilloloy. Nous y passons pour nous rendre à notre nouveau cantonnement. Nous apercevons un très beau château du XVIe siècle. Les officiers sont friands de châteaux. Ils décident de l'habiter. Je les conduis.

Une dame âgée, coiffée d'un hennin *(sic)*, nous accueille. Elle crie : « Jeannot! » et se jette dans mes bras.

Comment cette dame me connaît-elle? Ce doit être une amie de Jean, que, comme d'habitude, je ne reconnais pas.

– Jeannot, vous êtes ici chez vous. Venez quand vous voulez. Si vous voulez dormir, manger ici, vous êtes chez vous.

– Ce sont mes officiers qui aimeraient loger chez vous.

– A aucun prix. Ils n'ont pas de feuille de réquisition?

– Non.

– Alors, on ne peut m'obliger à les recevoir.

Nous repartons, moi, après avoir promis de revenir. Mes officiers font une sale tête. Ce fut sans doute là le début de nos mésententes.

A Amy, j'avais une chambre avec salle de bains que je payais moi-même, chez « l'habitant ». On me retira la voiture. Je passais mes journées à lire, à écrire ou à dessiner dans ma chambre.

J'allais aussi rendre visite à Thérèse d'Hinnisdaël dans son château où j'étais somptueusement reçu. Jean y venait en week-end. Il y avait souvent des officiers anglais. A Noël, la dame au hennin avait donné une grande fête en leur honneur. Pour la remercier, à la fin du souper, ils entonnent la Marseillaise. Je la vois blêmir. Elle se penche vers Jean et lui dit :

– Ce chant révolutionnaire chez moi!

Tous ses aïeux avaient été décapités en 93 au son de cet hymne.

Pour ma part, je vivais un conte de fées. Les soirées au château, le hennin de Thérèse, les salons, les chambres dont l'élégance était si simple et le feu des grandes cheminées si rassurant. Hormis le dîner avec les officiers anglais, nous n'avions pas l'air d'être en guerre. D'ailleurs j'étais si peu militaire...

Jean, comme il le faisait à la maison, écrivait, la nuit, des poèmes que je trouvais dans mes souliers.

Cette nuit Noël va descendre
Pour nous réchauffer un peu
Car il, comme la salamandre,
Pose ses pieds sur le feu.

Souvent les vers étaient entremêlés d'un dessin.

LA CHAMBRE D'ÉLIANE

107, Jeannot et moi-même
Nous nous sommes endormis
Le sommeil est un poème
Le poème des amis.

Notre ange qui se déguise
Pour NOËL *en feu de bois*
Laisse pendre sa chemise
Sur le sommeil de nous trois.

Il s'amuse, il nous protège
Il change la bûche en or
Mais les anges du dehors
Sont de ténèbre et de neige.

NOËL *je tombe à genoux*
Faites que cesse la guerre
Nous trois nous ne l'aimons guère
Et la paix habite en nous.

☆

Mon Jeannot, mon fils, mon ami
Sur mon cœur de Noël tu règnes
Lorsque tu t'envoles d'Amy
Jusqu'à Tilloloy (par Beuvraignes)

☆

Comment fais-tu pour être, en somme
Un de ces soldats de l'ennui...
Et de vivre dans notre Somme
Et d'allumer toute ma nuit?

☆

Ma véritable vie est née
Après que j'ai connu Jeannot
Maintenant nous mélangeons nos
Chaussures dans la cheminée.

LA BOUTEILLE A L'AIR

Tout nous sépare et nous rapproche
Et nous ne nous quittons jamais
J'ai tes promesses dans ma poche
Et les miennes tu les y mets

Par-dessus les catastrophes
Et le désordre postal
Je lance le feu des strophes
L'amour est un dieu fatal.

Mon nouveau 107 était malade. Jean dut le ramener à Paris pour le faire soigner. Le vétérinaire le guérit, s'y attacha et me demanda de le garder.

Dès l'instant que je n'étais plus chauffeur, on ne savait que faire de moi à la compagnie. Pas d'affectation, pas de corvée, pas de travail. J'étais tabou. Mes camarades interdisaient qu'on me touche.

Un jour, les officiers me convoquent. « On a fini par vous trouver un poste, me dit-on. Vous irez à Roye dans le clocher. C'est le plus haut des environs. Vous serez guetteur. Vous aurez un téléphone. Vous nous appelez quand vous voyez un avion allemand. »

Me voici donc installé avec un lit de camp dans une grande pièce carrée de la plus haute tour de la campagne, juste au-dessous des cloches qui sonnent tous les quarts d'heure. Le clocher avait soixante mètres, je crois. J'y montais par un escalier en colimaçon de quatre cent cinquante marches. Il y avait peu de chances que je reconnaisse les avions allemands des français. On sait que j'ai très mauvaise vue, et j'ignorais les formes des uns et des autres.

Au sommet, il y avait un balcon assez large. Je peignis sur le muret de protection des avions allemands avec de la peinture noire, pour me faciliter la tâche. Dans ma « pièce de séjour », j'apportai un réchaud à pétrole. Je fis un coin-cuisine que je séparai du reste par un paravent de ma fabrication. J'achetai des tissus pour embellir mon lit de camp; je fabriquai des lampes avec des bonbonnes. Je fixai au mur des photos de Chanel, de Jean, des dessins. Je fis un bureau à l'aide de caisses recouvertes de tissu. Enfin, j'invitai Thérèse d'Hinnisdaël à venir prendre le thé. Accompagnée de son saint-bernard, elle gravit les quatre cent cinquante marches.

Pour ne pas multiplier les montées de la tour, je m'étais entendu avec le commis de la boulangerie en face de l'église. Je descendais un panier à l'aide d'une corde, dans lequel j'avais mis la liste des commissions et l'argent.

Le matin, j'allais à l'établissement de bains municipal prendre une douche. Il commençait à faire beau et je m'offrais des bains de soleil en haut de mon clocher. Les habitants de Roye, curieux de connaître l'acteur du clocher, venaient souvent jusqu'à mon nid. Quand j'entendais leurs pas, je m'habillais en vitesse pour qu'ils ne me surprennent pas complètement nu.

Yvonne de Bray m'avait offert un poste de radio, rarissime à l'époque. C'était un des premiers postes à transistors, américains comme de juste, vendus chez Innovation. J'appelais au téléphone les demoiselles de la poste de Roye et je posais l'écouteur sur la radio; elles pouvaient ainsi travailler en musique.

Elles m'avaient donc en sympathie, et lorsque je demandais le numéro de Jean à Paris, elles me le donnaient en me recommandant de ne pas dire où je me trouvais (elles connaissaient le règlement militaire!).

Mais Jean me demanda où j'étais...

– Je ne peux pas te le dire.

A ce moment les cloches de midi retentirent. Il fallait crier, hurler, pour s'entendre, et encore! Quand les cloches cessèrent, Jean me dit :

– Maintenant, j'ai compris où tu es.

Je voyais peu d'avions allemands. De toute façon ma compagnie n'avait pas de D.C.A. et il n'y avait pas d'escadrille. Quand je me réveillais la nuit, j'appelais ma compagnie pour faire croire que je veillais, et je disais :

– J'ai vu passer une escadrille allemande.

Une fois, on me répondit :

– Qu'est-ce que tu veux que ça nous foute!

Un matin, je descends, comme d'habitude, pour prendre ma douche. Je vois les patrons de l'établissement avec des paquets et des valises.

– On s'en va, me disent-ils, les Allemands sont à cinq kilomètres. Ils sont à Ham.

Je n'y crois pas. Je le leur dis, mais ils s'en vont quand même, et avec eux tout le village. Les commerçants me laissent leurs clefs en me disant :

– Servez-vous, nous aimons mieux que ce soit vous que les Allemands.

L'épicerie en face de l'église m'est très commode. Il y a de tout : du beurre, des boîtes de conserves. Mais il faudra que je descende et remonte mes quatre cent cinquante marches, car le boulanger est parti comme tout le monde en laissant sa bicyclette. Je l'aperçois du haut de mon clocher, dans sa cour.

Je suis seul dans la petite ville déserte, avec des chats et des chiens abandonnés. Je me promène dans un endroit de rêve.

Le rêve devient cauchemar : les troupes françaises en loques, fatiguées, en désordre. Sans doute descendent-elles au repos...

Les biffins me voient. Quelques-uns se dirigent vers moi, me prennent au collet :

– Salaud d'aviateur, qu'est-ce que tu fous là? Qu'est-ce que vous foutez de vos avions?

– Tu sais, je suis un simple soldat comme toi et nous n'avons pas d'avions.

Ils passent.

Je reste encore seul trois ou quatre jours.

Puis, un matin je vois – enfin! – des avions. Des avions en grand nombre. Quoiqu'ils volent très bas, plus bas que le sommet de mon clocher, je ne reconnais pas leur nationalité, je suis vraiment un minus. Je la devine cependant lorsqu'ils se mettent à bombarder tout alentour en prenant mon clocher comme axe. Alors, j'ai soudain une réaction de fou : je me mets à danser en hurlant comme un peau-rouge. Je sais que je ne suis pas en danger puisque mon clocher est l'axe. De plus je n'ai aucune apparence militaire, étant nu. Je les vois qui tuent une ville déjà morte. C'est une double et triple parodie : je danse!...

Je ne sais pas pour quelle raison absurde je suis pris d'une joie incompréhensible; joie de ne risquer rien, joie d'être seul au spectacle, joie encore de pouvoir dire : « J'ai vu des avions allemands, cette fois j'en suis sûr. » Je danse.

Je bondis sur le téléphone pour alerter la compagnie triomphalement. Plus de téléphone : coupé. Qu'est-ce que je fais là? Ai-je jamais servi à quelque chose? Je m'interroge. Pas une seconde je n'ai eu peur. Suis-je donc arrivé à vaincre la peur définitivement? Au fond, il était évident que je ne risquais rien. Je monte au faîte de mon clocher, puis sur la croix de béton et, debout, je compte jusqu'à soixante. Je n'ai pas peur. Je peux aller rejoindre ma compagnie.

J'enfile un pantalon, une chemise bleu ciel des *Parents terribles,* je prends la bicyclette du boulanger et je pars.

A mon arrivée, on me dit :

– Qu'est-ce que vous foutez là? Voulez-vous retourner dans votre clocher!

J'y retourne. Je croise des troupes qui descendent. On me regarde d'un air soupçonneux. Je monte mes quatre cent cinquante marches. Je m'allonge sur mon lit. J'entends un grand tumulte dans l'escalier. Je vois apparaître des fusils braqués. Je comprends qu'on m'a pris pour un espion. Je ris. Ils n'ont pas l'air très rassurés.

– Entrez, n'ayez pas peur, leur dis-je. Je suis seul, je suis guetteur dans ce clocher.

Ils avaient cru que je montais faire des signaux. Je les invite, je leur montre les photos de Cocteau, de Chanel, les avions que j'ai peints, ma cuisine. Je leur offre à boire et toutes les boîtes de conserves qu'ils veulent. Ils s'en vont contents.

A quelque temps de là, ma compagnie m'envoie chercher par une camionnette. (Je me suis toujours étonné qu'elle ne m'ait pas oublié.) J'arrive au moment où parvient l'ordre de partir, à moins que les officiers n'aient tout simplement décidé de fuir. Nous filons. Mes camarades s'écrient, avec force rires : « En route pour Port-Bou! »

Ils ne savaient pas si bien dire. Nous n'en sommes pas arrivés loin.

Je n'avais pas eu le temps de faire des adieux à ma comtesse. Mais du haut de mon clocher, j'avais vu que son château était intact. Il fut démoli plus tard par d'autres bombardements.

La gentille comtesse avait déjà eu son château détruit pendant la guerre 14-18 et avait été arrêtée comme espionne parce que les seules toilettes restantes se trouvaient en haut d'une tour épargnée. La lumière que l'on y donnait pour les courts séjours qu'on y faisait avait fait croire à des signaux.

Thérèse rebâtit son château avec les pierres des murs d'enceinte après la guerre 14-18. Elle le fit rebâtir encore une fois en 45.

13

Première halte : la forêt de Compiègne. Assis sur son derrière, les oreilles droites, attaché à un arbre, un chien me regardait. Le coup de foudre. Moi pour lui, lui pour moi. Je m'approchai. Mes camarades essayèrent de m'en empêcher parce qu'il avait l'air méchant. C'était le plus gentil chien de la terre. Je l'ai détaché. J'ai jeté la corde. Il ne m'a plus quitté. On lui essaya tous les noms. Des civils le connaissaient. Il appartenait à des gens de Compiègne et s'appelait Loulou. En effet, il répondait à ce nom. Je l'appelai Moulou. Le premier soir, il coucha près de moi, sous une petite tente que m'avait envoyée Yvonne de Bray; il grogna dès qu'on en approchait. J'étais déjà son ami.

Mes camarades l'adoptèrent et ne cessèrent de me témoigner leur amitié, comme je l'ai raconté plus haut. En revanche, mes rapports avec les officiers devenaient de plus en plus difficiles.

Un jour, ils s'indignent :

— Comment? On meurt à trois kilomètres d'ici et vous écoutez la radio!

Je réponds :

— Vous l'écoutiez bien toute la journée quand on mourait à cinquante kilomètres! Où est la différence?

Seconde halte : Neauphle-le-Château. Je téléphonai à Jean qui vint me rejoindre. Je lui présentai Moulou. Puis nous nous sommes séparés. Quand allions-nous nous revoir? Plus question de s'écrire.

Je me retrouvai bientôt à Auch où je suis resté jusqu'à ma démobilisation. Je ne recevais aucune nouvelle de Jean. J'écrivais à Paris, mais Paris était occupé par les Allemands, et s'il y était encore, pouvait-il recevoir mes lettres?

Entre Moulou et moi, c'était le grand amour. Toujours libre, Moulou chassait la nuit et revenait le matin ventre à terre se rouler dans mes bras. Il sentait la plume.

Nous chassions aussi. Du moins, mes camarades. On mangeait souvent des écureuils que j'accommodais pour tous avec des cèpes. Je donnais ma viande à Moulou, et ne mangeais que les légumes.

La veille de ma démobilisation, je reçois par miracle une lettre de Jean. Il est à Perpignan. Pour le décider à quitter Paris, l'imprésario de Charles Trenet, M. Breton, l'avait invité dans sa propriété de Perpignan, au château et parc immense. Départ en voiture. En route, le château devient grande maison, puis maison, puis petite maison, puis appartement, puis petit appartement, et naturellement le parc, jardin, puis plus de jardin du tout... Finalement, ils arrivent dans un petit studio où il n'y a pas la place de loger Jean.

Les Breton le confient à l'adorable famille d'un médecin, le docteur Nicoleau. Cette famille adore les artistes : peintres, sculpteurs, musiciens, écrivains, poètes. Ils adoptent Jean et tout de suite l'aiment. Il y a trois merveilleux enfants : Jacques, seize ans, Simone, quinze, Bernard, dix, tous plus beaux les uns que les autres. Ils m'attendent moi aussi avec joie.

Je quitte l'armée ou ce qu'il en reste. Je pars avec le pantalon bleu des *Parents terribles* que je mettais en guise d'uniforme (j'ai toujours été drôlement accoutré au régiment), une chemise de smoking et un gilet d'opossum, cadeau de Mlle Chanel : blanc, gris beige, gris foncé, les couleurs exactes de Moulou. Lui et moi, nous avions l'air de personnages sortis de *Sans Famille*.

A Perpignan, entourés de tendresse et d'attention par cette adorable famille, nous étions heureux. Jean écrivait, dessinait. Ses dessins de cette époque ressemblent un peu aux dessins d'Ingres par leur fini, leur netteté dans la précision. Il fit les portraits de toute la famille. Moi, je commençai celui de Mme Nicoleau.

Ces amis nous emmenèrent dans leur propriété de Vernet-les-Bains. Là, j'allais peindre dans les Pyrénées. Je tombai amoureux d'un vieux châtaignier. Les autochtones disaient qu'il avait mille ans. Il aurait fallu trois personnes se tenant par la main pour en faire le tour. La foudre l'avait ouvert en deux. L'intérieur de cette déchirure était noir, ses feuilles d'un vert agressif.

Je le peignis en premier plan du paysage irisé. Je peignis très lentement, chaque jour à la même place. Je revenais chaque soir chez nos amis Nicoleau. Ils voulaient voir les progrès de la peinture... la déchirure de l'arbre était le portrait de Cocteau; je ne l'avais pas vu et crus l'avoir inventé.

Le lendemain, nous constations que je n'avais rien inventé, Jean était dans l'arbre.

Quelque temps après notre retour à Paris, nous apprenons par les journaux qu'il y avait eu dans les Pyrénées une secousse sismique : l'eau de la montagne s'était répandue jusqu'à Perpignan; nos amis Nicoleau nous écrivirent que mon arbre n'existait plus.

A Perpignan, en attendant notre retour à Paris, je ne rêvais qu'au théâtre. Pendant mes nuits de garde, j'avais travaillé Néron en songeant sans cesse à Marguerite Jamois : « Vous ne pourrez jamais jouer que *Les Parents terribles.* » Pour lui répondre indirectement, je choisissais un rôle tout à fait opposé à mes dons.

J'admirais en Racine le texte implacablement précis, simple, d'une si grande richesse intérieure que je me demandais pourquoi les acteurs chantent toujours ces vers, les entourent de tant de guirlandes qu'on ne sait plus de quoi il s'agit ni ce qu'ils disent. J'éprouvais des joies immenses lorsque je croyais faire des trouvailles, tremblant de ce qu'allaient en penser Cocteau et Yvonne de Bray.

Je décide de monter la pièce en zone libre. Je vais trouver Vilar à Montpellier pour lui parler du rôle de Narcisse (on se souvient que je l'ai connu chez Dullin où il était élève comme moi). Il accepte. Ensuite, je vais chercher d'autres acteurs à Marseille.

Ce soir-là, Moulou, qui avait suivi une chienne, n'était pas rentré. Je téléphone de Marseille. Il était de retour et me cherchait partout. J'apprends du même coup que Jean avait reçu un télégramme de Capgras qui nous demandait de reprendre *Les Parents terribles* à Paris.

J'abandonne le projet *Britannicus.* Nous partons pour Paris. Quarante-huit heures de voyage où je dors dans les filets à bagages avec Moulou. Venant de Perpignan, nous arrivons à la gare de l'Est. Étrange!

Paris! Jean et moi, nous sommes envahis par une émotion qui fait couler nos larmes.

On rentre à la maison. Je la découvre : rue Montpensier. Jean, avant la débâcle, ne pouvait plus chauffer l'appartement de la place de la Madeleine. Il en trouva un plus petit sur le Palais-Royal. Il n'était pas arrangé, mais on pouvait y dormir. Pour l'aménager, on alla habiter quelque temps à l'Hôtel Beaujolais où se trouvaient Bébé et Boris.

Rue Montpensier, l'appartement se trouvait à l'entresol, avec des fenêtres demi-rondes qu'on appelle castor. Deux chambres, une grande, une petite (Jean me donna la grande), une cuisine, une salle de bains, un petit couloir, enfin une petite pièce attenante à la future chambre de Jean. Cet appartement devint très vite l'endroit que j'aimais le plus au monde. A peu de frais, nous l'avons aménagé. De la moquette rouge partout, y compris dans la salle de bains et dans la cuisine. Cette dernière était entièrement garnie de placards peints en faux acajou. Un paravent-porte, fait de lances d'acajou aux pointes noires qui se détachaient sur un tissu de store vert foncé cachait le système de chauffage. Une table ronde de jardin peinte en noir et les fauteuils de jardin volés avenue des Champs-Élysées, peints également en noir.

Ma chambre était bleue avec une grande marche à tiroirs qui me mettait au niveau de l'ouverture des fenêtres pour le confort de Moulou. Des bibliothèques blanches à l'intérieur vert-Larousse, une merveilleuse commode Louis XVI, cadeau de la mère de Jean. Le buste de Cocteau par Fenosa sur une colonne blanche. Une autre colonne de marbre noir soutenait une très grande lanterne mauresque. La main volée à Toulon, dans une arcade où j'avais mon lit recouvert de tissu à tablier de cuisine bleu.

Au mur, des dessins de Jean et de Bébé, une peinture de moi parce que je n'en avais pas d'autre.

La chambre de Jean, très petite, était tapissée de velours rouge. Le mur de la fenêtre en demi-lune et les deux panneaux parallèles de chaque côté étaient comme des tableaux noirs d'école. Jean espérait que Picasso y dessinerait à la craie et les avait fait faire dans ce but. (Picasso ne le fit jamais.) Un des retours en ardoise simulait une porte secrète de la pièce attenante où Jean fumerait l'opium. Il n'y fuma jamais.

La reprise des *Parents terribles* fut interdite.

L'opium était de plus en plus cher et de plus en plus difficile à trouver. Le gouvernement de Vichy faisait une campagne moraliste outrancière rendant les écrivains et les poètes en vue « responsables de la défaite » *(sic)*. Je profitai de tout cela pour persuader Jean d'entrer dans une clinique pour se faire désintoxiquer. Il accepta avec courage. J'allai le voir chaque jour. Sachant que j'étais l'instigateur, seul on me laissait le voir. Je crois que ce fut l'unique désintoxication réussie de Jean. Je profitai de son absence pour éliminer tous les accessoires de drogue, et à son retour je fis en sorte qu'il ne vît plus ou presque plus d'intoxiqués. C'était difficile, surtout quand il s'agissait de ceux dont il avait besoin pour son travail, comme Bébé. Il resta longtemps sans écrire et je m'inquiétai :

Un poète intoxiqué qui écrit?

Un poète désintoxiqué qui n'écrit plus?

Britannicus s'imposait de nouveau à moi. Je décide de le monter. Willemetz m'offre son théâtre où j'avais joué *Les Parents terribles*. Mais qui fera confiance à Jean Marais metteur en scène? Timidement, je demande à Gabrielle Dorziat de jouer Agrippine. A ma stupéfaction, elle accepte. Louis Salou pour Narcisse, Nassiet pour Burrhus, — tous deux disent oui également. Jacqueline Porel vient elle-même me demander le rôle de Junie. Manque Britannicus. On m'indique un jeune acteur qui joue Antiochus dans *Bérénice* au théâtre Rochefort. Je vois une espèce de gnome barbu, un certain Serge Reggiani qui me fait fuir. Le lendemain, chez Agnès Capri, j'entends un jeune homme dire des poèmes de Baudelaire. Il est si merveilleux que je me précipite en coulisse et lui demande d'être Britannicus. Il accepte. Je lui demande son nom : Reggiani.

Je n'ai pas d'argent. Un ami me prête quinze mille francs. Je vais au marché Saint-Pierre; j'y fais connaissance de son propriétaire, Edmond Dreyfus, avec qui je resterai en amitié jusqu'à la fin de sa vie. Voulant aider un jeune, il me laisse de beaux tissus à des prix inespérés. Je commence à couper et à coudre moi-même.

Gabrielle Dorziat, qui s'habille chez de grands couturiers, doit craindre mes talents de costumier. Je reçois un coup de téléphone de Robert Piguet qui m'offre de tout faire gracieusement. Quelle chance! Je lui porte mes maquettes. Pour le décor, la pauvreté me force à inventer.

On répète. J'ai si peur d'être influencé par Jean Cocteau que je lui demande de ne pas venir à mes répétitions. Pourtant, je ne peux rien faire sans me demander ce qu'il ferait, ce qu'il dirait.

Tout ce qu'il m'a dit au sujet des acteurs célèbres dans les mêmes rôles me hante. Finalement, je suis dirigé malgré moi par ce qu'il souhaite. Mon orgueil de vingt-cinq ans refuse la vérité. Je crois diriger. Je dirige. J'ai besoin de cet aveuglement pour croire en moi. Ah! je fais preuve d'un grand cabotinage! J'organise la mise en scène autour de Néron. Je m'arrange aussi pour que le rouge du grand rideau et le rouge de la robe d'Agrippine soient tués par le rouge de mon costume. J'invente une nouvelle sorte de cabotinage en escamotant mes sorties, mais avec l'espoir que le public m'en saura gré. Le cabotinage évolue. Je ne crois pas qu'un comédien puisse s'en passer. Autre preuve de ce cabotinage : je refusai de signer les costumes, les décors et la mise en scène pour contredire le Cartel qui faisait passer le metteur en scène avant l'auteur.

Résultat : tout le monde crut qu'elle était de Jean Cocteau. Gros succès : le décor, les costumes applaudis, mes sorties escamotées acclamées. Les « Quoi! Madame » surprennent, mais sont approuvés. Je ne cherche à aucun moment à ajouter de la musique aux vers. Elle est là, elle existe, elle jaillit d'elle-même. J'essaie de jouer la situation, d'être le personnage, de faire sentir sa montée vers le mal, ses tentations, sa passion secrète, sa rage où naît la monstruosité, ses derniers scrupules. Et surtout j'écoute. J'écoute mes partenaires avec intensité. J'ai obtenu que mes camarades suivent ce style; ils l'ont adopté. Tous sont admirables. De plus, j'avais vingt-cinq ans et en paraissais dix-neuf. Reggiani avait dix-neuf ans et en paraissait quinze. Les vrais âges des rôles.

Ce qui me toucha le plus, c'est l'intérêt de Picasso pour ce spectacle.

Il voulut en garder un souvenir et demanda à Dora Maar de faire des photographies de moi en Néron.

Le public était enthousiaste. Les journaux l'étaient moins. Un jeune journaliste m'apporta, rue Montpensier, son article élogieux rayé au crayon rouge. Il y avait écrit dessous : « Vous pouvez faire passer les photos si vous critiquez le spectacle. » Mes ennuis avec la presse collaboratrice commençaient. Ce jeune journaliste s'appelait Jacques de Pressac. Je ne l'ai jamais oublié, d'autant plus qu'il remit sa démission au journal.

Marcel Carné vint me voir dans les coulisses. Il voulait me faire débuter au cinéma. Je ne l'avais invité que dans cet espoir; je le lui avouai. Il me fit promettre de refuser les films qu'on pourrait m'offrir. Je le lui promis. J'en refusai. Aucun mérite, ils étaient médiocres. Il me proposa *Les Évadés de l'an 4000*. C'était une production allemande de la Continentale. Ma chance veillait : le film ne se fit pas.

Plusieurs fois, je fus pressenti pour des films que tournait la Continentale. Henri Decoin me proposa *Premier Rendez-vous*. Ma chance encore : les Allemands ne voulurent pas entendre parler de moi. Cela me permit plus tard de défendre certains camarades. A la Libération, j'étais « blanc » parce que mon destin et ma chance veillaient. Mon rêve était de tourner avec Marcel Carné. J'aurais accepté.

Beaucoup d'acteurs avaient besoin de travailler et l'ont fait pour la Continentale et pour Radio-Paris, également dirigé par les Allemands. Je n'aimais pas faire de radio, comme je n'aimais pas la synchronisation.

D'autre part, les pièces avaient besoin d'un visa de censure. C'étaient les directeurs de théâtre qui le demandaient. Donc, en jouant dans un théâtre ou dans quelque film nous collaborions sans nous en rendre compte. Bien des camarades, qui avaient travaillé pour la Continentale ou pour Radio-Paris, se découvrirent, à la Libération, des résistants; ils accusèrent et jugèrent leurs confrères.

Pendant *Britannicus,* je reçus une lettre très élogieuse de Maurice Sachs.

« Mon cher Jean Marais,

« Je sais combien vous avez peu de raisons de m'aimer et ce sont des raisons que j'aime et que je respecte. Il y a quinze ans, aimant Jean comme je l'aimais, et comme vous l'aimez, j'eusse haï quiconque eût été avec lui ce que j'ai été depuis quelques années.

« Cela pourtant ne peut m'empêcher de vous écrire du fond du cœur que votre spectacle de *Britannicus* est admirable, au sens le plus fort et le plus grand du mot.

« C'est une réussite entière, extraordinaire, émouvante, grâce à laquelle on entend enfin ce texte sublime qu'on n'a jamais écouté qu'au profond de soi-même.

« Vous avez joué un Néron inoubliable. L'hystérie, la grâce, la force naissante, ce dernier sursaut de vertu, cet entraînement vers le mal : tout y est.

« Quant au silence dans lequel vous écoutiez Agrippine, c'est un des plus beaux que j'ai jamais " vus " au théâtre.

« Je suis sorti de la représentation bouleversé, heureux. Je me sentais vingt ans. Je reprenais espoir en une jeunesse si bien douée, si bien décidée, qui voit et sent juste.

« Je vous dis bravo de tout cœur et voudrai encore vous applaudir. »

« Votre Maurice SACHS. »

Le lendemain, il frappait à la porte de ma loge.

– Je ne veux ni vous voir ni vous parler, lui dis-je.

J'avais assisté – on le sait – à un chantage qu'il avait voulu exercer sur Jean. Non seulement j'avais empêché Jean d'accepter, mais, depuis, j'avais fait un barrage systématique afin que Jean ne le revoie pas.

Maurice Sachs espérait sans nul doute que sa lettre modifierait mon attitude.

Le lendemain, Jean reçut, de son côté, une lettre :

« Cher Jean,

« Depuis huit jours je n'entre pas dans une maison sans y parler de l'interprétation de *Britannicus* avec feu. Je me donne la peine le mardi au théâtre de louer des places pour le mercredi. J'y amène des amies femmes d'un milieu que je sais excellent pour bien parler de ce qu'on admire et attirer du monde, l'une d'elles étant d'ailleurs la meilleure amie d'André Lichtwitz, Geneviève Leibovici; je me réjouis d'applaudir encore une fois des jeunes gens qui font un si grand et bel effort, le tout avec désintéressement certes, et je n'entre, imprudemment mais naïvement, dans la loge de Jean Marais que pour m'entendre dire : " Je ne veux pas vous dire bonsoir. "

« Je venais d'applaudir de trop bon cœur pour entamer une dispute, mais que de hauteur, d'assurance dédaigneuse chez un jeune homme qui ignore quelle part de fange et de sable propre contiennent l'âme et le corps de l'homme! Il fait sienne une querelle dans laquelle il n'est rien, ou bien il juge. On juge toujours à tort et à travers.

« Je ne lui en veux pas, mais il m'a peiné. Tant pis. J'espère que nous écarterons entre nous, vous et moi, les obstacles qui se redressent toujours.

« Je vous embrasse. »

« Maurice. »

Le livre de Maurice Sachs a paru après avoir été refusé par beaucoup d'éditeurs. Jean me demanda comme une preuve d'amitié de ne jamais le lire. Je ne l'ai jamais lu. Jean ignorait la rancune, la haine. Il souffrait du mal qu'on lui faisait sans jamais le rendre. Son cœur était aussi pur que grande son intelligence, ce qui déroutait et rendait incompréhensibles certains de ses actes.

Il y eut ainsi bien des malentendus sur l'homme et sur le poète et si, par miracle, les personnes qui se permettaient de le mal juger avaient pu une seule seconde découvrir qui il était réellement, elles seraient instantanément mortes de honte.

*
* *

Nous cherchions un théâtre pour monter *La Machine à écrire,* où je devais jouer deux rôles, Maxime et Pascal.

Un court poème de Jean :

LES DEUX FRÈRES

J'aime Maxime
J'aime Pascal
D'un coup de corne l'un me jette sur la cime
L'autre me fait manger le pain sombre et pascal.

Alice Cocéa avait tant de fois changé d'avis, allant de Jean Cocteau à tous ses rivaux illustres, que Jean s'était ressaisi juste avant de devenir fou et porta la pièce chez Hébertot.

Willemetz s'associa au spectacle.

Ici, autre ennui. Les personnages de la pièce étaient mythomanes, tous menteurs, tous inconscients. Rouleau, qui mettait en scène, Willemetz, Hébertot voulaient absolument un vrai coupable. Pressé, harassé, Jean finit par céder. A mon sens la portée de la pièce était affaiblie, mais je n'osai rien dire. Comme les changements entraînaient une diminution très nette de mon double rôle, j'avais peur de plaider pour moi. Bérard n'étant pas libre, Rouleau me demanda de faire les décors.

Quelques jours avant la première, un journaliste du *Petit Parisien* m'informe qu'Alain Laubreaux, critique de ce journal et de *Je suis partout,* véritable Führer de la littérature dramatique, se préparait à « éreinter » Jean Cocteau.

– Il n'a ni vu ni lu la pièce, dis-je.

– C'est vrai; néanmoins il est décidé.

– Alors, vous pouvez dire à Laubreaux que s'il le fait, je lui casserai la figure.

On ne pouvait alors jouer une pièce qu'avec l'autorisation de la censure allemande. Aucun obstacle en principe si la pièce n'était pas politique. Hébertot avait normalement obtenu le visa. Au lendemain de la générale que nul scandale, pour une fois, n'avait troublée, nous étions interdits. Hébertot va trouver les Allemands et les met en contradiction avec leur visa de censure. Ils répondent : « C'est logique : ou nous vous remboursons tous les frais, ou nous vous autorisons à jouer. »

Deux jours plus tard, les représentations étaient permises à condition de supprimer la crise d'épilepsie de la fin du second acte. La censure allemande sauvait la face.

Alain Laubreaux n'est pas venu. Pourtant quelle critique virulente! Non content d'éreinter la pièce et tous les acteurs, il se livrait à d'ignobles attaques contre Jean Cocteau, l'écrivain et l'homme privé. J'étais pris au mot : quoi qu'il dût en coûter, il fallait frapper.

D'abord, je ne réussis pas à rencontrer Laubreaux. Nous dînions tous les soirs, après le théâtre, dans un petit restaurant voisin. Le patron de cette époque pratiquait, comme beaucoup, un marché noir agréable. Mais faute de recouvrir les beefsteaks d'assez de salade, il était allé plusieurs fois en prison.

Un soir de printemps chaud, orageux, je soupais avec Jean Cocteau et Michèle Alfa quand on me prévient que Hébertot me demande. Il est dans un salon particulier au premier étage. Je monte. L'orage avait éclaté. Les fenêtres du salon étaient ouvertes, la lumière éteinte à cause du black-out; il pleut à torrents dehors – des éclairs, le tonnerre, une nuit shakespearienne. D'abord, je ne vois rien. A la lueur des éclairs, je reconnais le crâne chauve d'Hébertot. Je lui tends la main. Puis j'aperçois un autre convive, un familier, je le salue. Puis un troisième, je me présente. Il ne se nomme pas. Hébertot me dit : « C'est Alain Laubreaux. »

Je dis :

– Ce n'est pas vrai!

– C'est Alain Laubreaux!

– Si c'est vrai, je lui crache à la figure. Monsieur, êtes-vous Alain Laubreaux?

Il ne répond pas. Je répète :

– Monsieur, êtes-vous Alain Laubreaux?

Il dit oui. Je crache. Il se lève. Je crois qu'il veut se battre. Je frappe.

Le petit restaurateur, qui m'avait suivi, nous sépare.

– Pas dans mon restaurant! Pas dans mon restaurant! Je vais encore avoir des ennuis.

– Bien. Je lui casserai la figure dehors.

Je descends. C'est aux convives du rez-de-chaussée de me supplier de prendre garde.

– Laubreaux est de la Gestapo. Nous serons fusillés, me dit Jean.

– Tu es en dehors de cette affaire, lui dis-je. Je ne crois pas qu'il soit de la Gestapo, mais j'ai dit que je lui casserai la figure et je le ferai. Tu vois, je suis calme, je n'ai plus de colère.

J'attends plus d'une demi-heure. Il ne descend pas. Enfin, je le vois, suivi d'Hébertot et de l'autre. Ils sortent. Je les suis. Il pleut toujours à torrents.

Laubreaux a une grosse canne carrée. Je la lui arrache. Si je me sers de cette canne, je risque de le tuer. Je la jette de l'autre côté du boulevard des Batignolles. Je me précipite sur lui à coups de poing. Il tombe, l'arcade sourcilière s'ouvre, il crie : « Au secours! Police! » Je n'ai aucun mérite; il ne se défend pas, et je continue à frapper en scandant : « Et Jean-Louis Barrault, qu'est-ce qu'il vous a fait? Et Bertheau? et Bourdet? »

Je fais passer toutes ses victimes dans mes litanies enragées. Je rentre au restaurant. On m'offre du champagne. Laubreaux revient pour appeler police-secours. Heureusement, le petit restaurateur a déjà coupé son téléphone.

Et nous rentrons, Jean et moi, sous la pluie battante.

– On va être arrêtés, me dit-il.

– Toi, sûrement pas. Moi, tant pis, ce qui est fait est fait.

Le lendemain, le téléphone me réveille et n'arrête pas de sonner. Tout Paris, – acteurs, directeurs, tout le théâtre, – félicite, remercie.

La Machine à écrire est une fois de plus interdite. Comme par enchantement, moi, je suis guéri d'un enrouement qui traînait depuis des semaines. A croire que cet acte de justice a délivré tout mon être. Aucune alerte policière. Alain Laubreaux ne fait rien. A moins que les Allemands n'aient dédaigné de venger leur fidèle.

Représailles minimes : je suis dans toute la presse du lendemain « le plus mauvais acteur de Paris ». Et le surlendemain, Marie Bell me demande d'entrer à la Comédie-Française.

J'avais suggéré à Jean d'écrire une pièce en vers. Il m'avait répondu qu'il ne le ferait que si j'étais un jour au Français. Nous sommes donc vite d'accord pour des motifs différents. Elle veut un Hippolyte, je veux jouer une tragédie qui n'existe pas encore, – ni plan, ni sujet, ni vers.

Je demande à Marie Bell comment entrer au Français. « Il me suffit de le demander », me dit-elle.

Je reçois bientôt une lettre officielle me disant avoir bruit de ma candidature et m'avisant du jour des auditions. On me prie de m'inscrire. Je préviens Marie Bell. Elle m'assure que c'est une formalité, que tout est décidé d'avance pour moi. J'accepte donc cette audition. Conseillé par Jean, je demande de passer seul en audition particulière, craignant qu'un échec public ne me ridiculise. Réponse : je n'ai qu'à faire comme tout le monde.

J'écris encore pour demander, au moins, de passer le premier ou le dernier. On me répond que je passerai dans l'ordre alphabétique. La veille de l'audition un ami, muni de solides relations au Français, vient m'apprendre qu'ils ont décidé de me refuser. C'est le traquenard, l'affront gratuit : je ne passerai donc pas l'audition. Il m'approuve.

Soudain, la rage me prend. Une rage prétentieuse, qui est le corollaire de mon goût du risque. « Ils verront ce que c'est qu'un Hippolyte! »

Les auditions se passent en civil. Dans la nuit, je taille et couds un costume. Je me maquille discrètement le corps et le visage de façon qu'on ne me croie que bronzé. Reçu à l'unanimité. Marie Bell me donnait la réplique.

Un certain Max Frantel me porte aux nues en première page de *Comœdia.* La semaine suivante, ce même journaliste écrit à la même place dans le même journal un article atroce, alléguant que l'audition était truquée, mon succès convenu d'avance, à preuve que Marie Bell me donnait la réplique. Que j'entrais au Français comme un voleur pour faire main basse sur les rôles de Jean Weber, de Julien Bertheau. Que sais-je encore? Je me précipite dans le bureau de l'administrateur, Vaudoyer, et lui demande un démenti. Il refuse.

J'envoie à *Comœdia* une lettre ouverte, dont j'exige la publication à la même place du journal. Elle est signée Jean Marais. En réalité, j'ai demandé à Jean Cocteau de l'écrire, n'étant pas sûr de mon style. Cette lettre rétablit la vérité : c'était le refus qui était concerté d'avance. Scandale au Français : un jeune pensionnaire se permet de répondre lui-même sans demander l'autorisation! Jean-Louis Vaudoyer me convoque : « Comment avez-vous osé? »

Je me crois au collège.

Bref, tout cela commençait mal. Le scandale que je n'avais pas cherché était là.

Enfermé dans sa petite pièce secrète, Jean écrit *Renaud et Armide.* Il n'a pas écrit depuis sa désintoxication. Cela me soulage de le voir à nouveau créer. Au lieu de travailler la nuit, il écrit le jour. Le sujet de la pièce est en quelque sorte une désintoxication. Il pense, en composant, à quatre personnages, incarnés par Marie Bell, Marie Marquet, Jean Chevrier et moi. Achevée, la pièce est tout de suite acceptée au Français. Nous trouvons tous l'œuvre admirable. Personnellement, je suis fier de Jean. La beauté des vers, à la fois classiques et romantiques, n'avait pas empêché Jean de leur donner un style très particulier, son style à lui.

La pièce était écrite comme un opéra avec des solos, des duos, des quatuors.

Bérard devait faire les décors.

On me donne un petit rôle : Fabian, le confident de Sévère dans *Polyeucte*. Je remplace un acteur absent.

Maurice Escande, qui joue Sévère, est à la répétition. Au lieu de me donner la réplique entière, il émet un rapide bredouillis jusqu'au mot final qu'il souligne en redressant la tête avec un air de dire : « A toi, maintenant. » Je me trouble. Je reste en panne. J'entends l'administrateur hurler du fond de la salle :

– Alors, vous ne savez même pas votre texte!

– Si monsieur, mais j'ai l'habitude de répondre au sens d'une phrase, pas à un mot.

Et je pars furieux.

Nouveau scandale. Le soir, Jean-Louis Barrault me téléphone :

– Merci, Jeannot, je suis obligé de me taper Fabian.

Avant *Phèdre* et *Renaud et Armide,* je dois jouer Achille dans *Iphigénie.* Je lis au billet de service qu'aucun acteur jouant dans cette pièce ne pourra prendre de congé.

Je vais trouver l'administrateur.

– Monsieur, lui dis-je, lorsque j'ai signé mon contrat avec la Comédie-Française, je vous ai prévenu que j'étais engagé pour un film. (Oui, Carné m'avait à nouveau demandé pour *Juliette ou la Clef des songes.* Jean Cocteau en avait fait le scénario et les dialogues d'après une très belle pièce de Georges Neveux. Moulou y avait aussi un rôle.) Or, il me faut huit jours de congé pour les extérieurs de ce film.

– Il n'en est pas question. Avez-vous lu les feuilles de service?

– Monsieur l'Administrateur, ce n'est pas en gagnant mille huit cents francs par mois que je peux payer un énorme dédit.

– Démissionnez. Je vous reprendrai après votre film.

Je démissionne. Les journaux s'emparent de l'affaire. De gros titres : « Jean Marais part de la Comédie-Française avant d'y avoir joué. » Scandale.

Le film ne se fait pas. Carné, gêné, me dit que si l'on me propose un film qui me plaît, il me permet de le faire, qu'il me ferait tout de même tourner.

J'ai un imprésario depuis peu. Une femme merveilleuse qui est devenue depuis ma meilleure amie. Elle va trouver le producteur. Il refuse de me payer comme il le doit. Lulu Watier lui explique que j'ai quitté le Français pour le film. Il refuse toujours.

– Que dois-je faire? me demande-t-elle.

– Accepter, lui dis-je. Quand je le pourrai, je lui demanderai le double des autres producteurs.

Je retourne au Français.

– Le film ne se fait pas, je suis libre, dis-je à l'administrateur.

– Vous vous fichez de moi, me répond-il. Vous croyez que la Comédie-Française est une porte ouverte?

Nouveau scandale dans les journaux.

Marie Bell, rentrant de voyage, apprend qu'elle n'a plus d'Hippolyte. Elle rompt toutes relations avec moi.

14

Mon frère se marie avec une charmante fille qu'il a rencontrée chez Hébertot. J'avais demandé à mon directeur de théâtre de le prendre comme secrétaire. Je l'avais déjà fait avec Capgras; mais lorsque je m'étais fâché avec lui à cause d'Alice Cocéa, il l'avait renvoyé. Hébertot fera d'ailleurs la même chose plus tard, et pour les mêmes raisons. Me sentant responsable de ses fausses situations, je lui en donnai une vraie en lui offrant un portefeuille d'assurances.

Quelque temps après le mariage, ma grand-mère meurt. Rosalie se retrouve seule. Je l'invite souvent ou lui rends visite. Hélas! la solitude a sans doute accentué le côté irritable et agressif de son caractère. Elle avait pardonné depuis longtemps à Henri, mais s'ingéniait à nous séparer, mon frère et moi, n'hésitant pas à employer le mensonge. Ce n'est que beaucoup plus tard que je le compris. A cette époque, Rosalie était encore tabou pour moi. Je ne cherchais pas à la juger.

J'aurais renoncé au Français d'un cœur léger, s'il n'y avait eu *Renaud et Armide!*

Marcel Carné m'ayant dégagé de mon pacte, j'accepte un autre film, *Le Pavillon brûle,* d'après une pièce de Stève Passeur. Inconnu au cinéma, je suis affiché sur toute la hauteur du cinéma Gaumont : récompense indécente de mes scandales involontaires.

Je commence à comprendre le châtiment de mes ambitions enfantines. Vis-à-vis de Renoir, Herrand, Marchat qui tournaient avec moi, j'ai un peu honte des faiblesses de mon métier. Je ne cesserai plus désormais de vouloir réparer l'injustice par mon travail. Je ne m'étais pas confronté avec le cinéma depuis mes figurations dites intelligentes. Le trac, au lieu de me servir comme au théâtre, me crispe, accentue ma gaucherie débutante. Il importe que je me fasse de tous des amis pour qu'ils ne pensent plus à me juger. Je trouvais mon jeu banal, ma voix insuffisante.

Dans le film, je rencontrai Paul Morhien qui faisait de la figuration pour comprendre le travail d'un studio mieux qu'en le visitant. Je le présente à Jean qui l'invite à dîner. Pendant le repas, nous parlons de nos difficultés financières (nous en avions beaucoup...). Paul s'étonne; il suppose que nous ne savons pas nous occuper de nos affaires (il n'a pas tort). Jean lui propose de s'en occuper. Paul devient son secrétaire.

Nous devenons de très grands amis, Paul et moi. Voici pourquoi et comment : avant la guerre, quatre garçons étaient devenus inséparables, Paul, Lionel, Mario, Georges.

Pendant la guerre, Georges fut prisonnier des Allemands. Paul voulut le délivrer. Il s'engagea comme travailleur libre en Allemagne. Dans ses valises il emportait des vêtements civils et les papiers de Mario destinés à Georges. Après quelques semaines dans un camp de travailleurs libres, Paul s'échappa et réussit à rejoindre Georges. Celui-ci n'osa s'évader avec Paul qui rentra seul à Paris après mille péripéties dangereuses. Bien que juif, un second ami, Lionel, décida de tenter à son tour l'évasion de Georges, persuadé que, lui, il arriverait à le convaincre.

Lionel partit pour l'Allemagne. A quelques mètres du camp de prisonniers, il se fit arrêter par les Allemands. On l'interrogea. Il avoua qu'il voulait voir son copain et repartir pour la France. On lui amena Georges à qui il reprocha amèrement sa conduite, puis Lionel fut, à sa grande surprise, rapatrié.

Non seulement cette histoire provoqua mon amitié pour Paul, mais aussi pour ses amis que je ne connaissais pas encore.

Je dois tourner ensuite *Le Lit à colonnes* de Louise de Vilmorin. Je ne suis pas plutôt d'accord avec les Tual (Roland Tual assurait la mise en scène et était en même temps le producteur avec sa femme Denise) que Louise rencontre Alain Cuny et dit : « C'est lui, c'est exactement mon personnage. »

Les Tual m'expliquent qu'un auteur sait mieux que quiconque quel est son personnage... Je coupe court. Je trouve comme Louise que Cuny est exactement le personnage, et je me retire volontiers.

A quelque temps de là, ils viennent me revoir, encore plus embarrassés :

« Un jour Cuny veut tourner le film, un autre non. Tous les engagements sont faits, les dates approchent. Nous ne savons plus que faire. Aux dernières nouvelles, Cuny refuse; on vient te demander si tu acceptes de nouveau. »

Je dis « oui ». J'aime le livre. Si Louise ne s'y oppose pas, j'accepte.

Le curieux était que le sujet ressemblait à une histoire qui était arrivée à Alain Laubreaux. Il aurait, paraît-il, été condamné pour plagiat. Son père, garde-chiourme, lui aurait envoyé le manuscrit d'un bagnard que Laubreaux aurait publié sous son nom. Mais on raconte tant de choses!...

Pendant les extérieurs de ce film, je me lie intimement avec une de mes partenaires, Mila P...

Je voulais que nos relations restent secrètes. Hélas! L'hôtel avait des cloisons si minces et mon amie criait si fort que toute la troupe fut au courant. Le lendemain matin, tous nos camarades faisaient des plaisanteries un peu trop appuyées.

Charles Dullin me téléphone; il m'offre le rôle de Cléante dans *L'Avare* qu'il monte au théâtre Sarah-Bernhardt.

– Monsieur Dullin, ce n'est pas un rôle pour moi.

– Rends-moi ce service. Je n'ai pas de Cléante. Je sais que tu as envie de jouer *La Vie est un songe*. Eh bien, je monte la pièce pour toi après.

D'accord. Il faut que j'apprenne le rôle en huit jours au prix d'un travail acharné. Je suis un étrange fils pour le merveilleux Harpagon si fluet, crochu, légèrement bossu, d'autant plus que j'endosse un costume conçu pour agrandir et élargir mon prédécesseur. J'ai l'air d'un colosse, d'un géant. Mais ce travail est pour moi excellent.

C'est un succès, et le même Max Frantel qui m'avait tour à tour porté aux nues et couvert de boue, me consacre, cette fois, un article dithyrambique dans *Comœdia*. Huit jours plus tard, il me présente une mauvaise pièce, de son cru, sur Vercingétorix. Je refuse. Son prochain article sera terrible pour moi, je le pressens. Curieuse presse...

Un soir, pendant que nous jouons, le ciel éclate. Un déluge de bombes. Plus un seul rire dans la salle. L'alerte n'a pas été donnée, nous continuons à jouer. A l'entracte, j'assiste sur le toit du théâtre à ce feu d'artifice monstrueux. Ce doit être sur Colombes ou Asnières. Je ne comprends toujours rien à la guerre, et je m'en veux. Je pense à ces morts, à ce désastre, et je suis pourtant incapable de haïr. Je me sens infirme.

Mes deux inséparables : chance et scandale, ne dormaient que d'un œil.

Dullin, à la place de *La Vie est un songe,* me propose une pièce espagnole, *Les Amants de Galice*. Je lis. Je ne partage pas son enthousiasme. Je lui rappelle sa promesse. Néanmoins, j'accepte par tendresse et admiration pour lui. Je le préviens toutefois que je suis en train de tourner.

– Tu répéteras quand tu seras libre.

Je reçois une convocation de Raoul Ploquin, directeur général du cinéma. Il m'apprend que Christian-Jaque va tourner *Carmen* en Italie avec Viviane Romance et me propose de faire des essais pour le personnage de don José. J'allègue mon contrat avec Dullin.

— Que risquez-vous à faire un essai?

Qu'est-ce que je risque, en effet? Aux essais je suis toujours mauvais. Mais voilà : c'était une scène où je devais pleurer. Rien de plus facile pour moi. Pleurer n'est pas le signe du talent. De grands acteurs font pleurer sans verser une larme. A l'essai, il me suffit de quelques secondes pour ruisseler de larmes. Cela épate les producteurs. Ils ne pouvaient plus concevoir d'autre don José.

Lulu Watier, mon imprésario, avait merveilleusement calculé. Tous les jeunes premiers avaient fait des essais. Il ne restait plus que moi.

Mais le théâtre? J'ai un contrat moral avec Dullin.

— Le cinéma français vous donne l'ordre de jouer don José.

— Mais Dullin?

— On lui donnera l'ordre de vous libérer.

— Je ne sais pas s'il acceptera votre ordre.

Moi, je ne demandais que ça. J'étais ravi à l'idée de tourner don José dans *Carmen,* et d'être dirigé par Christian-Jaque.

Dullin n'accepte pas. Nouveau scandale, nouvelle situation fausse. On en fait un conflit théâtre-cinéma.

Dullin alerte trois de ses amis : Rocher, Baty et Méré. J'étais brouillé avec les deux premiers pour la même raison que je l'étais avec Marie Bell. A cause d'Hippolyte. Baty m'avait aussi demandé de jouer le rôle chez lui. A la première répétition, il me dit :

— Prenez les coupures.

Je m'étonne qu'on coupe Racine.

— C'est un bavardage de salon. J'en garde l'essentiel.

J'étais parti en disant qu'il était déjà difficile de jouer Hippolyte en entier, mais que, châtré, c'était impossible.

Avec Rocher, je n'avais pu accepter de jouer le rôle à l'Odéon parce que je tournais *Le Pavillon brûle.*

Tous les quatre envahissent les pages des journaux : « Il devrait exister une carte professionnelle de théâtre afin de pouvoir la retirer à Jean Marais. » (La carte n'existait pas encore.)

Je suis convoqué chez les Allemands. On s'étonne que je ne me sois pas encore présenté aux autorités occupantes. Je réponds que je ne me croyais pas assez important pour les intéresser. On m'informe que mon visa pour l'Italie ne sera pas accordé à cause de mon différend avec Dullin.

— Le cinéma français m'a donné l'ordre de tourner le film.

— C'est nous qui donnons les ordres.

— Dullin, il y a deux ans, m'a ôté un rôle qui me plaisait, huit jours avant la générale, pour me confier une sorte de gigolo presque nu qui pouvait me nuire, me mettant ainsi indirectement à la porte sans que j'aie demandé le moindre dédit. Je n'ai pas de contrat signé avec Dullin.

Il est à trois semaines de la première; il a donc largement le temps de me faire remplacer.

— Si vous vous mettez d'accord avec lui, vous aurez le visa.

Je vais trouver Dullin.

— Mon petit, ce que tu fais est épouvantable; ta carrière est finie, tu ne joueras plus de pièces, et tu ne tourneras pas le film.

— Monsieur Dullin, je croyais que vous m'aimiez bien. Quand vous m'avez demandé de jouer Cléante comme un service, je l'ai fait, rappelez-vous. Je n'aimais pas beaucoup *Les Amants de Galice,* je ne l'ai accepté que parce que vous le souhaitiez. Dans *Plutus,* vous m'avez retiré le rôle sans que je dise rien; j'étais certain que vous comprendriez l'importance du rôle qu'on m'offre au cinéma, et que nous serions d'accord.

— Je serai d'accord si on me donne trois cent mille francs de dommages-intérêts.

Dullin redevenait Harpagon.

Je m'en vais, désespéré. Trois cent mille francs étaient une somme énorme à l'époque. Mon contrat était de soixante-quinze mille francs pour trois mois. Jamais le producteur n'acceptera. Ma Lulu court chez Paulvé. Il se trouve dans le Midi. Elle téléphone... Stupéfaction : il offre deux cent mille francs à Dullin, qui les accepte. J'ai mon visa pour l'Italie.

Dullin se lançait à la bataille avec une publicité extraordinaire, — deux cent mille francs qui payaient entièrement le spectacle et à ma place un merveilleux acteur : Reggiani!

Et mon amitié et mon admiration lui restaient tout entières.

Jean m'emmène à une exposition d'Arno Breker. Ce sculpteur, intime d'Hitler, n'était guère aimé en Allemagne. On l'appelait « le Français » parce qu'il aimait la France, où il avait vécu à l'époque héroïque. C'est à ce moment-là que Jean l'avait connu et s'était lié d'amitié avec lui. Je crois même qu'ils avaient habité ensemble. Pour Jean, l'amitié passait avant tout et n'avait pas de frontière. Il était incapable de refuser de voir un ami, et Arno Breker avait dit qu'il ne souhaitait rencontrer que deux hommes : Cocteau et Picasso qu'il avait également connus chez Maillol.

A l'exposition d'Arno Breker, à l'Orangerie, statues géantes, sensuelles, humaines, ce qui fait dire à Sacha Guitry : « Si ces statues entraient en érection, on ne pourrait plus circuler. »

Je ne comprenais pas ma popularité, n'ayant presque rien fait. Sur mon passage, des jeunes filles se demandent tout haut si je pars pour l'Italie et discutent au sujet de mes cheveux noirs. Christian-Jaque me les a fait teindre, alors que Mérimée décrit don José blond.

Je pars. Une séparation de trois mois en ce moment nous serre le cœur. Se reverra-t-on?

J'emmène Moulou. Je lui parlerai de Jean. J'emporte aussi le manuscrit de *L'Éternel Retour*. Jean, furieux des films qu'on me proposait, avait décidé d'écrire « mon film ». « Il te faut un héros et une grande histoire d'amour. Depuis que la littérature existe, il n'y a eu que deux grands sujets d'amour, *Roméo et Juliette* et *Tristan et Iseult*. Tu dois être, tu es Tristan. »

Il transposa l'histoire dans notre époque. J'emportai donc dans mes bagages le tremplin de ma future carrière.

En Italie, je reste neuf mois. Neuf mois pendant lesquels je ne peux revenir en France, même pour quelques jours.

J'apprends à monter à cheval. En quinze jours, je dois avoir l'air d'un vrai cavalier. Je retrouve Luchino Visconti, qui va commencer son premier film, *Ossessione*. Il part pour Ferrare. Il me présente des amis qui me font visiter Rome. Je découvre des merveilles qui ne sont pas faites pour les visites. L'hôtel refuse Moulou. Un ami de Luchino, qui travaille et part avec lui, me prête son appartement. Je passe le plus clair de mes loisirs au musée du Vatican où je prends des notes pour les décors et les costumes de ma future *Andromaque*.

Le film n'avance pas. Je suis inquiet de mon interprétation. Christian-Jaque me donne d'étranges indications pour don José, par exemple : « Sois plus parisien. »

Aux projections, je ne me trouve pas bien; je le dis et je me fais houspiller par mon metteur en scène comme si je l'avais offensé personnellement.

Lorsque, devant quelqu'un, je me livre à mon autocritique, je cerne mieux mes défauts, et cela m'incite plus facilement à les corriger.

Je ne suis content de moi que comme cavalier. Je fais tout ce qu'on me demande, après si peu de leçons! Bernard Blier me dit un jour : « Toi, tu es un bon cavalier; moi, un bon acteur. » Cette réflexion me fit de la peine. La vérité était que mon cheval était extraordinaire, rapide, obéissant. J'avais l'impression que je ne commandais pas, mais qu'il y avait une sorte de transmission de pensée entre lui et moi.

C'est dans ce film que je fis mes débuts de cascadeur. Christian-Jaque en profitait, sachant que j'aimais le risque. J'avais sans cesse des propositions de producteurs italiens. Ce n'était pas pour mon talent. Il suffisait d'être français pour en avoir. On me proposa des rôles incroyables : un, par exemple, que Michel Simon avait refusé.

Jean m'écrit que le cinéma va très mal en France. On ne tourne plus que la nuit, à cause du manque d'électricité. Bientôt, toutes les productions vont s'arrêter. *L'Éternel Retour* traîne sur le bureau de Paulvé qui ne songe pas à le monter pour le moment, malgré Jean Delannoy avec qui Jean s'est entendu pour la mise en scène. Conclusion : si on me propose un film qui m'intéresse, que je le fasse!

Avec tristesse, je finis par signer un contrat avec la Scalera, associée avec Paulvé pour *Carmen : La Jeune Fille de l'Ouest.* A peine avais-je signé que je reçois un télégramme de Paulvé : « Comptons sur vous fin du mois pour tourner *Éternel Retour.* » Je me précipite chez M. Baratolo, directeur de la Scalera, pour lui demander de me libérer. Il refuse. Je lui propose de tourner un film gratuitement après *L'Éternel Retour* s'il me laisse partir. Il me regarde, ahuri :

– Vous croyez donc tellement à ce film?

– Je suis certain de son succès comme je crois que ce sera le vrai départ de ma carrière!

– Je suis associé avec Paulvé. J'ai le script de *L'Éternel Retour.* J'ai du mal à comprendre votre enthousiasme. Ne faites pas de folie, tout s'arrange au cinéma.

Tout s'est arrangé, après mille péripéties. Y compris ce pauvre Moulou que j'avais fait raser parce qu'il avait trop chaud; et Jean m'écrivait, désespéré, que ses poils risquaient de ne pas être assez longs pour tourner. Jean lui avait composé un beau rôle dans le film.

Carmen avait tant traîné que les dates du nouveau film de la Scalera étaient dépassées. J'envoie une lettre recommandée pour me dégager, cette fois sans dédit.

Je suis heureux de me retrouver dans l'atmosphère qui se dégage d'un lieu dès que Jean l'habite, de retrouver le petit paradis de la rue Montpensier.

Jean me fait lire *Le Condamné à mort,* de Jean Genêt. Il me raconte comment il a connu l'auteur de ce poème bouleversant : deux jeunes garçons, François Sautin et Laudenbach, lui apportent un jour le poème. Il y découvre une violente beauté. « L'auteur a-t-il écrit autre chose? Un livre? J'aimerais le lire. »

Les jeunes gens expliquent que Jean Genêt passe sa vie en prison après un long séjour en maison de correction. Qu'il est assez farouche. Peut-être même sera-t-il furieux qu'ils se soient permis de montrer son poème à Jean Cocteau.

Quelques jours plus tard, ils apportent le manuscrit de *Notre-Dame-des-Fleurs.* Genêt viendra le reprendre lui-même. Il vient. Jean a lu le livre, ne l'a pas aimé, le lui dit. Jean Genêt quitte furieux la rue Montpensier. Mais le génie de Genêt opère sur Jean. Pendant deux jours et deux nuits, celui-ci ne pense qu'à ce livre. Il en est très ému et se dit : « Je me suis trompé, voilà un chef-d'œuvre. » Il rappelle François Sautin et Laudenbach : « Je veux relire le livre de Jean Genêt. »

Avec beaucoup de mal, les jeunes gens l'obtiennent et Jean le relit. Il prie Jean Genêt de revenir.

– Je vous demande pardon, lui dit-il, je me suis trompé. Votre livre est un grand livre, un chef-d'œuvre, le plus beau livre qu'on ait écrit depuis longtemps, bouleversant de singularité et de génie, disant ce que personne ne saurait dire, un style complètement nouveau et naturel, d'une beauté et d'un niveau tels que le sujet, qui serait interdit à tout autre poète, devient émouvant, rayonnant.

– Il faut que tu le connaisses, me dit Jean. Il t'admire.

Je pars pour Nice sans avoir pu le rencontrer.

15

L'Éternel Retour commence. J'étais payé, mal, car Paulvé avait repris l'ancien contrat de *Juliette ou la Clef des songes*. Mais j'aimais tant ce film que j'aurais payé pour le faire. En revanche, Moulou, que Jean pour son rôle avait baptisé « Moulouk » était bien payé.

Il était très difficile, pendant l'occupation, de trouver de la viande. J'en avais exigé pour lui. On me conseilla de commander pour Moulouk, à mon hôtel, du bœuf en daube et de donner les factures au comptable. Quand je les lui présente, il me dit : « Monsieur Marais, je ne mange pas tous les jours du bœuf en daube, moi. » Je devins rouge de honte. Jean n'était pas avec nous. Il mettait en scène *Renaud et Armide* au Français. Il vint nous rejoindre deux semaines plus tard. Delannoy faisait un très bon travail. Nous étions tous ravis des projections. Les photos d'Hubert étaient raffinées et belles. J'avais de plus la joie de tourner avec des personnes que j'aimais : Yvonne de Bray, qui n'avait accepté que par amitié de jouer un rôle pas fait pour elle, Roland Toutain, Madeleine Sologne, Moulouk.

Moulouk me surprenait. Habitué à se tenir derrière la caméra, je me demandais comment il se comporterait devant l'objectif. Nous fûmes tous surpris, et moi très fier de voir avec quelle facilité il interprétait son rôle. Il était certainement plus vrai et plus naturel que moi. Il se moquait d'être pris du profil droit ou gauche comme certaines vedettes. J'en étais personnellement encore là!

Lorsque Jean vint nous rejoindre, après le très grand succès de *Renaud et Armide,* rien ne changea dans notre travail. Il assistait aux prises de vues sans se mêler de la mise en scène. Il demanda seulement deux choses : d'enlever une reproduction de « la Laitière » de Greuze, ainsi qu'un abat-jour trop froufroutant, trop bourgeois. Rien d'autre, mais ses ondes agissaient et tout prit un autre style. Sans nous en apercevoir, nous jouions autrement; Jean Delannoy dirigeait autrement, la lumière était devenue différente.

Bonheur immense en même temps que grande inquiétude : celle d'être inférieur à mon rôle. C'est sans doute ce complexe qui me fait aimer les scènes dites dangereuses : tandis qu'on admire la prouesse, on se préoccupe moins du talent.

Je pensais aussi que je ne m'estimerais que le jour où je ressentirais les douleurs physiques qu'exige un rôle. Je n'éprouvais que les douleurs morales, – du moins le croyais-je. Je rêvais d'agoniser vraiment aux dernières scènes. Je rêvais de la voix cassée d'Yvonne de Bray; la mienne me paraissait peu émouvante. Je n'ai rien trouvé de mieux que de me gorger de fine, de m'enfermer dans une loge, de hurler à me rompre la voix. Hélas! cette voix dite fragile, c'était Durandal : elle refusa de se briser.

Je commettrai souvent de semblables sottises dans ma carrière. Mon idéal était d'être assez grand acteur, que dis-je, assez grand apôtre du théâtre pour que me viennent les stigmates de mes rôles. Je me disais aussitôt que si je parvenais à ce résultat, mon jeu, miraculé, serait beaucoup plus facile. Autrement dit, j'aurais beaucoup moins de mérite, donc je serais moins bon acteur, n'ayant plus qu'à sentir les souffrances subies, non à les créer. Il y a là un cercle vicieux dont je ne sortirai jamais. J'aurais aimé aussi avoir du talent, sans jamais avoir de métier.

Lorsque je suis impuissant, le métier, devenu instinct, joue pour moi et je me désespère.

Le théâtre est-il donc pour moi une religion ou un vice? Sans aucun doute, j'exerce ma profession pour y ressentir les sensations que la vie ne m'apporte pas.

Jean Cocteau avait exigé que Madeleine Sologne et moi, nous allions en même temps chez le même coiffeur, afin d'avoir la même couleur de cheveux. On nous décolorait ensemble, mais nos natures de cheveux ne se ressemblaient pas. La tâche du coiffeur n'était pas facile. Nous repartions parfois de son salon avec les cheveux bleus, mauves ou verts.

Louis Jourdan, un de nos camarades les plus sympathiques, tournait sur un plateau voisin *La Vie de Bohème*. Il avait les cheveux très longs qu'exigeait son rôle et il portait les pattes. La mode n'était pas aux cheveux longs. A notre passage, les gens se retournaient, scandalisés. J'ai même vu une ménagère ouvrir la bouche d'étonnement et laisser tomber son panier.

Invité par Roland Toutain chez une de ses amies, celle-ci voulut me tirer les cartes. Elle m'affirma que pendant quarante-huit heures les actes les plus fous, les plus insensés me réussiraient.

– Vous en êtes sûre?

– Certaine.

– Au revoir.

Je prends un taxi pour me rendre au studio. Je demande à mon producteur une avance de soixante mille francs. Il me la fait donner. Somme énorme pour moi, puisque j'ai touché en tout pour ce film deux cent soixante-quinze mille francs. Le taxi, que j'avais gardé, me conduit à Monte-Carlo. Je n'avais jamais mis les pieds dans une salle de jeux et l'on dit que la chance favorise ceux qui jouent pour la première fois. Je fais le vœu, pendant le trajet, de ne plus jamais jouer si je gagne deux millions. Je demande au chauffeur de taxi de m'attendre. Je le paye d'avance au cas où je perdrais tout (Prudence!).

Très intimidé par le sérieux des joueurs, par la sonorité de ces grandes salles rococo jusqu'à la démence, je passe devant les tables de roulette sans m'y arrêter.

Me voici devant une table de baccara (chemin de fer). J'essaye en vain de comprendre ce jeu simple. Il y a une place, le croupier m'invite à m'asseoir. Banco... Banco suivi... la main passe... avec la table... Je ne comprends toujours rien, sinon que le 9 est le plus fort et gagne, et que le 10, c'est baccara, et perd.

Je n'ose pas jouer, élever la voix, mais le sabot arrive à ma place.

Je joue le minimum, c'est-à-dire deux mille francs. Je donne les cartes, aidé par le croupier qui a compris, comme les joueurs de la table, que je jouais pour la première fois. 9, je gagne. J'entends : « Banco suivi. » Je redonne les cartes.

J'ai 8 et je regagne.

9-8-8-9-7-9-9-9-8.

Je gagne toujours. Des gens se sont attroupés derrière moi.

Quelqu'un me demande de jouer avec moi. Je ne comprends pas que ce soit possible. Ma voisine me dit : « Reprenez. » Je ne sais pas comment. Et toujours mon partenaire, l'œil moqueur, qui fait banco suivi.

Il y a deux millions quarante-huit mille francs sur la table. J'aimerais m'arrêter, mais je ne sais pas que je n'ai qu'à dire : je passe. Et je continue comme un funambule ivre sur un fil.

Je redonne les cartes : 4! Que faire? Mon instinct me dit de ne pas tirer, mais le croupier, voyant que j'hésite, me demande à voir mon jeu. « 4 donnant 6 il faut tirer », dit-il. Je tire un 6. 6 + 4 = 10 : baccara. Je perds et passe la main.

Mon partenaire a l'œil de plus en plus moqueur. Je rejoue et je perds. Je perds et je n'ai plus un sou sur moi.

Heureusement, le taxi m'avait attendu.

Curieusement, je n'étais pas triste. Je me dis : je suis riche puisque j'ai les moyens de perdre soixante mille francs.

Jean me traita sévèrement de fou et d'inconscient. Je rencontrai souvent sur la plage mon partenaire du baccara. Je le voyais alors se pencher vers ses amis, leur parler tout bas. Tous riaient en me regardant.

Je profitais de cette plage de Nice lorsque je ne tournais pas.

Un jour, étendu au soleil, une fille s'allongea près de moi. Elle me crut allemand sans doute à cause de mes cheveux blonds (ils ne devaient pas être mauves ce jour-là). Elle devait essayer de se placer auprès d'un occupant, car elle me parla presque tout de suite, sans s'arrêter malgré mon silence. Elle me dit beaucoup de mal de la France et des Français. Je me taisais toujours.

– Vous ne parlez pas français, me dit-elle.

– Salope, lui répondis-je en partant.

L'Éternel Retour remporte un triomphe. A l'image finale, toute la salle se lève et acclame.

Le jour de la première de *L'Éternel Retour,* le cinéma Le Colisée affiche les photographies du film. Un monsieur et une dame les regardent.

Le monsieur. – Madame, vous êtes peut-être la parente d'un des acteurs?

La dame (très fière). – Oui, monsieur.

Le monsieur. – Vous ne seriez pas la mère... de Piéral?

La dame (vexée). – Non, monsieur, je suis la mère de Jean Marais. (Piéral était nain.)

L'histoire m'a été racontée par Madeleine Sologne; le monsieur était son père. Ni l'un ni l'autre n'auraient voulu que nous fussions acteurs. Rosalie me demande pourquoi j'aime jouer la comédie, je lui réponds : « Pour m'éviter de la jouer dans la vie. Et puis, cela me permet d'apprécier et d'admirer les grands acteurs, comme peindre me fait aimer les peintres. »

Le succès du film augmente de jour en jour. La queue devant le cinéma s'étend jusqu'au Rond-Point. Une atmosphère de petite émeute : des femmes s'évanouissent. On appelle police-secours. On organise des services d'ordre. Le téléphone n'arrête pas de sonner à la maison. Les critiques : « Malgré Jean Cocteau et Jean Marais le film est admirable. »

Un soir, je vais à la répétition générale d'une pièce de Sacha Guitry. A l'entracte, un homme s'approche de moi : « Je suis Arno Breker, me dit-il. J'ai vu votre film *Carmen* à une projection privée. Je souhaite vous avoir pour modèle. Consentiriez-vous à venir en Allemagne et poser pour moi? » Je n'avais jamais rencontré Arno Breker, mais j'avais vu ses œuvres à son exposition. Il était distingué, serein, sûr de lui. J'invoquai des contrats de films, des projets de théâtre qui m'obligeaient de rester à Paris.

Comme je l'ai déjà dit, j'aimais à rêver éveillé, à m'inventer des histoires rocambolesques. A la sortie du théâtre, rentrant à pied rue Montpensier, mon imagination éclate : « Pourquoi ai-je refusé de partir et de poser pour Arno Breker? me disais-je. Breker est l'ami intime d'Hitler. Si je pose pour lui, je verrai donc Hitler et je le tue. »

Je marchais de plus en plus vite et je préparais en détail l'attentat. J'arrive rue Montpensier. Jean est là. Je ne fais plus la part de mon imagination et de la réalité. Je crois à ma sincérité et je déclare tout net : « Jean, Arno Breker, que j'ai rencontré ce soir, m'a demandé de poser pour lui en Allemagne; j'ai refusé. Il faut rattraper cela. » Et je lui raconte mon projet. « Mon pauvre Jeannot, me dit Jean, tu vas contrarier tous les plans des Alliés... »

Je retombe sur terre et nous éclatons de rire.

Pendant que je tournais à Nice, Jean Genêt m'a téléphoné. Il veut me voir. Nous partons en même temps, lui de Villefranche où il se trouve, moi de Nice, à pied. On se rencontrera quand on se rencontrera.

Il me connaissait parce qu'il avait assisté à une représentation de *Britannicus*.

– Depuis, me dit-il, j'ai envie d'écrire pour le théâtre, pour toi. Tu auras du succès le jour où tu joueras un homme laid.

Il me donna à lire *Héliogabale,* une pièce qu'il avait écrite pour moi. Je n'aimais pas beaucoup sa pièce. Après son poème et son livre, j'attendais l'impossible. Je le lui dis. Il m'approuva et me promit d'écrire une autre pièce. A notre retour à Paris, Jean Cocteau voulut l'aider. « Tu es un grand poète, et un très mauvais voleur, lui disait-il. La preuve : tu te fais toujours prendre. »

Paul, le secrétaire de Jean, m'emprunta de l'argent, loua un local sous les arcades du Palais-Royal, installa une librairie et une maison d'éditions pour publier Jean Genêt.

En attendant, Jean donna de quoi vivre à Genêt.

Celui-ci fut, malgré tout, arrêté pour avoir volé un livre de Verlaine dans une librairie de la Trinité. Jean lui procura un avocat et demanda d'être témoin. J'assistai au procès. Les réponses de Jean Genêt au juge étaient dignes des réponses de Jeanne d'Arc au sien :

Le juge. – Vous avez volé un livre de Verlaine, que diriez-vous si on volait les vôtres?

Genêt. – J'en serais très fier, Monsieur le Président.

Le juge. – Vous connaissez le prix de ce livre?

Genêt. – J'en connaissais la valeur, Monsieur le Président.

Jean déclara que s'ils condamnaient Jean Genêt, ils prenaient la responsabilité de condamner le plus grand poète français. Il y eut non-lieu. Jean Genêt évita la relégation, car je crois qu'il avait déjà été condamné onze fois.

Giraudoux me demande de jouer dans *Sodome et Gomorrhe*. Jean me conseille d'accepter. Genêt me dit que Jean ne me le dirait jamais, mais que cela lui ferait une grande peine, aussitôt je refuse. C'est Gérard Philipe, jeune débutant, qui jouera ce rôle. Sa carrière ne cessera de se développer avec son talent.

J'avais tant regretté de ne pas avoir joué *Renaud et Armide* que lorsqu'on me propose de faire une tournée en Belgique, je suggère qu'on choisisse cette pièce. Enfin, je peux la jouer!

Les journaux collaborateurs sévissent de plus en plus, Laubreaux en tête. Je décide de l'assassiner.

Paul et ses camarades m'emmènent en Bretagne pour me créer un alibi. En réalité, pour me dissuader. Avant de partir, en mettant de l'ordre dans mes papiers, l'horoscope de Max Jacob me tombe sous la main. Le crayon bleu qui souligne : *« PRENEZ GARDE A NE PAS TUER »* me saute aux yeux. Mon étrange destin m'avait encore fait un signe.

Paul, malin, ne m'a laissé venir à Port-Manech que pour m'empêcher de commettre ce meurtre. Lui et ses amis m'expliquent que Laubreaux ne mérite pas que je sois fusillé, d'autant que je ne peux pas imaginer passer inaperçu. Leur amitié, et surtout l'horoscope de Max Jacob me convainquent.

Avec Paul, Mario et Lionel il y avait Tony et sa fiancée.

Une nuit, on me verse un grand verre de marc. Je refuse, car je n'aime pas l'alcool, et particulièrement le marc. On plaisante, on insiste : finalement, je le bois comme une purge, d'un seul coup. Ne buvant que rarement de l'alcool, il est curieux que je le supporte bien. Si je voulais me saouler j'aurais bien du mal à y parvenir. Après ce grand verre de marc, j'étais donc absolument lucide. On monte se coucher. Ma chambre était à côté de celle de Tony et de sa fiancée. Nous étions au mois de décembre. Le froid me réveille. Mes fenêtres sont grandes ouvertes, ainsi que les portes. Je m'en étonne, étant persuadé qu'elles étaient fermées lorsque je me suis couché.

Le lendemain, Tony et sa fiancée me disent en plaisantant :

– Jeannot, tu es somnambule. Cette nuit, tu es entré dans notre chambre et tu as ouvert les fenêtres et les portes, même celles des placards. Nous te regardions, étonnés. Tu avais l'air de ne pas nous voir. Tu es rentré dans ta chambre et tu as ouvert les fenêtres et les portes. Ensuite, tu t'es recouché.

Quelqu'un demande à la fiancée de Tony :

– Qu'est-ce que tu aurais fait si Jeannot était entré dans ton lit? Elle répond :

– On m'a toujours dit qu'il ne fallait pas réveiller les somnambules.

Hélas! à mon retour de Bretagne j'apprends que Max Jacob a été arrêté.

Jean reçoit une lettre de lui :

« Cher Jean,

« Je t'écris par la complaisance des gendarmes qui nous encadrent.

« Nous serons à Drancy tout à l'heure. C'est tout ce que j'ai à te dire.

« Sacha, quand on lui a parlé de ma sœur, a dit : " Si c'était lui, je pourrais quelque chose! " Eh bien, c'est moi.

« Je t'embrasse. Max. »

Jean veut sauver Max Jacob. Il voit Sacha Guitry qui lui explique la marche à suivre. Jean prend contact avec un M. P..., qui lui dit qu'ils ont toutes les chances d'aboutir. Alerté par Jean, José-Maria Sert agira par l'ambassade d'Espagne; il fera porter au chef qui s'occupe des prisons juives une lettre de Jean. Il écrit cette lettre, magnifique, émouvante. Les amis de Max Jacob obtiennent sa libération... le jour de sa mort.

Je peins une orchidée offerte par Josette Day : la fleur est tenue par une main gantée de blanc; le fond est ma fenêtre demi-ronde par laquelle on aperçoit le jardin du Palais-Royal. Hélas! il y a des filles sur les chaises du jardin. Je suis leur spectacle. On sonne à ma porte. Les filles du jardin rient, je vais ouvrir. On me demande un autographe; je le donne, m'installe de nouveau pour peindre; on re-sonne et ainsi de suite. A la fin, je hurle : « Foutez-moi le camp! » Jean vient voir, me sermonne : « Tu as choisi ce métier, tu dois accepter avec le sourire ces hommages. Même lorsqu'ils sont malicieux comme ceux-là, ce sont des hommages. » Il a raison, et m'oblige à sourire. La fenêtre ouverte laisse entendre les bavardages : « Il faudra que Juliette grimpe jusqu'à Roméo. » Des filles habitent notre escalier, rient, gémissent. Je crains que ce remue-ménage n'empêche Jean de travailler.

Je termine un tableau de fleurs que j'intitule : « L'armoire à glace de l'hôtel Beaujolais ». André Dubois avait souhaité que je le fasse pour lui. Je l'aimais et l'estimais beaucoup. Au début de nos relations, j'étais assez froid envers lui. Cet homme bon et généreux ne cessait de rendre de grands services à Jean. Stupidement, j'imaginais que si je lui avais montré mon amitié, il aurait pu croire qu'elle était intéressée. Aussi, lorsque pendant l'occupation il eut des fonctions plus modestes, je pus sans aucune gêne lui dire l'admiration et l'amitié que j'avais pour lui.

Jean veut écrire une nouvelle pièce. Nous partons pour la Bretagne. Nous allons chez des amis de Paul. La maison se nomme Tal-Moor. Je peins pendant que Jean écrit. Moulouk aime encore plus la Bretagne que moi. La maison est froide à cause des restrictions. J'ai peur que Jean n'attrape mal à rester immobile dans une chambre glacée. Sans doute la tension et les forces internes qui l'animent le protègent.

Il me lit le premier acte. Étonné, je m'entends dire que le monologue de la reine n'est pas assez vivant..., qu'il devrait y avoir plus d'interrogations de sa part, que les silences exigés par mon rôle devraient avoir force de répliques, qu'il lui appartiendrait alors à elle-même d'en nourrir ses réponses. Jean m'approuve; il remanie son premier acte dans ce sens. Avant d'écrire, il m'avait demandé ce que « j'aimerais faire dans mon rôle ». Par jeu, comme on pose une colle à un copain, je lui avais dit : « Ne pas parler au premier acte, pleurer de joie au second, et tomber à la renverse dans un escalier au troisième. »

Il avait déjà, au premier acte, accompli le miracle de ne pas me faire parler.

Il nous dit qu'il aimerait finir la pièce pour Noël. Ce soir-là, en effet, elle était terminée. Il doit nous la lire après le souper. Ce dîner de Noël, pourtant adorable, n'en finit pas. Il y a un arbre enguirlandé de cheveux d'ange. Jean a dessiné sept grands anges, un pour chacun des sept membres de la famille de Tal-Moor qui nous reçoit. Enfin, un cadeau de Noël : la pièce.

Il nous la lit, comme toujours, à un rythme inimitable, de sa voix chaude, métallique. Il encercle les mots, supprimant presque toutes les liaisons.

Quelle idée magnifique! C'est la solitude de deux êtres qui se dévorent eux-mêmes. Il veut l'appeler « Azraël » (l'ange de la mort), mais le titre est déjà pris. Il pense à « La Mort écoute aux portes ». Ce titre me plaît beaucoup. Il propose encore « La Belle et la Bête ». « Oh! non, Jean, m'écriai-je; j'aimerais tellement que tu fasses un film avec *La Belle et la Bête!* »

La pièce, d'une beauté singulière, s'appela *L'Aigle à deux têtes.* Une fois encore, Jean a écrit ce qu'on n'attendait pas de lui. C'est le plus extraordinaire cadeau qu'on ait pu mettre dans mes souliers.

A Paris, Jean rencontre Marguerite Jamois pour lui lire la pièce, écrite d'ailleurs pour elle. Mlle Iskawesko, Coula Roppa, Bérard, Boris Kochno assistent à la lecture. Tout le monde est bouleversé. Marguerite Jamois, sans un mot, se lève, sort, revient, émet un jugement en quatre phrases, comme si Jean Cocteau avait été un débutant de vingt ans, inexpérimenté. Une gêne atroce s'empare de nous et nous nous séparons en silence.

– Je pense qu'elle a estimé qu'elle était incapable de tenir ce rôle, dis-je à Jean.

Coula Roppa, grande amie de Marguerite Jamois, téléphone : « L'attitude de Marguerite a été intolérable. D'ailleurs, ce rôle n'est pas pour elle. Elle ne peut pas le jouer. » Bérard, de même. Plus de nouvelles de Jamois. Il importe donc de trouver un autre théâtre, une autre actrice. Je suggère Edwige Feuillère. Jean l'appelle. Ils prennent jour. Le 1er février 1944, je crois.

Giraudoux vient de mourir. Jean est bouleversé. Il téléphone à Edwige pour annuler la lecture. Elle lui répond : « Pourquoi? Mon cœur est encore plus capable de vous entendre. Il faut continuer le travail. »

Nous allons chez Edwige. Elle a le visage tout retourné. Après la lecture, elle ne cache pas son émotion. « C'est la première fois, dit-elle, que j'entends une pièce qui est une œuvre, et une pièce de théâtre. Vous m'en faites cadeau? »

Jean lui répondit : « Vous me faites un cadeau en acceptant le mien. » Et ils se sont embrassés.

Nous nous sommes retrouvés à l'église Saint-Pierre-du-Gros-Caillou, rue Saint-Dominique. Une cérémonie simple, émouvante. Une sortie écœurante : des solliciteurs d'autographes se précipitent, à qui obtiendrait telle ou telle signature. Je me suis juré de ne plus aller à aucun enterrement de personnage célèbre.

Marguerite Jamois se réveille. Elle téléphone sans arrêt. Elle a dû apprendre qu'Edwige a accepté de jouer la pièce au théâtre Hébertot. Elle vient voir Jean, l'accuse de trahison. Elle veut aller trouver Edwige et Hébertot. Bérard, qui était là par hasard, la calme. Nous lui faisons comprendre que son attitude nous avait laissé entendre qu'elle ne voulait pas de la pièce.

Jean écrit un grand et beau poème : *Léone*. Quant à moi, je monte *Andromaque* pour le théâtre Édouard-VII. Je commence les maquettes du décor et des costumes; j'apprends mon rôle et prépare la mise en scène. Bresson vient me demander de tourner dans son prochain film, *Les Dames du bois de Boulogne*.

– Je croyais que c'était Alain Cuny? (J'étais au courant, car Jean en avait écrit les dialogues.)

– Le producteur ne veut pas de Cuny.

– Je trouve insensé qu'un producteur ne laisse pas un metteur en scène libre pour sa distribution. Vous souhaitez Cuny?

– Il est exactement le personnage.

– Me permettez-vous d'aller trouver Ploquin, le producteur?

– Oui. Il veut que ce soit vous.

J'explique à Ploquin que si je refuse le film, c'est que je ne peux pas admettre qu'il refuse Cuny. Il accuse les distributeurs. J'en parle à Jean qui demande à Paulvé de prendre le film de Bresson et Cuny. Même réponse : les distributeurs refusent. Paulvé avait produit *Les Visiteurs du soir* avec Cuny. Un film de Carné, qui avait eu un immense succès. Alain

Cuny y était merveilleux comme toujours. Je me révoltai contre ce veto inique, refusai définitivement le film et demandai à Cuny de jouer Pyrrhus dans *Andromaque*.

Rue Montpensier, on se concentrait difficilement. Je me demande comment Jean pouvait écrire. Des filles devant la porte, dans l'escalier, dans la rue, font un tapage insupportable; on sonne, on téléphone. Une jeune fille s'évanouit. La concierge, chez qui on l'a étendue, m'appelle. Je la reconnais : elle s'était déjà évanouie une fois à une conférence sur le cinéma au Studio 28. Elle s'évanouira d'ailleurs une troisième fois au gala de *Carmen,* au Normandie. Le film n'eut pas un grand succès ce jour-là, peut-être parce que les places coûtaient mille francs. Je sortais au milieu de la foule qui commençait à me tirailler de droite et de gauche. Je ne savais plus comment j'allais pouvoir m'en sortir, quand une jeune fille tombe évanouie à mes pieds. Je la prends dans mes bras et j'en profite pour me faire place. Je la dépose sur les balustres du métro. Et j'entends : « Chameau! » Elle n'était pas plus évanouie que moi. Ce que j'avais parfaitement compris. L'histoire de cette jeune fille ne finit pas là. Un jour, elle sonne à ma porte et me dit : « Monsieur, je dois passer un concours de danse. Si je suis reçue première, est-ce que vous accepteriez de goûter avec moi? » Je la regarde attentivement : elle est petite, un peu forte, une bonne figure ronde avec des cheveux très frisés, des petites lunettes de fer sur le nez. A mon avis, aucune chance d'avoir un premier prix, même avec la meilleure technique. Je promets d'aller goûter. Huit jours après, elle revient et me montre un diplôme : elle était première. J'avais promis.

– Quand voulez-vous goûter? Nous irons chez Rumpelmayer?

– Non, nous goûterons chez une amie à moi jeudi prochain.

Le jeudi, elle m'emmène près du parc Monceau où habite son amie. Un étrange appartement meublé de luxueux meubles chinois. Son amie est une jolie rousse très jeune, une sorte de Simone Simon enfant.

On me sert du thé tiède, du lait brûlé, des gâteaux rances. Je fais semblant de tout trouver parfait. On me fait signer un nombre incalculable de photos parmi lesquelles beaucoup que je n'avais jamais vues. Je ne m'en vais pas tout de suite pour qu'elles n'aient pas la sensation que j'exécute une corvée. On me donne à boire du mousseux sucré dont j'ai horreur, et enfin je pars après avoir cérémonieusement remercié.

Quelques jours plus tard (l'histoire est à peine croyable), on sonne. Jean va ouvrir. Il revient, une carte de visite à la main. « Le propriétaire de cette carte veut te parler, me dit-il; il tient une canne blanche à la main, c'est un aveugle. Un monsieur très bien. »

Je vais chercher le monsieur, l'interroge sur le but de sa visite. « Je suis le père de la jeune fille chez qui vous avez goûté jeudi dernier, me dit-il. Je viens vous demander ce que vous êtes exactement pour ma fille. »

Je lui raconte toute l'histoire. Que puis-je faire?

– Ma fille doit passer son bachot, et elle ne travaille plus.

– Tout ce que je peux faire, monsieur, c'est de lui dire, si elle revient me voir, que je ne la recevrai plus tant qu'elle n'aura pas réussi son examen.

Elles furent deux à se présenter. Lorsque je leur énonçai mon verdict, la petite boulotte s'évanouit pour la quatrième fois. Elle, qui ne préparait pas son bachot, s'imagina qu'il lui fallait refaire des études!

Je pourrais raconter cent histoires de ce genre. Je remplirais des pages et des pages. Toutes se ressemblent, au fond. Mais peut-être pas celle-ci : j'avais accepté de répondre dans un journal de cinéma à ce qu'on appelle « le courrier du cœur », non sans me faire prier. Une dame s'en occupait, qui rédigeait les réponses à ma place. J'exigeais cependant de les lire. Un jour, on m'apporte une lettre à laquelle elle me prie de répondre moi-même.

En effet, cette lettre avait de quoi émouvoir. La jeune fille, Jeannette B..., d'un village du Nord, victime d'un accident, atteinte à la colonne vertébrale, survivait depuis un an. Elle me demandait une photo. Je la lui envoyai, avec un mot gentil. Elle me répondit... et nous échangeâmes ainsi des billets pendant une année. Hélas! malgré toutes ces lettres, son état de santé empirait.

Deux lettres arrivent, un peu plus tard, qui n'étaient pas écrites sur le même papier ni de la même écriture. L'une disait : « Ma sœur Jeannette est morte. Nous avons un grand chagrin. Je sais qu'elle vous a écrit une dernière fois et vous demande de remplir ses dernières volontés. Je vous supplie d'accepter. Je vous prie, Monsieur, etc. »

L'autre était de Jeannette. Elle disait qu'elle avait entendu le médecin déclarer à sa mère qu'elle n'en avait plus que pour quelques heures. Qu'elle me demandait une dernière photo pour mettre dans son cercueil et d'engager dans un film sa sœur qu'elle aimait tendrement.

La photo dans le cercueil, c'était trop. Je compris que j'avais été joué pendant un an. Je m'en ouvre à la dame du journal, qui me prend pour un monstre.

– Comment pouvez-vous penser une chose pareille?

– Nous allons en avoir le cœur net.

J'appelle la gendarmerie du village. J'explique l'histoire et demande si Jeannette B... est vraiment morte. On me répond : « Non seulement, elle n'est pas morte, mais elle n'a pas de sœur, et nous vous conseillons de ne pas répondre à ce genre de personne. »

Je suppose que la plupart des acteurs doivent connaître ce genre d'aventures. Mais cela n'en reste pas moins étrange pour moi. A preuve encore celle-ci, la dernière; elle date du temps où j'habitais une péniche à Neuilly. J'avais reçu une lettre d'une jeune fille qui me demandait, le croira-t-on, de lui « faire un garçon ». Je n'avais pas répondu. D'ailleurs je ne répondais jamais. Ma mère, outrée que je m'y refuse, écrivait à ma place. Elle avait continué... Après *L'Éternel Retour,* je recevais jusqu'à trois cents lettres par jour. Cela donnait à Rosalie un immense travail. Mais j'étais heureux qu'elle fût occupée. Cela me rassurait... Elle imitait mon écriture, organisait un classement par noms et notait les photos envoyées pour éviter d'adresser deux fois la même à la même personne. Je me demande comment les gens peuvent imaginer qu'un acteur réponde lui-même! Sans doute croient-ils être les seuls à écrire...

Personne n'avait répondu à la jeune fille qui voulait un garçon.

Une nuit, avant de me coucher – il était près de deux heures du matin –, je promenais Moulouk, sur les quais, c'est-à-dire boulevard du Général-Kœnig. Sur un banc, un couple enlacé. Discrètement, je détourne la tête et poursuis ma promenade. J'entends des pas derrière moi; je me retourne : il n'y avait plus que l'homme sur le banc, la femme était devant moi.

– Avez-vous reçu ma lettre?

– Quelle lettre?

– Je vous demandais quelque chose de très particulier.

– Un garçon? dis-je instinctivement.

– Oui.

– D'abord, mademoiselle, comment voulez-vous que je sache si je suis capable de faire un garçon plutôt qu'une fille? Ensuite, j'ai l'impression que sur le banc il y a quelqu'un qui ne demande pas mieux.

– C'est mon frère.

– Écoutez, je suis ridicule, nous sommes ridicules. Bonsoir, mademoiselle.

Je m'en vais, elle me suit. Je descends l'escalier de la berge. Elle descend derrière moi; j'ouvre la porte, veux la refermer, son pied m'en empêche.

– Vous me détestez tellement, me dit-elle.

– Je ne vous déteste pas. Je ne vous connais pas.

Tous les samedis, elle m'attendait là, à quelque heure que je rentre. Je n'en pouvais plus. Un jour, je lui dis :

– Écoutez, j'ai réfléchi à votre proposition. C'est possible. Je vous donnerai ce qu'il faut dans une éprouvette.

– Est-ce possible?

– Oui. Allez voir un médecin et entendez-vous avec lui. Je suis à votre disposition.

Je ne l'ai plus jamais revue.

Mais revenons au moment où j'allais monter *Andromaque*. Paris était étrange avec ses vélos-taxis emportant des dames chapeautées de tulle, d'oiseaux, de rubans. Leurs têtes devenaient des monuments en miniature. Jean y voyait un mauvais présage.

— Pense, me disait-il, aux coiffures de la cour de Louis XVI.

Les hommes osaient peu monter dans ces chars traînés par un ou deux hommes. Je m'en servais quelquefois pour Moulouk. Je pédalais à ses côtés sur ma bicyclette. Car le prendre sur mes épaules comme je le faisais souvent était très fatigant. Cela faisait dire à Cécile Sorel : « Ce petit Marais a encore trouvé un moyen de se faire de la publicité. »

Moulouk avait un gros succès.

Un jour, on sonne chez moi. J'ouvre. Une très belle jeune fille est là. « Que désirez-vous, mademoiselle? »

— Caresser Moulouk.

J'appelle Moulouk. Elle le caresse et s'en va sans un regard pour moi.

Je l'emmenais aussi dans le métro, alors que les chiens étaient interdits, mais Moulouk n'était pas un chien. Lorsque nous arrivions près d'une bouche de métro, il se mettait debout sur ses pattes de derrière et je le roulais dans mon manteau avant de le prendre sous mon bras. Dans le métro, il se cachait de lui-même sous une banquette et je faisais semblant de ne pas le connaître.

Quelle curieuse atmosphère dans le métro! Les wagons étaient toujours archicombles. Une grosse dame est debout; du regard elle blâme les hommes assis. Il y a trois Allemands assis. L'un d'eux se lève et lui fait signe de prendre sa place tout en disant une phrase en allemand que personne ne comprend. Il a l'air très courtois. La grosse dame le gifle. Nous devenons verts, assortis à leur uniforme. Que va-t-il arriver à cette dame? Les deux autres Allemands se lèvent, rejoignent leur camarade près de la porte en attendant avec impatience la prochaine station. Ils ne descendent pas; ils se sauvent. La dame s'est assise majestueusement.

— Que s'est-il passé? demande-t-on.

— C'est que je comprends l'allemand, moi. Il m'a dit : pose ton cul là, vieille vache.

Le dernier métro est merveilleux. Aussi bondé que les autres. Il transporte le Tout-Paris. Tout le monde se connaît, parle du dernier concert, de ballet, de théâtre. Dehors, c'est le black-out, les chefs d'îlot, les rondes d'Allemands, les otages, si on a dépassé l'heure du couvre-feu.

Les alertes se font de plus en plus fréquentes. Une nuit, un orage, des bombes. Les vitres tremblent. Les maisons tremblent. La D.C.A. tonne. Rien ne me réveille. Les V... descendent se réfugier chez nous avec leur bébé (notre appartement ressemble à une cave). Ce sont les pleurs de l'enfant qui me réveillent.

Une jeune fille m'écrit : « Savez-vous ce que nous aimons le mieux à l'école? Ce sont les alertes parce qu'on descend à la cave et on parle de vous. »

Une autre nuit, à deux heures du matin, après le tonnerre de la D.C.A., un vacarme terrible : un avion est tombé sur le Palais-Royal, notre maison. En réalité, il s'est écrasé sur le magasin du Louvre. C'était un avion américain atteint par un obus. Il était en feu; il avait perdu une aile au-dessus de la rue Dauphine, son moteur rue Saint-Honoré, sa mitrailleuse aux Halles.

Un ami, Hubert de Saint-Senoch, me téléphone : « Jeannot! Un avion est tombé... » Je l'interromps : « Rassure-toi puisque tu m'entends, il n'est pas tombé sur nous, mais sur les magasins du Louvre. »

Un grand silence... J'avais oublié qu'il était propriétaire de ces magasins.

Je tremble pour Moulouk. Les chiens sont ramassés pour détecter les mines. On les ramasse dans la rue, mais on vient aussi les chercher à domicile.

Un jour que je descends l'avenue des Champs-Élysées à pied, l'armée allemande la descend également derrière moi. J'en éprouve une gêne atroce. Je rentre à la maison et je dis à Jean : « L'armée allemande m'a suivi tout le long des Champs-Élysées », et lui de répartir : « Tu ne pouvais pas aller jusqu'à Berlin? » Une autre fois, c'est lui qui montait les Champs-Élysées. L'armée allemande avec fanfare la descendait. Au milieu des colonnes de soldats flottaient des drapeaux allemands, et aussi des drapeaux français. Jean reste sidéré, et regarde la L.V.F. (Légion des volontaires français) parmi les troupes allemandes. Six hommes en civil, six Français, matraquent Jean en criant : « Alors, Cocteau, on ne salue pas le drapeau français! » Jean s'écroule en sang. Un de ses yeux est gravement atteint. Des passants se précipitent, le relèvent, le conduisent à une pharmacie. Le pharmacien lui demande : « Mais que vous est-il arrivé, Monsieur Cocteau? » Et lui, de répondre, à la française : « Un compère-Doriot! » Doriot était le chef de la L.V.F.

On arrête Tristan Bernard. Dans le wagon à bestiaux qui le conduit à Drancy : « Je vivais dans l'angoisse, dit-il, maintenant je vais vivre dans l'espoir. » A l'hôpital Rothschild, où on le transporte par la suite, on lui demande ce qui lui ferait le plus plaisir. « Un cache-nez », répond-il.

Un autre bombardement : vingt-cinq morts à Colombes, quarante à Gennevilliers. D'immenses dégâts.

Je rencontre Louis Jourdan et l'interroge :

— Il y a quelques mois, tu m'avais dit que chacun de vous était chargé de trouver deux personnes. Je t'avais répondu que j'aimerais être l'une de ces deux personnes. Depuis, je n'ai plus entendu parler de toi.

J'avais imaginé une Bête à tête de cerf...
Bérard expliqua que ce ne pouvait être un herbivore, mais un carnassier... La Bête doit effrayer.
La Belle et la Bête, 1946
Photo Helga Hamel

J'aimais beaucoup Mila.
Elle était belle, gaie, charmante...
Mila Parély, 1944

rente ans passés, j'acceptai enfin que Jean Cocteau me mît en scène, sentant que j'avais ɔrmais la force d'interpréter ses indications. L'Aigle à deux têtes, 1947

ɔnne de Bray se laisse aller à des mots d'amour maternel, jaillissant, débordant, font craquer le texte. Dans le film « Les Parents terribles », 1946

Tout acajou et cuivre, même le sol, avec des meubles de bateau du XIXe siècle.
Jean Marais et Georges Reich dans « La Péniche », 1948

– J'ai parlé de toi, me répond-il. On m'a fait remarquer que tu vivais auprès de quelqu'un de trop bavard.

S'il voulait parler de Jean Cocteau, comme je le suppose, il se trompait. Jean savait garder un secret. A preuve, l'histoire de ma mère qu'il n'a jamais racontée. Jean considérait la frivolité comme un crime. Jamais il ne parlait à tort et à travers. Il se serait fait tuer sur place plutôt que de mettre quelqu'un en danger. J'ai été blessé par le jugement de Louis Jourdan, et je n'ai pas insisté.

Paris non plus n'était pas frivole. Il était léger, mais dans le bon sens du mot. Comme si le danger n'existait pas, avec un visage avenant sous la menace. Les concerts, les cinémas, les théâtres refusaient du monde. Paris crânait et ne voulait pas montrer à l'occupant son inquiétude ni sa souffrance.

Jean écrivait *La Belle et la Bête*.

De mon côté, je m'entendais avec le théâtre Édouard-VII pour monter *Andromaque*. Dans ma chambre du Palais-Royal, seul, je répétais le rôle d'Oreste avec un manche à balai en guise de canne d'ambassadeur. Bien vite, je m'en servis avec une trop grande facilité. Je l'utilisais pour désigner personnes et objets; je le remettais sur mon épaule, le faisais passer à droite, à gauche, derrière le dos. Bref, je devins vite inquiet de m'en trop servir. Je demande conseil à Jean. Je lui montre mes attitudes; il me rassure : « C'est admirable; aucun acteur n'a jamais songé à s'en servir. Entre tes mains, ce bâton devient royal. » Je m'étais habitué au poids et à la dimension de mon balai. Une autre canne déréglerait sans doute mes gestes. Nous allons trouver Picasso rue des Grands-Augustins. Avant de connaître Jean Cocteau, je n'avais vu aucune peinture de Picasso, sinon en reproduction, et je n'avais jamais rencontré l'homme. Jean m'en parlait souvent. Il m'est difficile de savoir si je voyais avec mes yeux ou avec ceux de Jean Cocteau. Avec mon cœur ou avec le sien. Mais je me souviens d'avoir reçu comme un coup de poing dans la poitrine. Une grande exaltation s'empare de moi, en même temps qu'un grand découragement. Picasso était pour moi au-delà de toute critique, isolé dans un univers qu'il avait créé. J'étais transporté dans quelque étrange planète.

J'ai souvent revu Picasso, toujours avec timidité, presque avec gêne, mais avec respect. Chez lui, j'ai l'impression d'être dans un lieu interdit, que ma présence dérange, que je vois ce que je n'ai pas le droit de voir, que je risque d'être changé en statue de sel. Aucun décor. Des greniers entassés les uns sur les autres, des pièces vides, une pauvreté luxueuse. Il nous reçoit. C'est un roi déguisé en clochard. Je lis dans ses yeux malins, brillants, intelligents, de l'indulgence, de la sympathie.

Je meurs d'envie de m'excuser de n'être que ce que je suis. En tout cas, je n'ouvre pas la bouche. C'est Jean qui lui demande de faire de mon manche à balai une canne d'ambassadeur grec. Picasso s'amuse aussitôt : il brûle la canne au fer rouge, en fait une merveille.

Difficultés aux répétitions. A chaque indication que je donne à Cuny, il me regarde avec méfiance. Croirait-il par hasard que je souhaite qu'il soit mauvais? Il est excellent. Moi, je souffre de son manque de confiance.

Michèle Alfa, que j'avais pressentie pour jouer Hermione parce que je savais qu'elle le désirait depuis des années, me répond qu'elle ne peut pas dire un monologue. Les bras m'en tombent. J'imagine alors de la faire parler au siège de Pyrrhus vide. Elle s'adresse au trône et même le touche, le caresse...

Je me sens assez sûr de moi à présent pour permettre à Jean d'assister à une de mes répétitions. Il me dit : « Tu m'étonnes par ton autorité, tes trouvailles. Dès que tu joues, le texte est émouvant, et semble être inventé par toute ta personne, de la tête aux pieds. »

Fort de l'approbation de Jean, je ne crains plus personne. Mon seul but est qu'il puisse aimer ce que je fais. Jean écrit dans son journal : « Le renoncement à la déclamation et la découverte d'une grandeur très simple fait de ce spectacle la nouveauté du théâtre tragique en 1944.

« Cette nouveauté sera entièrement due à Jean Marais qui l'emploie et l'enseigne à ses camarades. Il joue Oreste et l'emporte, à mon avis, sur ceux de Mounet et de De Max. Sa beauté, sa noblesse, sa fougue, son humanité sont imbattables. Le décor : une perspective construite, nocturne, touchée d'arêtes pâles, ouvre sur une haute arcade sur un ciel aux nuages découpés, sorte de musée Grévin dont le détail et les fausses perspectives donnent à la dimension humaine une force inattendue. L'entrée d'Andromaque coiffée d'une queue de cheval de Troie, drapée de blanc, les bras moulés dans une torsade d'étoffe, est un miracle.

« L'aventure de ce spectacle dépasse de beaucoup l'intérêt que soulève le théâtre. Sans le vouloir et sans travailler contre quoi que ce soit, Marais a frappé dans le mille qui déchaîne la colère et l'enthousiasme.

« L'esprit d'ensemble, pour la première fois, s'oppose à l'esprit du Cartel, de la Comédie-Française et des habitudes.

« Il semble que la beauté provoque une jalousie qui ne s'analyse pas et s'exprime en fureur.

« Marie Bell, que j'allai visiter dans sa loge, vendredi, avant *Renaud et Armide,* me dit : " Tu es impardonnable d'avoir laissé Jeannot faire une chose pareille, c'est une honte. " Elle est partie de son spectacle entraînant Raimu avec elle, et disant : " On devrait le fusiller " *(sic).* Hier soir, la salle écoutait comme à la messe et a raté son dernier métro pour acclamer les artistes.

« On annonce que M. Laubreaux et ses voyous se proposent de fomenter des scandales qui obligeront à interrompre le spectacle.

« Cette *Andromaque* explose joyeusement, et sa flamme écarlate rendra d'autres spectacles impossibles, les démodera dans le sens profond du terme.

« Marais peut être fier d'avoir suscité avec Racine le même scandale que *Parade,* que *Les Mariés,* que *Le Sacre.* Il réveille en sursaut des personnes qui somnolent et qui aiment la somnolence.

« Ce spectacle est un spectacle clef, une date, un signe d'intelligence et d'amour. »

Cocteau l'avait prévu : un nouveau scandale éclate. Trente places occupées par des membres du P.P.F., le soir de la générale – et les autres soirs –, sifflets, hurlements, boules puantes, bombes lacrymogènes. Heureusement aussi, des bravos, des spectateurs courageux qui regardent la pièce et écoutent avec des mouchoirs sous le nez.

La scène d'Hermione qui précède celle dite « des fureurs d'Oreste » que j'ai décidé de jouer sans crier, est tellement chahutée que je me demande comment je vais m'y prendre. J'entre et parle plus bas que prévu. Ils se taisent. Triomphe à la fin. Les jeunes filles viennent essuyer mes larmes de leurs mouchoirs. Elles m'escortent à la sortie. Annie Ducaux était admirable ainsi qu'Alain Cuny. Michèle Alpha moins extraordinaire que je l'espérais. Sans doute, le tumulte l'avait desservie.

Le lendemain, les critiques nous couvraient de boue. « Un spectacle pédérastique, à preuve que les femmes étaient habillées jusqu'au cou et les hommes quasi nus. »

Les hommes avaient des cuirasses et des tuniques et des péplums très volumineux. Personnellement, je portais vingt mètres de tissu. Et les femmes étaient toutes en maillot collant de couleur et drapées de façon que l'on voie leurs formes. Mon manche à balai devenu canne d'ambassadeur grâce au génie de Picasso déchaîna aussi les insultes. Tout le monde était unanime à trouver les costumes et les décors très beaux (excepté les critiques).

Annie Ducaux avait tenu à être habillée par sa couturière habituelle, Maggy Rouff. Lors d'un essayage, je constate qu'elle a fait faire une très jolie robe du soir qui n'a plus aucun rapport avec ma maquette, sauf pour la couleur blanche. « Si vous voulez faire des retouches, ne vous gênez pas », me dit Maggy Rouff.

Je demande timidement des ciseaux, je m'agenouille devant Annie Ducaux et je coupe la robe entièrement de bas en haut, devant la grande couturière atterrée.

– Je peux avoir le même tissu? demandé-je.

– Combien de mètres? dit-elle.

– Vingt-cinq mètres.

On me les apporte et j'ai le culot de faire une robe devant Maggy Rouff. Sans une seule couture, une robe-manteau qui prend sa forme uniquement par la coupe et le drapé. Plus tard, lorsque Annie Ducaux jouera *Andromaque* à la Comédie-Française, elle exigera cette robe.

Chaque fois que je rencontrais Maggy Rouff, elle me demandait : « Quand viendrez-vous faire une robe chez moi? » Dans cette pièce, je fis pour Annie Ducaux la première queue de cheval, mode qui dure encore.

En plus du massacre journalistique, nous eûmes droit à l'éditorial politique de Philippe Henriot disant que j'étais pire pour la France que les bombes anglaises *(sic)*.

En apprenant cette incroyable attaque, je dis à mes acteurs : « Il faut nous attendre à être interdits. »

Je ne fus pas interdit, mais le lendemain on me téléphonait du théâtre en me suppliant de ne pas venir. La milice occupait le théâtre avec des mitraillettes pour empêcher le public d'entrer, après avoir rossé le concierge qui s'était opposé à leur intrusion. Ma merveilleuse canne avait disparu. Il fallut rembourser la location de plusieurs semaines. Nous perdions beaucoup d'argent. Or, ce n'était pas le mien, mais celui de Paul M... (le secrétaire de Jean) et de plusieurs de ses amis. Ils refusèrent que je les rembourse.

J'étais sur une liste d'arrestations. Je ne pouvais y croire. Mais sachant que l'on arrêtait les gens à l'aube, je me réveillais instinctivement vers cinq heures du matin et prêtais l'oreille, décidé au premier coup de sonnette à m'enfuir par le jardin du Palais-Royal opposé à la porte d'entrée et à la rue.

Finalement, j'allai me cacher chez un ami, Hubert de Saint-Senoch, qui habitait un appartement à l'Étoile où un peu plus tard un tableau de Dali fut atteint par des balles de mitrailleuse, le rendant encore plus surréaliste qu'il n'était. Drôle de cachette! D'autant plus que j'allais me baigner chaque jour au Racing-Club. Je m'y rendais à bicyclette, Moulouk sur mes épaules. Tout pour passer inaperçu...

L'affaire « Andromaque » prend des proportions ahurissantes. Tous les journaux fulminent. L'excès de cabale a retourné le public en ma faveur. Radio-Alger et la B.B.C. de Londres me félicitent. Je reçois de partout des lettres de remerciements et d'éloges. La cabale se retourne contre ceux qui l'ont déchaînée. Je suis déifié à cause des salopards. Jean me dit : « Affaire sans précédent au théâtre. Tu nous a rendu le service de nous faire comprendre que la façon de dire les vers adoptée par ces messieurs est impossible et deviendra impossible pour toutes les personnes que ton style révolte et qui s'acharnent contre toi. »

En revenant du Racing, je rencontre un monôme d'étudiants de Janson de Sailly. Ils m'arrachent de ma bicyclette, me mettent sur leurs épaules et scandent sur l'air des lampions : « *Andromaque, Andromaque*. Henriot, c'est de la merde, de la merde, c'est Henriot. Pour les miliciens... aux chiotes! Laubreaux, c'est de la merde, Laubreaux, c'est d'la merde, pour Alain Laubreaux... aux chiotes!... » Et ainsi jusqu'à la porte Dauphine. Moulouk suivait.

Un journal collaborateur relate les faits dans ces termes :

« Pauvre de nous!

– Tu as vu, on a interdit *Andromaque?*

– Oui, c'était une pièce anglaise.

Ce dialogue avait lieu au " zinc " d'un petit café voisin de l'Opéra. A la même heure, vendredi après-midi, aux Champs-Élysées, une bande d'étudiants, reconnaissant Jean Marais devenu, on le sait, un martyr, se précipitèrent sur lui, et le portèrent en triomphe, lui et sa bicyclette, pour avoir si étrangement accommodé Jean Racine à la sauce caméra.

Pauvre de nous! »

La B.B.C. disait à la radio de Londres : « Patience, Jean Marais, nous serons là bientôt. » Je pense que cela devait venir de Max Corre qui avait été plusieurs fois parachuté en France et qui, dans ses moments à perdre, était venu aux répétitions.

Bien sûr, je ne l'ai appris que beaucoup plus tard, lorsque je l'ai rencontré dans la division Leclerc où il était correspondant de presse de la France libre.

Jean était plus atterré que moi. D'ailleurs, je crânais. Je ne voulais pas attrister Jean en me laissant aller. J'affirmais que c'était une aventure merveilleuse. Que jamais un jeune acteur n'en avait vécu de pareille et que j'en étais fier. Je crânais aussi vis-à-vis de Paul qui, lui, n'avait aucune réaction extérieure.

Je recevais des lettres de partout qui me disaient leur révolte. Le téléphone n'arrêtait pas de sonner. Je ne répondais à aucune communication.

Fatigué, à bout de nerfs, je décrochai enfin le récepteur et j'entendis une voix de jeune fille me dire : « Monsieur, je voulais simplement vous dire que j'ai un grand chagrin pour *Andromaque.* » Je répondis : « Moi aussi, Mademoiselle. » Je raccrochai et fondis en larmes.

J'entrai en clinique pour me faire opérer des amygdales. Jean vient m'y voir. Il me raconte qu'à un dîner à l'ambassade d'Espagne, l'ambassadeur lui dit :

« J'étais à *Andromaque* avec la fille de Laval. Nous avons trouvé cela magnifique et applaudi à tout rompre. Le lendemain, on me faisait honte de mon enthousiasme. Josée Laval n'osait plus ouvrir la bouche. On m'a dit : " Vous n'êtes pas français, vous ne pouvez pas vous rendre compte. " En Espagne, nous connaissons mal Racine, nous préférons Shakespeare. Avec l'*Andromaque* de Marais, je comprenais Racine, je vivais, j'admirais : je devais avoir tort. Je n'y comprends rien, tout le monde acclamait autour de nous. »

Des amis me téléphonent pour me dire que Philippe Henriot a été assassiné. Pour plaisanter, ils me demandent où j'étais au moment de l'assassinat : « A la clinique, pour me faire opérer des amygdales. » Les journaux l'avaient annoncé en disant que j'avais fait venir un chirurgien du Japon pour me faire greffer des « cordes vocales de chat » *(sic)*.

Depuis quelque temps, je suis revenu rue Montpensier. Les bombardements sont de plus en plus nombreux. On rêve d'un débarquement. On apprend enfin qu'il a lieu. On vit dans une incertitude atroce. On ne sait jamais où sont les armées.

Les journaux de la résistance proclament : « Tout bon Français doit se rendre à son centre de travail et se mettre à notre disposition. » Pour moi, c'est l'Union des artistes. La résistance n'avait pas voulu de moi, j'ai dit comment.

Je consulte Jean Cocteau qui me conseille d'y aller. J'y vais. On m'envoie au Centre des théâtres, rue Royale. J'arrive en plein milieu d'une descente de police allemande. Ils fouillent, inspectent, partent sans avoir rien trouvé... pas même le revolver de Louis Jourdan dans sa veste qu'il avait accrochée à la poignée de la porte tandis qu'il buvait au bistrot d'en face. On m'admet, peut-être à cause du calme dont j'avais fait preuve pendant la fouille. Qu'aurais-je pu faire d'autre? On me donne un brassard F.F.I., un revolver. On me renvoie à l'Union.

Comme toujours, Moulouk m'accompagne. Il court à côté de ma bicyclette. Au bout de la rue Royale, un barrage de police allemande arrête et fouille tous les passants. Si je fais demi-tour, je suis suspect. Si j'avance, on me fouille. Je suis coincé. A mon premier jour de « résistance » et sans jamais avoir rien fait, c'est trop bête! Je suis en costume de tweed bleu ciel et j'ai encore les cheveux longs d'*Andromaque*. De quoi passer inaperçu! J'appelle Moulouk qui saute sur mes épaules. Il reste autour de mon cou comme les dames portent un renard argenté. Je fonce droit sur un Allemand qui fouille, je prends l'air idiot et passif et je m'arrête devant lui. Il a comme le souffle coupé devant ce zazou extasié. Il dit « Raus », et je passe.

On appelait « zazou » les garçons qui portaient les cheveux longs. J'avais lancé cette mode sans le vouloir : simplement je m'étais laissé pousser les cheveux pour ne pas mettre de perruque. En contradiction aussi avec les cheveux rasés des Allemands, beaucoup de jeunes m'avaient imité. Cependant, je n'aimais pas qu'on me traite de zazou, et je m'étais battu plusieurs fois à ce sujet. Reggiani aussi. Une fois, nous sortions ensemble pour notre travail. Un monsieur nous insulte pour nos cheveux. J'essaie de lui expliquer que nous les portons ainsi pour notre métier. « Joli métier! », dit-il.

Reggiani : « Vous avez de la chance d'avoir des lunettes, je vous giflerais. »

Il enlève ses lunettes. Reggiani le gifle.

A l'Union des artistes, on ne sait que faire de moi. On demande des volontaires à la mairie du huitième arrondissement. Je m'y rends. On me donne une mitraillette et on nous envoie près de l'hôpital Beaujon prendre un camion d'armes allemand. C'est le grand confort. Il n'y a plus un seul Allemand pour le garder. Nous le ramenons sans mérite. On m'envoie ensuite devant l'Élysée avec ma mitraillette. Je dois tirer dès que j'aperçois un convoi ennemi. J'ai oublié de leur dire que je ne sais pas me servir d'une mitraillette. Je prie le ciel de ne pas voir de véhicule allemand. Je n'en vois pas. On me relève bientôt, sans que j'aie eu la moindre alerte.

Je vais chercher Jean, rue Montpensier. Nous devons déjeuner chez José-Maria Sert. Étrange, la vie continue, et Paris se délivre. Presque partout, des rues désertes. Les miliciens pourchassés se sont réfugiés sur les toits. J'étais toujours en tweed bleu ciel, offensant, je l'avoue, dans un moment pareil. Je n'y songeais pas. Nous traversons à pied l'avenue de l'Opéra, venant de l'actuelle rue Casanova. Avenue vide, jonchée de papiers, de journaux. La résistance a dû mettre à sac le journal d'Alain Laubreaux *Je suis partout* et jeter toute la paperasse par les fenêtres. Un monsieur débouche de la rue des Petits-Champs, venant à notre rencontre. Il va nous croiser. A l'instant où nous sommes au plus près l'un de l'autre, on tire d'un toit. L'homme tombe. Une gerbe de sang sort de son dos. Il se relève et retombe, mort. J'ai toujours pensé qu'on avait tiré sur moi. Pour ces miliciens traqués, c'était la fin. Ils allaient mourir. Ils le savaient. Ce costume, ces cheveux étaient une insulte. Ils ont tiré.

Chez Sert, les plus beaux meubles du monde : table d'écaille, bloc immense de cristal, meubles Boulle Louis XIV, dont une armoire du même style : une merveille. Un Greco : « Le martyre de saint Maurice », plus singulier que l'original de l'Escorial, donc plus vrai; premières éditions de Pascal, Racine, Descartes. Des tissus Louis XIV somptueux dont il me drape. Déjeuner riche, conversation brillante qui nous emmène loin des barricades.

Enfin Paris est libéré. La division Leclerc fait une entrée triomphale et dangereuse. Les miliciens, des retardataires allemands tirent des toits. La chance et la malchance font la course. Avant la libération de Paris, un jeune soldat téléphone à sa famille d'une banlieue proche : « Je pourrai vous embrasser ce soir. » La famille attend au balcon leur enfant-héros qui a fait le débarquement et a risqué cent fois sa vie pour arriver jusqu'à eux. Leur enfant est là sous leur fenêtre. Il fait signe. Des cris de joie au balcon. Des cris d'horreur. Leur petit héros est tué devant eux d'un coup de fusil tiré d'un toit.

Tout Paris, sans s'être donné le mot, place de la Concorde, est habillé de bleu, de rouge ou de blanc, ou des trois couleurs. Nous sommes dans une chambre de l'hôtel Crillon pour mieux voir le général de Gaulle et le défilé. Il passe, seul au centre du défilé, calme, marchant lentement à bonne distance de la troupe : cible facile. Au même instant, c'est la rafale. Alors tous les chars du défilé se tournent vers notre fenêtre et commencent à mitrailler. Je vois la gueule des canons. Ils abattent une colonne. Paul hurle : « Couche-toi, couche-toi! » Moi, recevant sur le corps des gravats de plâtre, je dis comme un idiot : « Ça ne fait pas mal, les éclats! » Jean et Paul sont à plat ventre. Moi, je reste à la fenêtre pour regarder ce spectacle fantastique. Plus je m'attarde à la fenêtre, plus ils tirent. Je suis la seule tête qu'ils voient.

Les miliciens avaient tiré du toit, juste au-dessus de nos têtes. Nous descendons sur la place. Jean et Paul me quittent. Nous nous fixons rendez-vous à six heures sur le parvis de Notre-Dame. C'est là que de Gaulle parlera.

La foule hurle sa joie d'être libre : tout le monde se parle, s'embrasse. On a besoin de s'épancher. On me reconnaît. On saute sur moi; les femmes m'embrassent. Bientôt, je suis couleur de rouge à lèvres. On dirait que c'est moi qui ai délivré Paris! Je crie : « Moulouk! Moulouk! attention à Moulouk il va être piétiné! » Je ne trouve plus Moulouk, il est parti. J'arrive à sortir de la foule. Chez moi, pas de Moulouk. Je le cherche. Enfin, il va être l'heure de mon rendez-vous; je vais à Notre-Dame. J'y trouve Jean et Paul flanqués de Moulouk.

– Où l'as-tu trouvé?

– Sur le parvis, il nous attendait.

Il avait pris parfois le métro seul pour venir me chercher au théâtre. Cela pouvait s'expliquer : je le prenais chaque jour avec lui en descendant à la même station. Cette fois cela tenait du miracle... ou d'une intelligence humaine.

Tout le monde portait un brassard F.F.I. autour du bras. J'avais mis le mien dans un tiroir, ayant honte de n'avoir rien fait pour le mériter. Mais, comme j'étais toujours à la disposition de mon syndicat, on me charge d'aller arrêter René Rocher. Je réponds qu'il est devenu, sous l'occupation, mon ennemi personnel; en l'arrêtant, j'aurais l'air de me venger. On me charge, alors, de demander une grosse somme d'argent à Alice Cocéa et à Pierre Fresnay. Pierre Fresnay s'était toujours bien conduit. Je refusai encore catégoriquement.

C'est en partie pour couper court à cette gêne et à ce genre de besogne que je décide de m'engager dans la division Leclerc. Un de mes amis y était capitaine. Je l'avais rencontré et lui avais fait part de mon désir. D'abord, il refusa trouvant que j'étais plus utile dans mon métier que simple soldat dans l'armée. J'insistai en disant que je ne voulais pas faire d'instruction à Saint-Germain, que je voulais partir immédiatement avec eux.

– Tu ne pourras donc pas être dans un char.
– Tant pis.
– Bien. Je m'en occupe. Je te téléphone demain.
Comment annoncer à Jean que je pars? On doit dîner chez les V... qui habitent au-dessus de nous. Je n'y vais pas; Jean et Paul redescendent après leur repas. Ils s'assoient sur mon lit et m'expliquent :
– Tu joues les héros au théâtre et au cinéma. Tu dois l'être dans la vie et t'engager dans la division Leclerc. Je les regarde, ahuri.
– C'est déjà décidé. Le capitaine D... doit m'appeler demain. Je me demandais comment j'allais vous le faire accepter.
Le lendemain soir, je couchais au bois de Boulogne en attendant le grand départ. Mes nouveaux copains ne me connaissaient pas. Tous d'Angleterre, d'Afrique du Nord, de plus loin. Ils ont fait une ou plusieurs années de guerre; ils se plaignent que certaines boîtes de Paris les refusent. « Venez avec moi, je vous invite; vous entrerez où vous voudrez. »
Je vais chercher Moulouk et nous sortons. Ils deviennent tous amoureux de Moulouk, veulent que je l'emmène avec moi. Ce que j'espérais. J'accepte. Ils me remercient presque.
Deux jours plus tard, nous quittons Paris. Il est six heures du matin. Le temps est superbe. Je suis en uniforme, béret noir sur la tête. Soldat parmi les soldats, donc invisible. Moulouk est à côté de moi sur un Dodge décapoté. Aux sorties de Paris, dans la banlieue, la foule s'amasse pour voir passer sa division. On l'acclame. Tout à coup quelqu'un crie : « Il ressemble à Moulouk! C'est Moulouk! C'est le chien de Jean Marais! C'est Jean Marais! »
Les gens se précipitent, m'embrassent, me comblent de cadeaux, des liqueurs, du vin, du café, des bonbons, des gâteaux. Mes camarades me regardent, héberlués. Ils ont baroudé pendant quatre ans; ils ont libéré Paris, et on fête le nouveau qui n'a rien fait! Ils se renseignent. On leur apprend que je suis un acteur et que Moulouk ne l'est pas moins. Je deviens suspect. Sûrement un collaborateur qui se cache! Ils avertissent les officiers. Enquête. Petit flottement dans la troupe. On ne sait trop comment me traiter. Ignorant ce qui se trame, je ne pense qu'à faire gaiement le travail qu'on me demande. On me voit décharger et recharger seul un camion en l'absence de celui que j'ai pour mission d'aider et qui se nomme Audace (quel nom pour un soldat!). Ça leur plaît. Ils croyaient qu'un acteur renâclait à la tâche. On devient très vite amis. J'appris tout cela lorsque l'enquête m'eut blanchi. Me voici en fin de compte aide-chauffeur pour le ravitaillement d'essence. Je charge et décharge les jerricans. On fait le plein des chars. J'apprends à conduire le G.M.C. Je suis émerveillé des rations militaires américaines si bien empaquetées. Chaque fois, on a l'impression de recevoir un

cadeau. J'améliore les *beans* en faisant la cuisine que je partage avec Audace. J'achète dans les fermes des poulets, du beurre, des œufs. Nous couchons où nous pouvons – la plupart du temps chez l'habitant qui nous prête une chambre. Souvent nous dormons dans le même lit, le chauffeur et moi.

Le plus âgé de la compagnie, assez gras, pas beau, qui s'appelait Goldstein, se débrouillait presque toujours pour me trouver un lit. Cela me paraissait très normal qu'il le partage. Après huit mois de cette vie, il me dit :

– Les gens de Paris sont méchants.

– Pourquoi? lui demandai-je.

– Tu te souviens que tu nous as emmenés dans une boîte de nuit?

– Oui, eh bien?

– Eh bien, on m'a dit que tu étais pédé.

– Alors?

– Alors, je sais bien maintenant que ce n'est pas vrai.

Je demandai à mes copains : « Quand verrai-je le feu? »

– Le feu? Mais tu le vois tous les jours!

– Non, je n'ai jamais vu le feu.

– Quoi! T'as ravitaillé les chars hier.

– Oui, mais il n'y avait pas de feu.

– C'est vrai... Tu vas voir, ce soir, on bouge, ça va barder.

Le soir, ça ne barde pas. Je ne suis vraiment pas destiné à être un héros. Les chars ne reculent pas pour faire le plein, nous le faisons sur place. Tous nos camarades le faisaient en plein baroud. J'arrivais : les tirs cessaient.

J'eus bientôt un camion à moi. Moulouk était mon aide-chauffeur. Tout le monde l'adorait. Un jour, toute la 2e DB était prête à entrer en mouvement; nous attendions l'ordre de départ sur nos véhicules. Les officiers eurent la gentillesse d'attendre que Moulouk ait terminé ses amours avec une chienne des environs. On avait auparavant essayé des seaux d'eau, et même un coup de revolver en l'air.

Au retour d'un approvisionnement d'essence, je me trouve devant ce qui avait été un pont. Une ruine. En longeant le Rhin, j'espère rejoindre ma route par un autre pont. Je descends un à-pic barré par des rubans portant des avertissements : MINES. Impossible de faire marche arrière tant le chemin est abrupt. Voilà le moment ou jamais de vérifier si j'ai de la chance. Les ailes de mon camion arrachent les rubans et je fais demi-tour au milieu du champ supposé miné. Rien.

Une autre fois, j'emprunte un petit pont de bois pour mon parcours.

Au retour, je veux le reprendre. Il est gardé, on m'interdit de passer.
– Pourquoi?
– Il est miné.
– J'y suis passé tout à l'heure.
Ils croient à une blague.

Je recevais toujours beaucoup de lettres de Jean, des colis de chez Maxim's, de Coco Chanel, et de nombreux amis. Cette fois encore, j'ai dû demander qu'on me remette mon courrier à part.

En fait, je n'ai vu le feu qu'une seule fois. Ce qui m'a valu la croix de guerre – que je n'avais absolument pas méritée. Cela provoqua une histoire cocasse deux ans plus tard : un camarade de *L'Aigle à deux têtes,* Jacques Varenne, me demande si je veux faire partie de l'Association des comédiens anciens combattants : « C'est un honneur qu'ils te font et ils ne comprendraient pas que tu refuses. » J'y vais. Je subis un interrogatoire amical, mais serré, dont voici à peu près la substance :

– Qu'est-ce que vous avez fait d'héroïque?
– Moi? rien d'héroïque.
– Vous avez tué des Allemands?
– Jamais.
– Vous avez fait des prisonniers?
– Oui, mais c'était plutôt des stoppeurs. Les chars ne peuvent pas prendre de prisonniers. Quand j'avais ravitaillé et que je revenais à vide, les Allemands me demandaient de les embarquer. J'en ramenais, mais je me faisais engueuler : on ne savait pas où les mettre.
– Vous avez eu la croix de guerre?
– Oui.
– Eh bien, pourquoi avez-vous eu la croix de guerre?
– Pour avoir mangé de la confiture.

C'est la pure vérité. Aussi ne l'ai-je jamais portée. Par respect pour les vrais héros qui la portent. Toujours mes situations fausses. Cela s'était passé le seul jour, où, de mon propre aveu, j'ai vu le feu. A Markolsheim, en Alsace, sur une route qui surplombait les champs, dans la neige. Il faisait atrocement froid. Je crains le froid. Nous étions coupés, encerclés, bombardés de toutes parts par les Allemands. Non loin de là, une ambulance dont les éclats d'obus avaient crevé les pneus. Je trouvai naturel d'aider les « Rochambelles », infirmières d'un courage incomparable et d'une merveilleuse efficacité. Les obus tombèrent plus loin. J'ai réparé sans courir le moindre danger. Mais le bombardement recommence. Les bombes tombent à l'entour. Une infirmière me crie de me coucher. Je répugne à m'étendre dans la neige; mais si je reste debout, j'ai l'air de crâner; alors je me couche. Je ne suis pas plutôt allongé que je constate qu'elle me protège de son corps, qu'elle est entre les bombes et moi. Je dis : « Oh! pardon... » Je me lève et me recouche de l'autre côté. J'ai froid. Au bout d'un moment, je remonte dans mon camion. Pour me réchauffer, je mets le moteur en marche et, pour m'occuper, je mange des confitures.

Je ne volais jamais. Des camarades récupéraient sur les Allemands des bottes, des montres, toutes sortes d'autres objets. Ils s'étonnaient que je ne le fasse pas. Pour ne pas avoir l'air de juger, j'avais inventé que les Allemands me déplaisaient tant que je ne pourrais porter ce qu'ils avaient touché. Ainsi n'étais-je pas suspect.

Dans les maisons abandonnées des Alsaciens nous trouvions généralement des traces de pillage. Quand j'en avais le temps, je rangeais; je nettoyais. Il faut dire que c'était plus agréable pour moi de dormir dans un endroit net.

Mais je ne pouvais résister aux confitures. Je me donnais comme excuse qu'elles seraient perdues. Et elles me rappelaient trop celles de ma grand-mère alsacienne... Bref, j'en stockais dans mon camion.

Donc, ce jour-là, je mangeais des confitures de cerises. Je crachais les noyaux dans la neige. Mes camarades, couchés contre le remblai de la route, me criaient : « Viens ici, idiot, tu vas te faire descendre! » En rampant, ils viennent me chercher; ils me voient manger des cerises et aperçoivent les noyaux dans la neige. Voilà ce qu'ils racontent, le soir, aux officiers.

L'ordre formel était que nous devions rester dans nos camions, le moteur en marche. On m'a donné la croix de guerre. Mon capitaine m'a fait appeler pour me l'apprendre. Je lui dis que je ne l'avais pas méritée, que je craignais que ce soit pour faire plaisir à Jean Marais.

– Il y a un peu de cela, me dit-il; mais nous trouvons que vous l'avez méritée.

– Vous voulez vraiment me faire plaisir, mon capitaine?

– Oui.

– J'aimerais tellement mieux que ce soit Moulouk qui l'ait à ma place. Je serais si fier de le ramener à Paris avec la croix de guerre.

Il ne se fâcha pas et m'expliqua qu'un chien devait avoir accompli une mission spéciale pour être décoré.

J'eus donc la croix de guerre...

Tout naturellement, les soldats qui appartenaient à la division depuis le début bénéficiaient de permissions. Je n'en avais pas, moi. Mes camarades en revenaient, déprimés. Paris semblait les avoir oubliés. Ils faisaient, par exemple, la queue devant les cinémas, comme tout le monde, alors qu'ils disposaient de peu de temps. Je m'en plaignis par lettre à Jean qui fit le nécessaire afin qu'on leur accordât priorité.

J'appris que, pour se marier, on obtenait quatre jours de permission. Moitié plaisantin, moitié sérieux, j'écris à Mila P..., mon amie du *Lit à colonnes,* pour lui demander si elle consentait à se marier pour que j'obtienne une permission. J'ajoutai que si elle voulait divorcer après, je serais d'accord. A ma grande honte, elle me répond une lettre très grave, me disant qu'elle le souhaitait de tout cœur. J'aimais beaucoup Mila. Elle était belle, gaie, charmante. Elle connaissait ma vie et mes goûts. Je demandai conseil à Jean et à Paul. Le premier me répondit une lettre adorable me disant que mon bonheur était ce qui comptait le plus. Le second ironisait : « Mila n'a pas beaucoup de cheveux, tu as de mauvais yeux : imagine que vous ayez un enfant chauve à lunettes. »

Après les campagnes d'Alsace et de Lorraine, on nous envoya au repos à Châteauroux. L'ennui y régnait. Mila vint me voir. Elle dédicaça mon camion en l'embrassant. Il y resta la marque de son rouge-baiser. Elle écrivit en dessous : Mila. A Paris, je défile avec la division. J'habitais chez Mila.

Avant de repartir pour Châteauroux, je lui dis : « Si c'est ça le mariage, n'en parlons plus. » Je ne pouvais plus aller tout seul acheter un paquet de cigarettes.

J'espérais que ma voix deviendrait plus grave. Je détestais le tabac; j'eus beaucoup de mal à m'y habituer.

16

Jean voulait tourner *La Belle et la Bête*. Il obtint du général Leclerc de me dispenser de ce repos dans l'Indre. Je revins à Paris comme affecté spécial. Toutes les semaines, j'allais signer aux Invalides une feuille attestant ma présence à Paris.

Grand seigneur pour Josette Day qu'il quittait, Pagnol voulait que Jean l'engage dans *La Belle*.

Je dois rappeler qu'un dîner avait été organisé dans ce but chez Lili de Rothschild avant son arrestation par la Gestapo. Cela, bien sûr, avant la Libération. Cette femme élégante, charmante, eut la mort atroce de la chambre à gaz.

Elle n'était pas juive, puisque née Chambrun. Lorsqu'on vint l'arrêter, les policiers français lui laissèrent le temps de s'habiller, insistant pour qu'elle le prenne. Lili devait dîner le soir même avec Charles Trenet. Elle crut qu'elle serait relâchée tout de suite et, au lieu de fuir comme elle l'aurait pu, se laissa emmener. On l'envoya à Dachau. Portant des semelles orthopédiques, au bout de quelques mois elle ne pouvait plus marcher. Un matin, malgré les supplications de ses codétenues, elle refusa de se lever. On l'envoya à la chambre à gaz. Qui nous aurait dit, le soir de ce dîner, que cette merveilleuse femme serait victime d'un pareil drame! A son dîner, il y avait Bérard, Pagnol, Josette Day, Jean, moi. Jean voyait une Josette Day toute bouclée et ne concevait pas « la Belle » en charmante pin-up. Bérard se leva, emmena Josette aux toilettes, lui trempa la tête dans le lavabo, lui tira les cheveux qu'il noua en un petit chignon, et revint, poussant Josette qu'il présenta : « Voici " la Belle "! »

J'avais imaginé une bête à tête de cerf. Je ne pensais qu'à la beauté des bois. Bérard expliqua que ce ne pouvait pas être un herbivore, mais un carnassier. Les cornes, même les magnifiques bois d'un cerf, feraient rire les salles populaires. La bête doit effrayer. Il avait raison.

De mon côté, j'allai chez Pontet, un grand perruquier. Jean et moi, nous l'avons décidé à confectionner le masque. Je lui donnai pour exemple le pelage de Moulouk : « Remarquez, lui dis-je, combien la nature diversifie les coloris du poil... » Pontet comprit parfaitement. Il fit un travail extraordinaire, et mon masque prit une tournure tragiquement réelle. Et voilà que Paulvé, notre producteur, ne voulait plus du film! Il pensait que personne ne s'intéresserait à un acteur déguisé en bête. Jean proposa de faire un essai. Paulvé accepta. Je conseillai de prendre la scène la plus émouvante du film. Jean, comme un débutant, fit cet essai.

La femme du producteur pleura en voyant la projection. Ce fut notre chance. Le film fut accepté.

Auparavant nous avions eu d'autres ennuis. Gaumont devait faire le film. A la lecture du scénario, le directeur de production, M. Bertroux fut renvoyé pour l'avoir accepté. Les contrats furent cassés. Paulvé prit le film. Je lui demandai cinq cent mille francs de plus qu'à mon dernier film pour le punir de n'avoir pas voulu me payer le contrat de *Juliette ou la Clef des songes*. Il me dit que j'étais tombé sur la tête. Je lui demandai alors un pourcentage : je gagnai des millions.

Jean fit engager Mila Parely, Nane Germon, Marcel André, Michel Auclair. Il disait : « Cela ne m'intéresse pas de faire des films; ce qui m'intéresse, c'est de faire " un film ", de mobiliser les forces profondes qui sont le propre de la France et, dans le domaine de l'esprit, la rendent imbattable. » Il disait aussi : « Le surnaturel a ses lois, on ne peut s'y mouvoir en désordre. »

Cent obstacles se dressaient devant la réalisation de ce chef-d'œuvre. Le manque d'électricité nous obligeait à tourner la nuit. Les Labédoyère refusaient leur parc pour les extérieurs du château de la Bête. On trouvait avec difficulté de la pellicule. Mila eut un accident de cheval, une fluxion; moi, un anthrax. Le pire fut la maladie de Jean : depuis des mois, il souffrait de plusieurs affections de la peau. Pendant le film, il eut presque en même temps de l'impétigo, de l'urticaire, de l'eczéma, des furoncles, des anthrax et un phlegmon. Les sunlights le blessaient. Il ne pouvait plus se raser. Il travaillait avec un chapeau sur lequel il fixait avec des épingles à linge un papier noir percé de deux trous pour les yeux. Malgré ses souffrances, il nous dirigeait avec une patience et une courtoisie sans exemple. Mieux, il plaisantait, inventait d'imiter un vieux général gâteux pour nous mettre de bonne humeur. « Un général ne doit jamais se rendre, même à l'évidence », disait-il d'une voix chevrotante. Ou bien : « L'arrière, c'est le front des chefs », ou encore : « L'avantage de la guerre sur le cinéma, c'est qu'on la fait par n'importe quel temps. »

Tout le monde riait et l'appelait « mon général ».

Me voyant souffrir de mon maquillage, il me disait : « Tu vois, le bon

Dieu me punit de t'infliger un supplice. Il me couvre de poils à mon tour. » Ce maquillage durait cinq heures – trois pour le visage, une pour chaque main. Il était fait comme une perruque, chaque poil monté sur tulle, en trois parties que l'on collait. Certaines de mes dents étaient recouvertes de vernis noir afin de paraître pointues; les canines étaient pourvues de crocs tenus par des crochets d'or. Cette bête carnivore ne mangeait que des purées ou des compotes à la table des Labédoyère qui avaient finalement accepté de prêter leur parc, devant leurs enfants ahuris de voir cet étrange animal à leur déjeuner. De peur de décoller mon maquillage, je parlais peu en essayant de ne pas bouger les lèvres, ce qui rendait incompréhensible ce que je voulais dire. D'où ma mauvaise humeur...

Jean avait un très bon assistant, René Clément. Tout en étant merveilleux dans son travail, il ne se serait pas permis de faire plus qu'on n'attendait de lui. Il a souvent dit que Jean lui avait énormément appris, car Jean créait un univers qui n'était pas le sien. Nous étions tous en admiration devant les inventions permanentes de notre metteur en scène. Or, il improvisait la plupart du temps. Attentif, courtois avec tous, du plus petit au plus grand. Tout le monde l'adorait. Où avait-il acquis cette technique? Sur les plateaux du *Lit à colonnes,* du *Pavillon brûle,* de *L'Éternel Retour* certes, il avait observé, s'était appliqué à suivre le montage, avait interrogé l'opérateur, l'ingénieur du son; mais, en définitive, sa technique ne relevait que de lui, de sa poésie innée.

Un jour, le professeur Mondor me téléphona au studio pour me dire que si on n'arrêtait pas le film pour qu'on puisse hospitaliser Jean à Pasteur, celui-ci pouvait mourir d'un empoisonnement du sang en quarante-huit heures. J'étais résolu à me battre pour le décider. Jean était à bout de forces, las. Les larmes lui vinrent aux yeux, il accepta. On le mit dans une cage de verre. On essaya la pénicilline (il n'y en avait pas encore en France) qu'on avait fait venir de New York. Il ne fut pas guéri, mais il fut sauvé de la mort.

Jean ne craignait pas la mort. Au contraire, il la considérait comme une amie qui habitait en lui. Seulement, il voulait finir son film. Il le termina. Son premier soin fut de le montrer à ses machinistes, à ses électriciens, à toute l'équipe. Je connais peu de metteurs en scène ou d'auteurs qui pensent à cela.

Le film eut un énorme succès, mais pas tout de suite. Un succès lent, sans tapage, presque secret.

Les extérieurs de *La Belle et la Bête* m'empêchent d'aller signer ma feuille de présence aux Invalides. Et me voilà déserteur! Lorsque je m'y rends, j'apprends que ma division est repartie pour l'Allemagne. Je suis assez mal reçu dans les bureaux. Comme je veux rejoindre ma compagnie par mes propres moyens, on refuse de me dire où elle se trouve.

« Débrouillez-vous. Pour nous, vous êtes considéré comme déserteur. »
Personne ne s'en est aperçu.
La paix fut bientôt signée. Au retour de la division, on me démobilisa sans histoire.

Jean écrit un de ses plus beaux livres, *La Difficulté d'être*. A sa lecture, je suis bouleversé. Plus j'estime Jean, plus j'ai honte de moi. A cette époque, il vit comme un moine. Il estime qu'à son âge certains échanges ne seraient que turpitude et deviendraient risibles.

La reprise des *Parents terribles,* quelle joie! La petite répétition d'autrefois dans la chambre d'Yvonne de Bray éclate sur scène. Son visage se transforme à mon entrée. Je me jette sur le lit, contre elle, je l'embrasse, je la dorlote. Elle se laisse aller à des mots d'amour, maternels, jaillissants, débordants, qui font craquer le texte. Et moi, je me laisse emporter. J'avais cru, à la création, que mes défauts seuls me servaient; je sens que je joue ce jeune homme mieux que dix ans auparavant : Yvonne était dans mes bras.

Je dois la quitter pour *L'Aigle à deux têtes*. Hébertot ne veut pas m'attendre. Daniel Gélin me remplace dans *Les Parents terribles*. Il y a quelques jours de battement entre les deux pièces. Je vais donc enfin voir jouer *Les Parents terribles,* et avec Yvonne! Me voici dans la salle : le rideau se lève. Marcel André, Gabrielle Dorziat, admirable de vérité. Yvonne entre, hagarde, titubante, bouleversante, quasi morte, comme l'exige le rôle. La salle applaudit. Moi, habitué à l'entendre, je sens qu'il se passe quelque chose. J'ai vu juste. Elle ne peut pas articuler un mot. Yvonne est ivre morte. Le public crie : « Remboursez, remboursez! » On baisse le rideau. Je me précipite dans sa loge. Je trouve Yvonne debout devant une grande glace. Elle se regarde, hébétée, me voit derrière elle. Sans tourner la tête, elle dit : « Je te dégoûte, hein? »

Je pleure. Je la prends dans mes bras. Je ne peux même pas lui en vouloir.

– Je ne peux pas jouer avec lui, dit-elle, je ne veux pas jouer avec lui.
– Yvonne! Il est très bien, Daniel.
– Il sent le lapin, dit-elle.

C'est la mère des *Parents terribles;* c'est ma mère, c'est Rosalie.

Hébertot avait remis son théâtre à neuf pour *L'Aigle à deux têtes*. J'entre dans son bureau pour discuter mon contrat. Il siffle en me voyant :

– Quel beau costume! Combien l'as-tu payé?

– Trente mille francs.

– Je ne pourrai jamais payer un acteur qui paie ses costumes trente mille francs.

– Bien. J'achète votre théâtre.

– Le bail, l'immeuble ou les deux?

– Les deux. (Je n'avais pas un sou...)

– Les deux! C'est que c'est très cher.

– Aucune importance. Il ne me coûtera presque rien. Vous êtes très vieux; je vous l'achète en viager.

C'était dur. Mais il y avait mille vieilles histoires entre nous, ne fût-ce que le dîner Alain Laubreaux, le soir où je le rouai de coups.

Pour moi, le plus important de *L'Aigle à deux têtes,* c'était que pour la première fois depuis *Les Chevaliers de la Table ronde,* j'avais accepté que Jean me mette en scène au théâtre. Eussé-je été toujours docile à ses indications, est-ce que je n'aurais pas couru le risque de devenir une sorte d'automate, d'être incapable d'interpréter une pièce qui ne serait pas dirigée par lui? Au cinéma, tous les comédiens deviennent plus ou moins des rouages. J'avais donc accepté, encore que je n'aie pu m'empêcher de le contredire alors que les autres acteurs, même les plus grands, recueillaient ses conseils avec reconnaissance. Jean en souffrait, mais comprenait que c'était de ma part réflexe vital de défense. A trente ans passés, j'acceptai enfin qu'il me mît en scène, sentant que j'avais désormais la force d'interpréter ses indications.

Nous avons eu la plus grande joie à travailler ensemble. Edwige Feuillère était un exemple d'obéissance, de bonne volonté, de travail, d'élégance, de technique. C'était un bonheur pour moi d'être son partenaire.

Nous avons joué un an à bureaux fermés. Lorsque quelqu'un voulait acheter des places au théâtre, on lui disait : « Il n'y a plus de place, mais je crois que vous en trouverez à l'agence Untel. » L'agence « Untel » appartenait à Hébertot.

Les critiques furent assez dures pour Jean Cocteau, et surtout pour moi. Celle-ci, entre autres : « Quant à Jean Marais, c'est un acrobate, un point c'est tout. » Cela me rappelait : « Quant à Jean Marais, il est beau, un point c'est tout », de ma première générale.

Je devais cette critique à la chute à la renverse dans un escalier qui marquait la fin de la pièce. Il me semble qu'un acrobate répète son numéro. Or, je ne l'ai jamais répété. Aux répétitions, Jean, inquiet, me demandait quand je ferais cette chute. Je lui répondais : « Quand je jouerai. »

Lors d'une des dernières répétitions, je jouai comme si le public était là. Je tombai. Les quelques personnes présentes poussèrent un cri d'effroi. C'était ma première cascade. Je ne m'étais fait aucun mal. Pourquoi?

Parce qu'en fait, ce n'est pas moi qui tombe, mais le personnage que je crois être. Mon corps ne se défendait pas plus que celui d'un mort. Je ne me suis fait mal qu'une seule fois : un soir, où, de guerre lasse, j'avais accepté de tomber « à froid » pour un photographe de *France-Dimanche*.

Je pensais naïvement qu'après la Libération les journaux redeviendraient comme avant la guerre. Hélas! le style des collaborateurs avait laissé des traces. On avait dû constater que la méchanceté payait davantage.

Il est étrange que la méchanceté passe pour intelligence et que la bonté soit confondue avec la bêtise.

Mais les critiques ne m'irritent pas. Il est encore plus difficile de se plaire à soi-même qu'aux autres. On doit être son plus sévère critique. Si un critique est injuste on doit chercher soi-même ce qui serait justice, car s'il s'est trompé, on a certainement commis d'autres fautes qui lui ont échappé.

On jasait beaucoup sur cette chute. Des producteurs me demandent de faire un film d'aventures que Jean Cocteau concevrait. Jean fait un scénario de *Ruy Blas*.

Après la pièce, je pars le tourner en Italie. Décidément, je tourne tous les sujets espagnols en Italie. Venise : on ne peut mieux voir une ville qu'à travers les yeux et le cœur de Jean. Chaque merveille, chaque détail cocasse et singulier se découvre auréolé de sa vision.

A Venise pour nous rendre au studio, il n'y avait que la gondole ou le vaporetto. Nous vivons au rythme vénitien.

Le film me permettait de jouer les deux rôles : Ruy Blas et don César de Bazan, – ce que le théâtre ne permet pas. Les deux personnages se ressemblent comme des jumeaux.

J'eus à lutter avec le metteur en scène Pierre Billon qui refusait que je prenne des risques. J'étais entêté : je restai une fois, plus d'une heure, en haut d'une grande échelle d'où je devais me lancer au bout d'une corde et traverser un vitrail. En réalité, ce devait être un lustre, mais l'élan n'aurait pas été assez violent.

Billon avait fait venir quelqu'un pour me doubler : je fus sur l'échelle avant lui et refusai d'en descendre. Le metteur en scène refusait de tourner. On perdait un temps précieux et cher. Il finit par accepter.

C'est dans ce film aussi que j'ai pris l'habitude de ne pas répéter les scènes dangereuses ou physiquement difficiles. Dans le rôle de don César, j'avais à monter à cheval sans toucher les étriers (ce que les cavaliers font très facilement). Aux répétitions, je n'y arrive pas. On dit : « Moteur! Partez! » J'y arrive. Je compris que j'étais capable, lorsque je tournais, de faire ce que j'étais incapable de faire à froid.

J'employai dorénavant cette méthode qui étonna beaucoup de professionnels.

Dans *Ruy Blas,* je faillis me noyer. Je devais traverser un torrent pour cueillir sur l'autre rive les fleurs que la reine préférait. Ce torrent, nous ne l'avons trouvé qu'en France, à Tignes, avant la construction du barrage. Il fallait me laisser emporter par l'eau bouillonnante et tomber avec trois chutes successives. L'eau était blanche d'écume, glacée, violente à tel point que personne ne pouvait imaginer que je m'y risquerais. (En outre, je déteste l'eau froide.)

Ma décision de ne plus répéter ce genre de scène avait fait engager un pompier qui devait répéter à ma place. Lorsqu'il vit la fureur du torrent, il refusa net. Je tournai donc la scène sans répétition. J'avais imaginé de partir dans les chutes d'eau les pieds les premiers pour ne pas risquer de me fendre le crâne sur les rochers. Mais la résistance, nécessaire à la scène, que j'opposai à la violence de l'eau me fit partir la tête en avant dans la première chute. Je me retrouvai sous des trombes d'eau, coincé dans un trou de rocher, les pieds en l'air, la tête en bas. Personne ne savait où j'étais. La caméra m'avait perdu. Mon premier soin fut de me retourner. D'abord je fus étonné qu'on ne soit pas encore venu me secourir. Je me mis en colère, muette, et pour cause! Je traitai mentalement mon équipe de tous les noms. Cette colère me sauva. Mes forces en furent décuplées. Tout en injuriant les techniciens du film, je m'arcboutais sur les rochers afin de me sortir de là. Le résultat fut qu'on m'aperçut, mais à bout de forces. Je retombai dans mon trou avec des tonnes d'eau sur la tête. Ce que j'ai fait, je peux le refaire, pensai-je. De nouveau, je me sors un peu de l'eau. J'entends des cris : « Ne tirez pas! ne tirez pas! Il a la corde autour du cou. » Je constate alors qu'ils ont jeté une corde à nœud coulant et que je l'ai, en effet, autour du cou. Le poids de l'eau, l'eau qui m'aveugle, m'ont empêché de la voir et de la sentir. C'est le miracle. J'agrippe la corde. On me tire, je sors de l'eau. Et seulement, je sens qu'elle est glacée et moi aussi.

On me déshabille, on me frictionne, on me donne de l'alcool. Je demande une cigarette. Je l'allume et j'entends l'opérateur hurler : « Dites à Jeannot qu'il faut qu'il s'y remette tout de suite parce que le soleil tourne. » Nous étions dans des gorges et n'avions le soleil que pour peu de temps.

Je m'y suis remis trois fois, en prenant bien la précaution de partir dans les chutes par les pieds.

Le soir, dans un bistrot de montagne, on me dit : « Ces gens de cinéma! Ils veulent nous faire croire qu'un gars de chez vous va se baigner dans l'Isère. » Ils restèrent incrédules quand je leur dis que je l'avais fait l'après-midi.

C'est Tignes qui fut noyée plus tard. Je pourrais croire naïvement à une punition, puisque j'ai la fatuité de penser que le mal qu'on me fait est toujours vengé par le destin.

Pendant que l'on tournait *Ruy Blas,* je reçus un coup de téléphone d'Hébertot me demandant de jouer *L'Aigle à deux têtes* à la Fenice pour la Biennale du théâtre à Venise.

– C'est pour Jean et pour la France, me dit Hébertot; il y a trop de frais : on ne peut pas payer les acteurs.

J'accepte. Après le film, je repars pour Venise.

– Qu'allez-vous acheter? me demande Edwige.

– Rien. Je n'ai pas d'argent.

– Je veux dire : qu'est-ce que vous auriez aimé acheter si vous en aviez eu?

Je trouve cela suspect. La veille de notre représentation, on donne à la Fenice *Le Jeune Homme et la Mort,* un très beau ballet de Jean que je n'ai pu voir à Paris, parce que je jouais.

Je demande une place au directeur de la Fenice. Il me la donne. J'y vais. Je suis si mal placé, au « poulailler », que je descends dans la loge royale où je reste debout derrière les gens qui l'occupent après leur en avoir demandé la permission.

Merveilleux ballet où Jean Babilée et Nathalie Philipard sont extraordinaires dans une chorégraphie de Roland Petit. Le lendemain, je vois le directeur de la Biennale et lui dis :

– Si je m'étais fait payer pour jouer ici *L'Aigle à deux têtes,* j'aurais eu de quoi acheter quarante places. Vous auriez pu au moins me placer convenablement.

– Comment? Vous n'êtes pas payé? J'ai donné cinq cent mille francs à M. Hébertot.

– Cinq cent mille francs pour tous les frais de voyage, des décors, des costumes, des acteurs, doivent juste suffire.

– Mais non. Tout cela je le paie, moi. J'ai donné cinq cent mille francs pour les acteurs.

– Bien, c'est tout ce que je voulais savoir.

Je vais trouver Hébertot :

– Alors, tu te mets cinq cent mille francs dans la poche? J'apprends que ni Edwige ni Varenne n'ont accepté de travailler pour rien. Eux, ils ont été payés.

– Eh bien je veux la même somme qu'Edwige que je partagerai avec mes camarades, ou je ne joue pas.

– Eh bien, tu ne joueras pas. Je ferai une annonce pour dire au public que tu refuses de jouer. Tu n'avais qu'à ne pas accepter de jouer pour rien.

Obligé de jouer, je jurai de ne plus remettre les pieds au théâtre Hébertot. J'ai tenu parole. C'est pour cela que la pièce ne fut pas reprise. Sinon, nous aurions fini la nouvelle année en refusant du monde.

En rentrant à Paris, je tourne quelques films. D'abord *Mayerling,* sous la direction de Jean Delannoy. J'y retrouve Dominique Blanchar que j'ai connue enfant. Elle est encore toute jeune : quinze ans. Belle, adorable, pure, le charme d'une petite fille. Je me prends d'une grande amitié pour elle et mes amis le ressentent. Malgré la différence d'âge (j'ai à ce moment plus du double), ils imaginent une idylle et voient un futur mariage. Nous sommes les seuls à ne pas être au courant, Dominique et moi. Les journaux s'emparent de l'affaire. Notre producteur ne songe, lui, qu'à la publicité du film.

Une de nos amies communes m'en parle sérieusement. Je réponds : « J'aime trop Dominique pour souhaiter qu'elle ait un mari tel que moi. » Ce qui était la vérité.

Jean Delannoy voulait refaire un film avec Jean Cocteau et moi. Chaque jour, il vient rue Montpensier pour que Jean écrive un sujet pour Michèle Morgan et moi. Jean n'avait pas envie de faire le film. Il travaillait à un grand et fantastique poème, *La Crucifixion*. Tout autre travail l'aurait dérangé.

Ne sachant que répondre à Delannoy, il regardait droit devant lui. Au mur de velours rouge de sa chambre étaient accrochées toutes les gravures que Delacroix avait faites de *Faust*. Jean raconte *Faust* à Delannoy. Il ne changeait qu'une chose : « Lorsque le docteur Faust, devenu jeune, demande à Marguerite de l'épouser, elle lui répond : " Je ne suis pas libre, j'aime le docteur Faust. " Demandez à Georges Neveux de l'écrire, ajouta-t-il, moi je n'en ai pas la possibilité. »

Delannoy alla trouver Neveux qui écrivit un autre sujet à lui : c'était *Les Yeux du souvenir,* dans lequel je tournai. J'y rencontrai Michèle Morgan. La seule femme que j'aurais pu vraiment aimer d'amour. Je tombais mal. Elle venait de rencontrer son futur mari, Henri Vidal, dont elle était fort éprise.

17

Jean ne pouvait plus travailler rue Montpensier. Trop de coups de téléphone, de sonnette, trop de visiteurs pour moi et pour lui. Il rêve d'une maison. Paul en déniche une à Milly-la-Forêt.

Nous avons tous les trois le coup de foudre. Son style, son porche, ses tours modestes, son allure de presbytère, ses douves, son jardin de curé, le bois et la forêt de Fontainebleau à deux pas.

Nous n'avions pas assez d'argent, ni l'un ni l'autre, mais en nous réunissant et en empruntant nous arrivons à l'acquérir. Comme pour l'achat, Paul nous demande à chacun les mêmes sommes pour l'aménagement. On installe chacun son coin : Jean au premier étage, moi au second; pour le rez-de-chaussée nous collaborons. Jean peut écrire, dessiner; moi, peindre, étudier; Moulouk, se promener.

C'est ensuite le tournage des *Parents terribles*. Jean me dit qu'il ne reste rien d'une interprétation théâtrale et qu'il veut fixer à jamais la nôtre. Il s'oblige à laisser la pièce intégrale, dans un complexe intérieur. Mais son génie en fait une œuvre aussi singulière que *Le Sang d'un poète* parce qu'il dirige la caméra comme il écrit. La pellicule devient son encre.

Il nous surprenait à chaque instant. Le comble fut pour la scène finale. Je suis avec Josette Day au pied du lit d'Yvonne de Bray qui vient de mourir. La caméra qui nous prenait en gros plan recule, recule en travelling et découvre Gabrielle Dorziat, puis Marcel André; elle embrasse peu à peu toute la chambre, tout l'appartement, c'est là-dessus que le mot FIN doit s'inscrire.

Le film terminé, on démolit les décors. Notre émouvante famille se disperse. A la projection, le lendemain, on s'aperçoit que le rail du travelling était mal calé. Dès le début du mouvement, l'image tremble. Producteur, opérateurs, interprètes, nous nous regardons, atterrés. Il faut reconstruire les décors, re-tourner la scène.

– Non, dit Jean. On ne va pas recommencer. Je dirai un texte sur cette image : « Et la roulotte continue son chemin. »

Ce tremblement donnait l'impression que tout l'appartement était une grande roulotte cahotée. Le poète s'empare de l'accident et le métamorphose en poème.

Nous tournons *L'Aigle à deux têtes*. Jean veut laisser une preuve matérielle de l'interprétation des acteurs qu'il aime.

Le film est d'une élégance aussi vraie que raffinée, si singulière qu'elle surprend, d'autant plus qu'il n'y a pas d'assise historique à la pièce.

A la fin du film, tous les assureurs étaient là pour la chute. L'escalier avait plus de trente marches, et l'on craignait que je me blesse. Jean me dit :

– Lorsque tu seras tombé, surtout ne bouge pas avant que j'aie dit : « Coupez. » Il faudrait recommencer.

Je tombe. Jean est si ému qu'il oublie de dire : « Coupez. » Je ne bouge pas. Un silence interminable. Chacun retient sa respiration, surtout moi qui joue le mort. Un cri d'angoisse : « Jean! Tu es blessé? » Il me croyait mort. Je me relève. Je n'ai pas le moindre bleu.

Rue Montpensier, Jean donne l'hospitalité à un ami qu'il veut aider. Le coin de Jean est si étroit que je lui propose l'échange avec le mien, plus grand. Mais il ne veut me gêner en rien et refuse gentiment mon offre.

Je cherche le moyen de rendre sa vie plus confortable. Si je déménage, Jean aura de la peine. Je prends le prétexte que je désire l'air et le soleil, l'appartement de la rue Montpensier n'étant éclairé que par la réverbération du jardin du Palais-Royal puisqu'il donne sous ses arcades. J'imagine qu'une péniche aurait l'air d'un caprice provisoire. Je trouve un petit house-boat que j'installe dans un bras mort de la Seine, à Neuilly. Mon départ n'a pas l'air d'un départ.

Si j'avais eu besoin de publicité, je n'aurais pas pu mieux faire. Tous les journaux ont photographié mon nouveau domicile, et sa décoration fut reproduite même dans les expositions d'antiquaires. Tout acajou et cuivre, même le sol, avec des meubles de bateau du XIXe.

J'aménage la berge en un joli jardin. Un hiver, Coco Chanel me demande de l'inviter à déjeuner. Comment Coco, si éprise de luxe, va-t-elle se trouver dans ma roulotte flottante?

La saison ne se prête pas à un air de fête. J'achète deux cents tulipes chez un fleuriste, coupées, naturellement, et je les pique sur ma berge. Coco Chanel est éblouie. A son départ, les tulipes sont toutes courbées vers la terre.

– Elles vous saluent, dis-je, pour vous dire au revoir.

Coco comprend et rit de bon cœur.

Jean venait souvent sur *Le Nomade*. J'allais aussi rue Montpensier. Il y écrivait une adaptation du *Tramway nommé Désir,* de Tennessee Williams. Je désirais beaucoup jouer ce rôle.

— Colette voudrait que tu joues *Chéri.*

Je l'avais joué pour la radio avec Yvonne de Bray dans le rôle de Léa où elle avait été admirable. L'émission avait eu un grand succès. L'idée était venue à André Brûlé, directeur du théâtre de la Madeleine, de reprendre la pièce.

— Mais, Jean, Colette a toujours pensé que je n'étais pas le personnage.

— Par respect pour un grand écrivain, tu dois aller la voir.

J'y vais. J'avais la chance d'être l'ami de Colette, et qu'elle aime Moulouk. Toujours, dans ses émissions de radio ou dans les livres qui volaient de sa chambre du Palais-Royal à la mienne, comme les feuilles de nos arbres du jardin, j'ai trouvé les signes de sa gentillesse exquise. J'étais donc très embarrassé de refuser de jouer *Chéri.* Je lui rappelai timidement que, jadis, elle ne pouvait imaginer un « chéri » blond et qu'à présent je n'en avais plus l'âge.

De sa merveilleuse voix à la fois tendre et autoritaire elle répliqua :

— C'est moi qui ai écrit *Chéri;* et je sais mieux que personne qui est « chéri » : c'est toi.

Comment ne pas accepter?

J'abandonne *Un Tramway nommé Désir.*

Nous répétons *Chéri.* Le charme de Valentine Tessier, la gentillesse d'André Brûlé, l'étonnante maîtrise de Jean Wall, le metteur en scène, la bonne foi des autres artistes me jettent à l'eau, la tête la première, et je tâche de ressembler au chéri idéal.

Très gros succès. Valentine, extraordinaire, est l'objet de critiques dithyrambiques. Pour ma part, on ne m'accorde que des progrès, comme pour les enfants. Au fond, c'est ce que je souhaite. Je suis fier d'avoir pu, depuis dix ans, faire des progrès. Si je continue, où n'arriverai-je point?

Mieux : si faire des progrès est le privilège de l'enfance, c'est que je suis un vrai acteur puisque l'acteur appartient à la race des enfants. Comme eux, nous passons continuellement des examens.

Pendant *Chéri,* Moulouk tombe malade, le jour de la mort de Marcel Cerdan.

Moulouk est pris d'une toux qui ne ressemble pas à une toux, plutôt à un étouffement, à des râles. J'appelle un vétérinaire que j'attends dans un restaurant à côté du théâtre, et je pleure. J'ai honte de pleurer. Les coudes sur la table, je me cache les yeux. André Brûlé, mon directeur, accourt :

— Jeannot, tu as tant de chagrin pour la mort de Marcel Cerdan?

Ma honte redouble et je bredouille :

– Non. Moulouk va mourir.

Il faut que j'aille dans ma loge. Le vétérinaire m'y rejoint. C'est de l'asthme cardiaque. Pendant deux ans, je ne sortirai plus sans du solucamphre, une seringue, de l'éther, du coton. Moulouk a des syncopes. Où qu'il se trouve, je fais une piqûre. Une fois dans le métro la boîte tombe, la seringue, l'éther et le reste s'éparpillent. Les gens me regardent avec désapprobation. Ils croient sûrement que je me drogue.

Je peux de moins en moins emmener Moulouk dans mes promenades. Je songe à acheter une voiture d'enfant pour l'emmener avec moi. J'imagine alors les reporters, les journaux qui s'empareraient de cette idée. J'y renonce. Il faut un jardin à Moulouk; j'en cherche un; je trouve un terrain à Marnes-la-Coquette. On établit les plans d'une maison, dont on commence aussitôt la construction. Moulouk mourra avant que la maison soit finie.

Un matin, il demande à sortir : on lui ouvre, et il meurt dehors. Toute la matinée, je m'occupe d'une caisse de chêne, d'une caisse en fer galvanisé dans laquelle je mettrai la caisse de chêne pour qu'il n'y ait pas d'infiltration d'eau. Je l'enterre. Jean devait venir déjeuner. Le voilà. Il ne me demande pas de nouvelles de Moulouk. De mon côté, « Moulouk est mort » ne peut pas sortir de ma bouche.

Huit jours plus tard, Jean revient déjeuner. Il me demande cette fois des nouvelles de mon ami. Je lui dis qu'il est mort la dernière fois qu'il est venu. Jean a de la peine que je n'aie rien dit.

Je cache à tout le monde sa mort. J'ai peur qu'on ne m'interviewe à ce sujet. Que dire? De plus, si j'en parlais, je ne pourrais pas empêcher les larmes de couler. Et puis, n'est-ce pas un peu ridicule de parler de Moulouk comme je parlerais d'un être humain? Comme de mon meilleur ami. Non, je mens. C'est Jean, mon meilleur ami. Malgré l'amour que j'avais pour Moulouk, lorsqu'on me lâchait ce lieu commun tant entendu : « Ah! les chiens! on n'a pas de meilleur ami! », je répondais : « Si, moi j'ai un meilleur ami, c'est Jean Cocteau. »

Je suis d'ailleurs curieusement fait. Si pour sauver un être humain, quel qu'il soit, il avait fallu sacrifier Moulouk, je l'aurais sûrement fait, mais j'aurais ensuite haï cette personne-là.

18

Un jeune homme dit à Jean Cocteau : « Ce ne sont plus des acteurs, ce sont des personnages surnaturels, des dieux. »

Le cinéma crée une hypnose de lumière, nous déshumanise. Un jour, je signais des photos dans quelque vente de charité. Je me mouche. Une jeune fille ahurie s'écrie : « Comment, il se mouche? », et s'évanouit.

Jean-Pierre Aumont, revenant d'Amérique où il avait fait une brillante carrière, vient trouver Jean Cocteau. Il lui demande d'écrire un film pour lui et sa femme, Maria Montez. Jean me demande si cela me gêne. Je le rassure. Il signe un contrat avec le producteur de Jean-Pierre, Decharme, qui lui donne une avance à la signature; le reste sera payable à la remise du scénario.

Jean-Pierre repart pour les États-Unis. Jean écrit *Orphée* et me le lit. Cette œuvre renferme toute la mythologie de Jean. Ce scénario était plus qu'un scénario : une œuvre poétique importante. Je le lui dis. Et aussi que j'aimais tant ce film que j'accepterais d'y être figurant. D'ailleurs, il y avait deux rôles : Orphée et Heurtebise. Je pouvais jouer Heurtebise.

Jean ne demandait pas mieux. Il envoie le scénario à Jean-Pierre et lui demande s'il accepterait que je joue le second rôle. Jean-Pierre répond que pour son retour en France cela le gênerait que je joue à ses côtés. Jean m'en parle. Je me résigne avec tristesse à ne pas faire partie de ce que je considérais comme l'œuvre cinématographique de Jean la plus importante.

Mais mon destin travaille.

Jean porte son scénario à M. Decharme qui croit qu'on se moque de lui, que Jean a vite bâclé n'importe quoi pour toucher la seconde partie de la somme. Il ne comprend rien à une œuvre si différente de celles qu'il a l'habitude de lire. Il rompt le contrat et télégraphie à Jean-Pierre qu'il ne fait pas le film.

Jean se désespère. Il est à tel point possédé par son sujet que c'est un drame pour lui de ne pas pouvoir le réaliser. Nous assistons à un tel désespoir que tous ses amis essayent de l'aider. Surtout mon imprésario et amie qui est également le sien. Cette amie, Mme Watier, ne trouve qu'un moyen : que Jean soit son propre producteur, associé aux interprètes avec un producteur délégué qui sera une fois de plus Paulvé.

Tout cela ne se fait pas en un jour. Lorsque Mme Watier (Lulu pour moi) arrive à ses fins, Jean-Pierre Aumont n'est plus libre. On me demande de jouer *Orphée*. J'accepte avec bonheur. Il faut un ange Heurtebise. Je propose Gérard Philipe. Il refuse. Jean demande François Périer.

Pour la Mort, Jean pense successivement à Garbo, Marlène Dietrich, enfin à Maria Casarès.

Encore une fois, la nouvelle équipe s'émerveille de jour en jour des trouvailles du metteur en scène qu'est Jean. Il bouleverse toutes les techniques sans le vouloir, comprend tout, assimile tout. Rien ne lui échappe, il fait construire certains décors de façon que les murs des maisons deviennent le sol et que le sol devienne mur : ainsi notre démarche sera difficile et prendra de la singularité. Ce jour-là, j'ai vu l'équipe technique douter, mais le lendemain, à la projection, hurler son enthousiasme.

Il invente sans cesse pour le miroir où nous devons pénétrer, de nouvelles méthodes. Surtout, il emploie le surnaturel avec économie et lui donne des lois. Bérard est mort avant le début du film pour lequel il a fait des merveilles. Nous ne verrons plus sa barbe, son chapeau, ses costumes débraillés, son chien de toutes les couleurs, ses mains potelées d'enfant qui créaient l'élégance et la beauté.

Une perte irréparable pour nous tous, pour Jean plus que pour tout autre.

Bien entendu, à la sortie du film, on qualifia Jean comme d'habitude de magicien; cela évite de chercher le pourquoi des réussites.

Jean est parti pour Saint-Jean-Cap-Ferrat. Il m'envoie ce poème :

NOËL 1950

Mon Jeannot! mon nomade
Le ciel nous réunisse!
L'avenir est malade
Sous le soleil de Nice

Tâchons d'y vivre ensemble
Sous un ciel guérisseur
La beauté te ressemble
Et la bonté, sa sœur.

Un grand manager de tournées me suggère de former une « Compagnie Jean Marais ». Je choisis sept pièces qui composeront six spectacles : *La Machine infernale, Les Monstres sacrés, Les Parents terribles,* de Jean Cocteau ; *Léocadia,* d'Anouilh ; *Britannicus,* de Racine ; *Huis clos,* de Sartre et *Léonie est en avance,* de Feydeau. Je devais jouer dans chacune de ces pièces, mais finalement je me désiste pour *Léonie est en avance* ainsi que pour *Les Monstres sacrés.*

Nous partons pour l'Égypte et la Turquie. Nous ne pourrons pas jouer au Liban, je ne sais pour quelles raisons. Jean et mes camarades en profitent pour aller à la découverte de toutes les merveilles de notre itinéraire. Le travail me cloue au théâtre. Notre tournée est très brillante grâce à la présence de Jean. Partout il prend la parole et projette sa lumière sur la troupe.

On m'avait dit que, faute d'amener des pin-up, nous n'aurions pas de succès dans ces pays. J'avais beaucoup mieux : de grandes actrices, – Gabrielle Dorziat, Yvonne de Bray, Tania Balachova, Gaby Sylvia. Nous eûmes partout des triomphes.

Jean Cocteau ignorait à tel point la Turquie actuelle qu'avant de s'embarquer il demande à Fernand Lumbroso pourquoi nous allons à Istanbul et pas à Constantinople. A l'arrivée, nous apprenons que toutes les places pour nos représentations sont louées depuis longtemps, sauf pour *Britannicus.* Une troupe l'avait joué avant nous dans une mauvaise mise en scène et avec des acteurs peu consciencieux qui ne savaient pas leur texte. Cela me paraît monstrueux.

Jean sait combien je tiens à ce spectacle. Il demande de faire une conférence le lendemain. Aimant l'écouter, je suis dans la salle. Le rideau rouge est devant le rideau de fer qu'on a oublié de lever. Jean monte sur la scène. Je l'entends dire que le public est un élément, qu'il donne le trac comme la mer le mal de mer...

Les techniciens du théâtre s'aperçoivent que le rideau de fer n'est pas levé, et le déclenchent. Cette manœuvre produit un appel d'air et le rideau rouge s'envole vers la salle, retenu au milieu par le corps de Jean Cocteau. N'importe qui d'autre n'aurait pas échappé au ridicule. Lui, il enchaîne comme si cela est une mise en scène prévue : « La scène est un navire poussé par ses voiles rouges et or sur cet élément et risque la tempête. »

Éclate une tempête... mais d'applaudissements. Puis, Jean parle de la Turquie, de ses villes, de ses campagnes, de sa révolution littéraire, de ses écoles, de ses professeurs, des racines de sa langue empruntées à tous les pays, bref en des termes tels que, sachant qu'il ne connaissait rien de la Turquie la veille, je le crois fou, et une sueur froide m'inonde le visage. Triomphe ! Le public applaudit à tout rompre et lui fait une ovation.

Ensuite, il présente *Britannicus* avec tant de chaleur que je suis obligé de sortir en douce. Des coulisses je l'entends demander à tous les auditeurs, comme un service personnel, de venir au spectacle. Le soir même, tout est loué. A cause de sa conférence.

Après sa conférence, je demande à Jean comment il connaît aussi bien la Turquie. « Ce matin, me répond-il, j'ai demandé à visiter l'université. »

Je n'ai jamais eu d'aussi bonnes critiques. Voilà encore pour un acteur une leçon à tirer des tournées : on est beaucoup plus louangé qu'à Paris, et c'est dangereux d'écouter les compliments. J'échappe à ce danger en m'interdisant de lire les journaux – ce qui étonne souvent mes camarades.

Nous visitons cette ville si belle. On nous recommande de ne jamais rien donner aux petits mendiants. Nous arrivons avec des Cadillac dans un quartier extraordinaire et pauvre. Nous ne sommes pas encore descendus de voiture que des enfants se précipitent en tendant la main; nous faisons la sourde oreille. L'un des petits mendiants est difforme, infirme, tout tordu; il ruisselle de larmes à mon refus. Je me dis : « Et puis merde, tant pis! »... et je lui donne la monnaie que j'ai sur moi. Le gosse éclate de rire et se redresse. C'est un acteur fantastique. Tous les soirs, après le spectacle, je le trouvais à la porte du théâtre et je lui donnais toujours la monnaie qui me restait. Il pouvait avoir une dizaine d'années. Je songeai à l'adopter. On me le déconseilla.

A mon retour à Paris, on me propose de tourner *Chéri,* mais le producteur, M. Dolberg, ne veut pas engager Valentine Tessier dans le rôle de Léa, alors qu'elle y est admirable; il prétend qu'elle est trop âgée pour le rôle. Je demande à Valentine de faire en secret des essais photographiques. Elle y paraît trente-neuf ans, au plus, l'âge du personnage. Je les envoie au producteur. Malgré mes prières, Valentine veut m'accompagner chez M. Dolberg. Nous y allons.

– Avez-vous vu les essais? demandai-je.

– Oui.

– Alors?

– Alors, il n'y a pas que le physique qui compte, il y a le talent. J'ai envie de le gifler, mais je ne veux pas rompre les ponts. J'espère encore. Dolberg s'en va dans son bureau. Je le suis.

– Je fais le film pour rien si vous prenez Valentine, lui dis-je.

Il réplique : « Pas même si tu m'offrais vingt-cinq millions. » J'emmène Valentine en larmes, après avoir refusé de tourner.

Jean écrit un livre sur moi. Ne voulant pas se tromper sur quelques détails de mon enfance, il me demande des notes. Craignant que l'amitié ne lui fasse tracer un portrait trop embelli, je mentionne tous mes défauts. Il transcrira certaines de ces notes en les contredisant. Le livre vaut comme un enseignement : par-dessus Jean Marais, le problème de l'acteur y est traité. C'est pourquoi j'aime ce livre. En outre, j'en suis fier et heureux. Quel extraordinaire cadeau de Jean!

Je participe à un autre film, mis en scène par Yves Allégret : *Les Miracles n'ont lieu qu'une fois*. Alida Valli en est la vedette. Belle, merveilleuse actrice, bonne camarade jusqu'à une certaine scène de baiser dans une voiture décapotée, au-dessus de Florence. Après cette scène que nous recommençons au moins dix fois – cela arrive souvent au cinéma –, Alida continue à être charmante avec tout le monde, mais odieuse avec moi. On me pose des questions; je m'en pose aussi. « Qu'est-ce que tu lui as fait? »... Je cherche et suis incapable de répondre. Un ami me dit : « Elle est amoureuse de toi. » Je dis : « Non, elle aime son mari qui est avec nous, ses enfants... » La situation ne s'arrange pas pendant le reste du film. A la fin, une petite fête est organisée. On danse. Quelqu'un me dit d'inviter Alida.

– Je n'ose pas.

– Invite-la.

Je l'invite et nous dansons. Pendant la danse elle me dit que mon ami ne s'était pas trompé. Comment pouvais-je le deviner?

Lors d'une soirée chez un ami, on joue au jeu de la vérité. Cela m'amène à dîner avec un Anglais : Robin. Ce Robin me propose d'aller ensuite au Lido où danse un de ses amis. J'accepte. Je vois George R... pour la première fois. Il fait partie de la troupe. Robin me conduit dans les coulisses. George est américain, sans accent trop prononcé. Il ne parle pas le français; moi, très mal l'anglais. Il me ressemble, en plus jeune, treize ans de moins. Il est assez froid. Nous repartons, Robin et moi, pour assister à la seconde partie du spectacle. A la fin, Robin prend congé et refuse que je l'accompagne. Je reste seul. Moi, j'ai envie de revoir George. Je le revois. Il décline mon invitation à boire un verre. Je suis très mal élevé – c'est-à-dire que je ne suis pas encore habitué à ce qu'on me refuse quoi que ce soit. D'où mon insistance. Enfin, George accepte de venir dîner chez moi, la semaine suivante, par politesse.

Ce dîner a lieu sur mon house-boat. Mon invité s'amuse de mon anglais, et moi aussi. Il a vu en Amérique deux de mes films, *L'Éternel*

e ne peux jamais décider qu'une toile est terminée. Je la reprends sans cesse..., 1955
oto Michel Cot

Avec ma mère, en Corse. Elle fut charmante. Tout le monde l'adora, car elle était drôle et gaie quand elle n'avait pas besoin de drame. Calvi, 1956 ▷
Photo J.-P. Castelli

Retour et *Carmen,* accompagné par un de ses amis qui l'avait amené là. Il m'avoue que s'il dîne avec moi, c'est à cause de cela.

Malgré ce début laborieux, nous dînons plusieurs fois ensemble. Il n'est pas depuis longtemps en France, mais il a déjà un grand ami français et il a vu beaucoup de spectacles, de ballets, de films. Il a vu *Orphée,* qu'il n'a pas aimé.

Je le raccompagne chaque fois pour qu'il soit à l'heure au Lido. Ensuite, je rentre chez moi.

Un soir, je venais de me coucher. J'entends qu'on m'appelle de la berge. Je regarde. C'est Charles R... Je l'invite; je lui demande s'il est heureux. Il l'est.

– D'ailleurs, tu le connais peut-être. Es-tu allé au Lido?

– C'est George R...?

– Oui.

Je lui raconte mon histoire en même temps que la correction de George vis-à-vis de lui. Qu'il m'avait parlé sans le nommer. J'éviterai désormais de le voir.

– Pourquoi? me demande Charles. Vous vous ressemblez. Ce doit être merveilleux de vous voir ensemble.

Je revois donc George. Un soir que nous dînons sur la péniche, il est pris de douleurs atroces au plexus solaire. J'appelle un médecin. Pas question qu'il danse, ce soir-là, ni sans doute le lendemain. Ce ne sont peut-être que des spasmes nerveux, mais ce peut être aussi quelque chose de plus grave. Le médecin lui interdit de partir, même si je le raccompagne à son hôtel. Il reste chez moi.

Il y restera dix ans.

Je vais jouer *Renaud et Armide* à Rouen, avec Louise Conte. Elle me dit que P.-A. Touchard aimerait que j'entre à nouveau à la Comédie-Française... Est-ce que j'accepterais? Je demande quelques jours de réflexion.

Jean venait d'écrire une nouvelle pièce, *Bacchus.* Avant de l'écrire, il m'avait raconté le sujet. J'étais inquiet de la jeunesse du personnage et le lui avais dit :

– Pense à l'âge que j'ai. Ne m'écris pas un rôle trop jeune.

– Il a vingt-neuf ans, reprit-il.

J'en avais trente-six. Peut-être sur scène pouvais-je en paraître vingt-neuf... Mais lorsque Jean me lut la pièce, bien qu'il y précise l'âge de Bacchus, le rôle tel qu'il était écrit concernait un adolescent de dix-neuf ans. En outre, il souhaitait que le frère de la jeune fille fût joué par Édouard Dermit. J'aimais beaucoup cet ami de Jean, mais pas au théâtre. Dans la tournée au Moyen-Orient, il avait tenu un rôle où je le trouvais insuffisant. Je savais qu'en le regardant travailler aux futures répétitions, je serais obligé de dire ce que je pensais. Je voulais éviter cette situation.

Je demandai donc à Jean ce qu'il pensait de ma rentrée éventuelle au Français. Il me répond : « Le tragédien et le héros se font rares. Tu es les deux, de la même race que Mounet et de Max. Non que tu leur ressembles, mais, comme eux, tu déconformises les rôles. Tu n'aimes que les beaux textes; tu dois entrer dans cette maison. »

Nous ne parlons pas de *Bacchus*. J'imagine que Jean donnera sa pièce au Français; alors je la jouerai. Ou il ne la donnera pas, et je ne pourrai la jouer. Ainsi l'amitié de Jean ne sera pas mise à l'épreuve.

Jean-Louis Barrault monte la pièce de Jean au théâtre Marigny. Après huit jours de répétitions, il demande qu'on remplace Édouard Dermit. On ne pouvait le taxer de parti pris.

Les costumes, les décors de Jean Cocteau sont admirables. La mise en scène de Barrault, parfaite. Jean Desailly, comme moi trop âgé pour le rôle de Bacchus. Il n'a pas non plus le physique idéal du rôle, mais beaucoup de talent, – ce qui compte davantage. Toute l'interprétation est irréprochable. Je tournais à Joinville, et, pour m'empêcher de me rendre au théâtre Marigny, un brouillard épais me barre la route... sans doute pour que je n'assiste pas à la réaction de François Mauriac! J'arrive tout de même à l'heure pour voir *Bacchus*. La pièce est d'une grande hauteur. La foi du cardinal est indiscutable autant que sa volonté de sauver Hans dans la vie éternelle. François Mauriac se leva avant la fin du spectacle en criant au sacrilège et sortit du théâtre.

Jean en eut une peine profonde. M. Mauriac écrivit un article sévère qui prouvait qu'il était venu au spectacle avec des idées préconçues. Jean répondit par un autre article intitulé : « Je t'accuse », intelligent et violent.

Me voici de nouveau au Français. Louise Conte me téléphone. Je vois P.-A. Touchard, l'administrateur de la Comédie-Française. J'accepte d'y rentrer à condition de monter *Britannicus,* de faire la mise en scène, les décors et de jouer Néron pour mes débuts. Il accepte. Je lui demande s'il n'a pas peur d'un scandale (je ne croyais pas si bien dire).

– Je veux un sang nouveau, dit-il.

Assez de situations fausses! Le Français sera une vraie situation. Comment pouvais-je l'imaginer?

Je demande Marie Bell pour le rôle d'Agrippine. « Elle n'a jamais encore joué de rôle de mère, je doute qu'elle accepte », me répond-on. Je compose ma distribution autour d'elle : Renée Faure, Clarion, Roland Alexandre, Jean Chevrier, Louise Conte.

Mon principe directeur est de ne pas faire parler fort, de ne pas hurler les secrets d'État ou d'amour. Je surprends une de mes interprètes dire à son partenaire : « Fais ce qu'il veut. Devant le public tu feras ce que tu voudras. »

L'exactitude ne semble pas de règle dans cette maison. Je suis tout de même assez satisfait de l'ensemble du spectacle. Huit jours avant la générale, je suis appelé dans le bureau de l'administrateur. Jean Meyer et Julien Bertheau sont là, avec P.-A. Touchard.

– Voilà, me dit Bertheau, nous trouvons que ton spectacle n'est pas « Comédie-Française », et que tu dois choisir un superviseur, entre Jean Meyer et moi.

Dans l'instant, je deviens très prétentieux et je réponds :

– Non seulement je trouve mon spectacle « Comédie-Française » mais encore le seul spectacle digne de ce théâtre; je refuse un superviseur. Mais dis-moi, Julien, ne m'as-tu pas dit, il y a quelques années, que j'avais réussi avec *Britannicus* ce que tu avais raté?

– C'est vrai, mais ce n'était pas à la Comédie-Française. Si tu n'acceptes pas notre proposition, ton spectacle ne sera pas joué.

– S'il n'est pas joué, je donnerai ma démission.

Je rentre chez moi. J'appelle Jean qui se trouve à Saint-Jean-Cap-Ferrat. Il est scandalisé et me donne raison. Une demi-heure plus tard, il me rappelle. « J'ai réfléchi : si tu ne joues pas, on dira que ton spectacle était mauvais. C'est donc toi qui auras tort. Il faut que tu joues. Qu'est-ce qu'un superviseur peut faire en huit jours? Rien. Accepte et joue. »

Comment revenir sur ma décision? Heureusement P.-A. Touchard m'appelle. Il est désolé. C'est le Comité qui a décidé de me faire superviser. Si je quitte le Français encore une fois sans jouer, imaginez ce que dira la presse, etc.

Je me fais prier, sachant d'avance que je vais accepter, bien qu'une telle attitude me répugne. M. Touchard me facilitait la tâche. Je finis par accepter et choisis Julien Bertheau comme superviseur.

Jean avait raison. Il ne dérange pas ma mise en scène. Mieux, il m'aide véritablement pour certains interprètes qui mangent trop de pieds, et pour les éclairages dont il a une grande habitude. Le jour de la générale ma cuirasse de fer n'est pas prête. Je suis obligé de mettre celle de Britannicus que je portais aux Bouffes-Parisiens, et qui était en carton très dur. Je boucle mes cheveux que je recouvre comme mes sourcils d'une poudre métallique rouge. Je suis installé dans une loge de sociétaire que j'ai aménagée. Bien sûr, je suis ému par ces débuts au Français. Qui ne le serait pas? J'ai mon habilleuse habituelle et un habilleur du théâtre. Je ne suis que du deuxième acte. J'attends qu'on me prévienne pour descendre en scène. Je suis à l'étage Mars. Je sais que d'entendre jouer mes camarades me donne le trac. Je descendrai donc à la dernière minute. J'ai le temps, avant mon entrée, de demander si tout va bien. On me répond que oui. (Pour ne pas m'effrayer, on n'a pas osé me dire qu'au lever du rideau on avait sifflé mes décors.) Voici mon tour. Ma main entre en scène avant moi. Puis j'écarte le grand rideau rouge : je suis en haut des marches, au centre de la scène, debout, immobile, hué. Le scandale!

A mon engagement, j'avais dit à M. Touchard : « Vous n'avez pas peur que je fasse scandale? » J'avais oublié que c'était possible.

On hurle, on siffle. Maintenant, on applaudit aussi. On crie bravo. Le public se bagarre.

Je n'ai toujours pas ouvert la bouche. Je demeure immobile. Le tumulte est si fort qu'on ne m'entendrait pas parler. Cinq minutes, j'attends que le public se calme.

« N'en doutez point, Burrhus... »

Le public se tait. Mes camarades me regardent en se demandant si j'aurai la force de continuer. Je m'entends parler avec une méchanceté qui me surprend moi-même. C'est la guerre. Je veux gagner cette bataille. Pourtant je ressens le trac des pieds à la tête. Ma jambe droite tremble. Ma cuirasse, mouillée par la sueur, se fend. Le rouge métallique des cheveux coule le long de mon visage. Le maquillage tourne. Les acclamations à ma première sortie sont tout de suite couvertes par des huées et des sifflets. En coulisse, on m'étreint. On me demande si je veux qu'on arrête le spectacle.

– Non, il faut continuer, dis-je.

Le trac s'est emparé de tout mon corps. J'ai mal. Un mal physique qui me torture l'estomac. J'entre. Huées, applaudissements, cris d'encouragement, sifflets. Ce tumulte reprendra à chaque sortie, à chaque entrée. Au quatrième acte, j'entends même une voix qui crie : « Oh! Encore lui! »

Les acteurs, à qui j'avais demandé de parler sur un timbre médium, prennent leur voix de la Comédie-Française de cette époque, c'est-à-dire la poussent au maximum.

Au cinquième acte, mon trac s'amplifie encore. Enfin, le rideau tombe, puis se relève aussitôt. Tonnerre d'applaudissements qui couvre presque les huées et les sifflets.

Une grande partie du public veut me consoler, me soutenir. J'aurai bien besoin de l'être pour remonter les trois étages qui conduisent à ma loge.

George est atterré. C'est la première fois, dit-il, qu'il voit un grand spectacle, et il fait scandale! Jean trouve que je suis un Néron magnifique. Le plus extraordinaire qu'il ait vu. Il est révolté par cette cabale. Mais fier qu'une fois de plus mon destin ressemble au sien.

La loge se remplit. Tous les acteurs viennent me remercier, m'apporter leur estime.

La presse est partagée, comme la salle. Ou je suis « le frère de Racine », ou on devrait me « faire doubler par un bon acteur et m'attacher les bras derrière le dos » *(sic)*. La cabale dure deux mois. Tous les soirs, on manifeste. On parle de la bataille d'Hernani. Résultat : des salles archi-combles. Je m'habitue à la lutte. Un jour, je me propose d'aller devant le rideau avant le spectacle et de demander aux spectateurs de ne pas manifester pour ne pas gêner mes camarades et de leur promettre de saluer une fois tout seul afin qu'ils puissent me huer à volonté.

Je me promets de le faire le lendemain, mais ce jour-là, aucune manifestation! J'en suis si désorienté que je suis mécontent de moi en tant qu'acteur.

Le lendemain, encore un immense chahut. Pendant un mois, régulièrement, un jour sur deux. Comment ne pas croire à une cabale?

Un jour de bagarre, Luchino Visconti vient me voir. Je suis navré qu'il soit justement venu ce jour-là. Il me dit :

– C'est merveilleux, la France. Pouvoir faire scandale avec *Britannicus.*

Bientôt, plus de bagarre du tout.

Cependant, quelques semaines plus tard, Jean Chevrier, qui jouait Burrhus, est sifflé. Aussitôt, deux gardes municipaux emmènent au foyer le jeune homme et la jeune fille qui ont manifesté. Ils sont interrogés en présence de Jean Chevrier et de Marie Bell.

– Vous avez sifflé Jean Chevrier parce que vous l'avez confondu avec Jean Marais?

– Non, parce que nous n'aimons pas Jean Chevrier.

On me raconte l'anecdote.

Après le spectacle, un acteur du Français qui venait d'assister au spectacle, M. de Chambreuil, vient me féliciter et me demande où se trouve Marie Bell. « Si elle n'est pas dans sa loge, elle est peut-être aux douches, j'y vais d'ailleurs maintenant. » Je me dirige vers les douches. M. de Chambreuil me précède. Il y entre avec moi et appelle Marie Bell. Elle est là. Chambreuil, à travers la porte, lui dit son admiration.

Marie ne sait pas que je suis là, et je l'entends dire à M. de Chambreuil : « Tu as vu, on a sifflé Jean Chevrier parce qu'on l'a pris pour Jean Marais. »

Jean me remet une lettre que Roger Martin du Gard lui envoie : « Je vous dois une merveilleuse soirée, mon cher ami. Jean Marais est tout simplement magnifique! Je l'admire depuis ses débuts, et je crois bien l'avoir vu dans tous ses rôles. Pourtant il m'a semblé, hier soir, que je n'avais pas connu jusqu'alors toute l'ampleur de ses dons tragiques, la souveraine noblesse des attitudes, la sûreté du geste, la puissance de la voix. (Certaines intonations, certains moments de fougue, m'ont fait penser à de Max...)

« Alliance extraordinaire de simplicité, d'émotion humaine et de grandeur. Je l'ai tenu deux heures au bout de ma lorgnette, je n'ai pas perdu un frémissement des lèvres, un regard coulé à travers les cils. Je le savais intelligent, cultivé, je le savais artiste jusqu'au bout des ongles : je reste émerveillé néanmoins par la force expressive, la justesse et la variété des nuances.

« Ahurissant de penser à toutes les sottises que certains ont pu écrire sur cette interprétation de héros!...

« Merci encore, cher ami, et bien vôtre. »

« Roger MARTIN DU GARD »

M. Touchard m'appelle :

– Asseyez-vous, me dit-il. Devinez qui vous demande de jouer Xipharès dans *Mithridate?* Yonnel.

(L'administrateur m'avait souvent dit que j'étais pour cet acteur tout ce qu'il détestait au théâtre.)

– Qu'allez-vous faire?

– Accepter.

Cet acteur traditionnel pensait – je ne sais pourquoi – que j'allais jouer les stars et ne pas me plier à ses directives.

Il fut étonné de me trouver toujours le premier aux répétitions, de me voir appliqué à suivre ses indications de metteur en scène. Cela m'était naturel, estimant que si on accepte une direction, il faut obéir. Cet homme, très vite, m'estima et même me donna son amitié.

Le spectacle eut un grand succès. Cette fois je fus accepté et par le public et par les critiques.

Historiquement, c'était la première fois, et ce l'est toujours, qu'un acteur ait fait ses débuts au Français en même temps comme acteur, comme metteur en scène et comme décorateur, – ce qui avait été le cas pour *Britannicus*. Dans *Mithridate,* je m'étais contenté d'interpréter Xipharès. Je retrouvais Annie Ducaux. Je n'avais pourtant pas pu résister à améliorer mon costume.

On m'offre de jouer Roméo. J'explique en vain que je suis trop âgé pour le rôle. C'était vrai, j'avais trente-six ans, mais surtout je n'aimais pas l'adaptation de Sarment; ça, je ne le disais pas.

Je gagnais peu : quatre-vingt mille francs par mois, et depuis plus d'un an je refusais les propositions de films pour me consacrer à la tragédie.

Pour mon imprésario, la « tragédie » était que je devais onze millions aux impôts, et qu'elle ne voyait pas comment, avec mon petit salaire du Français (je gagnais moins que le chef machiniste), j'allais pouvoir me mettre en règle.

On me demande, pour *L'Appel du destin,* de jouer le père de Roberto Benzi. On y met des formes. On a peur que je ne veuille pas jouer un rôle de père. J'accepte au contraire pour cette seule raison, espérant très tôt changer d'emploi. Nous approchons de la période des vacances; aucune gêne donc pour le Français. On m'accorde trois mois de congé.

Je suis sur le départ pour l'Italie où doit se tourner le film. La régie du Français me demande si je ne peux pas reculer mon départ de deux jours pour jouer *Britannicus* en matinée classique le jeudi. D'accord! Je me débrouille avec la production du film. Le jeudi matin, la régie me téléphone encore pour me prévenir qu'il y a une répétition de *Roméo et Juliette* après la matinée. Étonné, je demande si cela est bien nécessaire puisque je pars le lendemain pour trois mois. Ne vaut-il pas mieux grouper les répétitions à mon retour? La régie m'approuve et me laisse libre.

Je joue *Britannicus.* Entre mes scènes, je me repose dans la loge de Rachel qui nous sert de foyer. Julien Bertheau vient m'y trouver, furieux :

– Alors, tu joues les vedettes, tu refuses de répéter *Roméo?*

Je ne suis pas le genre d'acteur qui se concentre une heure avant d'entrer en scène; néanmoins, j'ai besoin de calme et de me sentir bien dans ma peau. Je ne veux donc pas discuter avec Julien. Je le lui dis et lui demande de me laisser.

– Je suis ici chez moi ! s'écrie-t-il. (Il est sociétaire et je ne suis que pensionnaire.)

– Raison de plus, si tu es chez toi, pour me recevoir avec courtoisie. Maintenant tu vas sortir de cette loge, ou je t'en fais sortir de force.

– Il ne sera plus question pour toi de jouer *Roméo.*

– Tant mieux, je n'en ai aucune envie.

Le soir même, j'envoie une lettre de démission à notre administrateur. Je ne me souviens plus des termes exacts, mais c'était à peu près ceci :

« Monsieur l'Administrateur,

« J'avais décidé de rester pensionnaire toute ma vie, mais si j'accepte d'être malmené par une partie du public autant que par une partie de la presse, je ne l'accepte pas d'un sociétaire qui se permet de me traiter avec moins de considération que l'on ne me traitait lorsque j'étais figurant chez Charles Dullin.

« Je vous prie donc d'accepter ma démission, etc. »

Je pars pour l'Italie. Je m'arrête à Saint-Jean-Cap-Ferrat pour embrasser Jean. Je le trouve révolté contre le luxe qui l'entoure. Je connais ces sortes de crises. Je le calme. A peine ai-je franchi la frontière qu'un stoppeur me fait signe. Je m'arrête. « Où allez-vous? » me demande-t-il. – « A Rome. » – « Moi aussi », dit-il. Je suis consterné. Pourquoi ai-je dit que j'allais à Rome? Je vois monter dans ma voiture un être accoutré d'une façon bizarre : une espèce de costume vert avec une large bande noire sur la couture du pantalon effrangé. La veste déchirée et sale comme toute sa personne; aux pieds, des sandales usées par de longues marches. Pas de linge. Quand ses cheveux sont propres, il doit être blond. Pas rasé depuis plusieurs jours. Il est maigre et semble laid. Mon imagination lui invente le pire passé. Je devrai bientôt m'arrêter pour déjeuner. Que ferai-je de lui? Je ne me vois pas l'invitant, même dans la plus simple auberge. Il me raconte qu'il était prisonnier et vient seulement d'être libéré; il rejoint Rome où habite sa famille.

– Cela ne vous serait pas agréable de vous faire raser? lui demandai-je.

– Si, mais je n'ai pas d'argent.

Je m'arrête devant le coiffeur du prochain village après lui avoir donné de quoi payer. Je l'attends à la terrasse d'un bistrot voisin. Là, j'ai envie de fuir. Je ne m'en sens pas le droit. Arrive quelqu'un que je ne connais pas. Ah! le costume vert! C'est lui, méconnaissable. On lui a, en plus de la barbe, coupé et peigné les cheveux. La serviette chaude après rasage a nettoyé le visage. Nous repartons. J'ai peur de le vexer, et presque timidement, je lui demande s'il n'aimerait pas porter du linge frais. J'arrête la voiture en pleine montagne; j'ouvre mes valises et lui donne un pantalon, une chemise et des sandales. Il va peut-être profiter de l'endroit désert pour m'assassiner... Non, nous repartons, et nous faisons halte sans gêne au prochain bon restaurant. Je regarde mon invité que j'ai vu se transformer comme dans un conte de fées. Il est presque beau. A Rome, il ne veut plus me quitter. Il me dit : « Gardez-moi à votre service; je cirerai vos chaussures. » Cela devait lui apparaître comme le comble du dévouement. Je ne pouvais pas le garder.

Je tournai *L'Appel du destin.* Ma joie était de tourner avec Roberto Benzi. J'étais son père dans le film. Rien n'était plus émouvant que de voir cet enfant se métamorphoser en grand chef d'orchestre, puis redevenir enfant sitôt après. Aux premières répétitions, de nombreux musiciens ne croyaient pas à ses dons exceptionnels. Ils lui jouaient des farces. Roberto, aussitôt, frappait le pupitre de sa baguette et criait : « do dièse », ou quelque autre note qu'on ne lui avait pas donnée. Bientôt, tout l'orchestre adorait son chef.

Si j'ai tourné ce film, c'était aussi en espérant qu'on ne me laisserait pas dans mes rôles habituels de jeune premier.

De retour à Paris, je vais trouver l'administrateur de la Comédie-Française. Dans l'escalier, je croise Marie Bell et Fernand Ledoux. Ils me demandent mes projets.

— Comment? Vous n'êtes pas au courant de ma démission?

Dans son bureau, P.-A. Touchard m'accueille avec chaleur :

— Je n'ai parlé à personne de votre démission, j'espère que vous allez revenir sur cette décision.

— Non, Monsieur l'Administrateur. D'ailleurs, c'est trop tard. Je viens d'en parler à Marie Bell et à Fernand Ledoux.

Il faut six mois de préavis. Je dois donc rester encore trois mois. P.-A. Touchard m'apprend que Laurence Olivier m'invite à jouer *Britannicus* dans son théâtre de Londres. Mais comme c'est la Comédie-Française qui est invitée en même temps que moi, je ne pourrai pas y aller si je ne fais plus partie de la troupe. Il me propose alors de renouveler mon contrat pour un an, me promettant de ne pas me faire jouer et de me laisser libre.

Le Comité fait écrire une lettre à Laurence Olivier pour lui dire que je jouais dans deux pièces de Racine, *Britannicus* et *Mithridate,* et qu'on lui conseillait de voir les deux et de choisir. Il vient à Paris et assiste le samedi soir à *Mithridate,* le dimanche en matinée à *Britannicus.*

Peut-être a-t-il été influencé par le public de la matinée. C'était la dernière fois que je devais jouer Néron. Le public me fit une ovation et je ne saluai pas moins d'une quinzaine de fois seul à la fin du spectacle. En outre, on m'envoyait des fleurs de tous les côtés. La place du Français était noire de monde à ma sortie. Cette foule m'entourait. C'était à qui parviendrait jusqu'à moi.

Laurence Olivier regagna Londres en précisant que c'était *Britannicus* qu'il souhaitait.

Certaines lettres furent encore échangées. Finalement, Laurence Olivier envoya un télégramme. Les télégrammes sont toujours brefs, précis. Ils peuvent facilement paraître durs. C'est ce qui se passe. Le télégramme était ainsi conçu : « Si je n'ai pas *Britannicus* avec Marais, ne désire pas inviter Comédie-Française. »

— Mais alors, ce n'est plus le Français qu'on invite! C'est Jean Marais entouré de la Comédie-Française.

Scandale.

Vivian Leigh tombe très gravement malade à Hollywood. Laurence Olivier se rend aussitôt auprès d'elle. La Comédie-Française s'entend directement avec l'Old Vic Theater pour emmener les Comédiens-Français jouer *Britannicus* sans Jean Marais.

19

Cocteau tourne *Le Testament d'Orphée*. Ma participation au film n'est que d'une seule journée pendant laquelle je suis ébloui une fois de plus par tout ce que Jean apporte dans une œuvre.

Je pars avec les tournées Herbert, jouer *La Machine infernale*. Pendant cette tournée, j'apprends la mort d'Yvonne de Bray. Elle jouait *Pour Lucrèce,* de Jean Giraudoux; un jour, elle m'avait dit en riant :

– Imagine ce qu'on me demande : de jouer une pièce de Jean Giraudoux.

– Et alors?

– Je ne peux pas jouer du Giraudoux.

– Tu peux tout jouer, Yvonne. Il faut que tu joues cette pièce.

Elle la joua et fut magistrale. A tel point que dès qu'elle apparaissait, tout le reste devenait médiocre. Il faisait très froid cet hiver-là. Elle est rentrée du théâtre, qui était voisin de chez elle, sans manteau. Elle eut une congestion. Elle est morte sur son lit en lisant un livre.

J'étais anéanti, habité par un chagrin si violent que j'étais surpris de pouvoir souffrir autant. Je ne me rendais absolument pas compte que je pouvais aimer autant Yvonne.

Je n'eus plus qu'une idée : quitter la tournée, voler vers Paris, la voir. Toute la troupe m'en dissuada, arguant qu'Yvonne elle-même voudrait que je reste. « Que feras-tu à Paris? Il vaut mieux que tu ne la voies pas, que tu gardes le souvenir d'une Yvonne vivante. » Je restai.

Le soir à la sortie de scène, mes camarades me disent :

– Quand tu as dit, en parlant de Jocaste : « Elle est morte », tu étais prodigieux.

– Si vous me le dites, répondis-je, parce que vous croyez que j'ai pensé à Yvonne, vous vous trompez. Je n'ai pas une seconde pensé à elle.

Yvonne se réjouissait à l'idée de venir à Marnes. Elle ne le connaîtrait pas, hélas! Mon amie Lulu Watier se désespérait des dépenses que j'y faisais. Pourtant, voyant qu'elle ne pouvait me restreindre, elle me dit beaucoup plus tard : « Toi, pour t'obliger à garder quelque chose, il faut te laisser dépenser. »

Une amie de Jean, Missia Sert, disait : « Les gens qui gardent n'ont rien. On n'est riche que par le gaspillage. » J'avais remarqué très jeune que lorsque je dépensais, il m'arrivait toujours de l'argent, et que lorsque je voulais économiser, il ne m'en arrivait plus. J'avais conservé cette étrange méthode. J'avais, j'ai toujours eu des hauts et des bas dans le domaine financier.

Pendant que je faisais construire Marnes, j'eus un « bas » très angoissant. Lulu en avertit Jean qui, pour me dépanner, proposa de m'acheter mes parts de la maison de Milly-la-Forêt. Il m'offrait quatre millions. Je trouvais la somme un peu mince, mais je sais que l'amitié est en danger lorsqu'il s'agit d'argent. Jean ajoutait, sans doute pour excuser son offre modeste : « Cette maison restera toujours ta maison. »

Je ne voulais pas marchander. Je renversai la situation et lui proposai de lui racheter ses propres parts six millions, étant bien entendu que Milly resterait toujours sa maison. En revanche, s'il m'achetait, lui, mes parts six millions, cet argent servirait à construire Marnes-la-Coquette, qui serait également sa maison.

Pendant que nous débattions de la somme, ma situation avait évolué dans un sens favorable, et mes soucis d'argent s'étaient dissipés. Finalement, Jean reprit mes parts de Milly pour six millions.

Je m'installe à Marnes où il vient souvent. « Ta maison est une maison pensée, me dit-il; bien qu'elle soit neuve, elle a une âme. » Il dit encore devant moi à des amis : « Quand Jeannot fait une maison, cela vous dégoûte des vôtres. »

Je tourne *Dortoir des Grandes :* je parle de ce film parce que j'y rencontre Jeanne Moreau qui interprète un petit rôle. Je suis ému par son talent et par son physique. Je lui demande quel est son rêve au théâtre : « Jouer Élisa dans *Pygmalion.* »

Je lui promets de monter cette pièce pour elle. Albert Willemetz me propose une association aux Bouffes-Parisiens. Je deviens directeur artistique de ce théâtre. Comme fétiche, je veux commencer par une pièce de Jean. Je demande à Jeanne Moreau de jouer le Sphinx dans *La Machine infernale,* en attendant *Pygmalion* que je monterai tout de suite après.

Je prie Elvire Popesco de jouer Jocaste, rôle qui avait été écrit pour elle, mais qu'elle n'avait pas accepté à l'époque. On annonce la pièce pour cinquante représentations : on la joue le double. Elvire et Jeanne sont merveilleuses. Par respect pour Bérard, j'ai repris ses décors. Je fais la mise en scène. Elvire parle un langage beaucoup plus difficile que celui de la pièce. Je le lui fais remarquer. Elle me dit :

– Tu crrrrrois?

– Je te le certifie. C'est pourquoi tu ne te souviens pas du texte. Essaie de dire celui de Jean Cocteau, tu verras comme ce sera plus facile.

Elle essaie : « C'est vrrrrai », me dit-elle.

Aux représentations, Elvire était, chaque soir, applaudie à son entrée. Moi pas. Un jour, j'entre en scène, et je vois les machinistes applaudir, la salle applaudit aussitôt. Je deviens vert de honte. A ma sortie, je demande aux machinistes de ne pas recommencer. Ils me disent : « Elvire nous a demandé d'applaudir à son entrée; on trouve ça injuste de ne pas le faire pour toi. »

Cela me rappelle ma plus grosse déception de théâtre. J'ai dit plus haut que pendant que je jouais *Les Parents terribles* aux Ambassadeurs, j'étais applaudi à toutes mes sorties et au milieu du deuxième acte. J'en étais très fier. Lorsque le jour de Noël des jeunes gens frappent à ma loge : « Nous venons pour les étrennes. » – « Qui êtes-vous? » – « La claque. »

Mon directeur, M. Capgras faisait très bien les choses! Quelle déception! Et quelle situation grotesque! Celle de payer ma claque...

Le rôle du Sphinx est écrit dans un style éblouissant et précis. L'actrice qui le joue est dirigée comme par des rails. A mes indications, Jeanne était réticente. Elle voulait y mettre sa propre personnalité. Je luttai en vain.

Un mois après la générale, elle me dit que j'avais raison. Trop tard : elle était dans d'autres rails, les siens, et ne pouvait plus changer. Elle était malgré tout merveilleuse.

On me propose de tourner *Julietta,* d'après le livre de Louise de Vilmorin. J'adorais le livre; je l'avais lu en avion et riais si fort que les voyageurs se retournaient, étonnés de me voir seul. J'accepte donc le film avec joie.

A la lecture du scénario, je ne souris plus du tout. L'adaptatrice, voulant justifier son contrat, a tout bouleversé! Je vais voir Marc Allégret pour refuser de tourner. Il m'en demande la raison. Je lui lis à haute voix des passages du livre. Les personnes présentes hurlent de rire. « Voilà la raison de mon refus. Tout ce qui est drôle a été supprimé dans votre scénario. »

On me demande si je connais un autre adaptateur, Louise étant absente.

J'appelle Jean dans l'espoir qu'il accepte. Il m'indique un jeune journaliste de talent : Roger Vadim. Ça tombe bien : Vadim est un ami de Marc Allégret.

On n'a pas de Julietta. Il faut une jeune fille de quinze ans, à la fois « sexy » et pure. On n'en trouve pas. A Marnes, j'en parle à George, qui habite avec moi. Il me dit qu'il a vu sur la couverture de *Match* une jeune fille qui correspond à ce que nous cherchons. Un soir, nous allons à une première du Lido. Entre les deux spectacles, le public danse. « Regarde, me dit George, voilà la jeune fille de *Match.* » Je vois Vadim à une autre table, je me précipite : « Regarde Julietta! » Je lui désigne la femme-enfant.

– C'est ma femme, me dit-il, elle s'appelle Brigitte.

– Tu sais qu'on cherche partout Julietta. Tu as une femme qui est exactement le personnage, et tu ne le dis pas!

– Parce qu'elle est ma femme. De toute façon, c'est trop tard, Marc a engagé cet après-midi Dany Robin.

J'en parle à Marc. Peut-être n'est-ce pas trop tard? C'est trop tard, mais il l'engagera pour son prochain film *Futures Vedettes.* La jeune fille s'appelle Brigitte Bardot.

Pour *Futures Vedettes,* Marc Allégret venait me trouver tous les soirs dans les coulisses de *La Machine infernale.* Je ne voulais pas faire le film. Je lui disais que, faisant les décors et jouant le principal rôle d'homme de *Pygmalion,* il m'était difficile de tourner. C'était vrai, mais ce qui est vrai aussi, c'est que je n'aimais pas le film. Et je ne voyais pas Brigitte Bardot en chanteuse wagnérienne... Je finis pourtant par céder.

Comment ai-je pu tenir tous ces engagements à la fois? J'ai dû, en plus, mettre *Pygmalion* en scène! J'avais choisi Jean Wall comme metteur en scène, car je m'étais très bien entendu avec lui dans *Chéri.* Malheureusement, au bout de trois jours, Jeanne Moreau déclara : « Ce sera lui ou moi, je ne peux pas être dirigée par Jean Wall; je ressens toujours le contraire de ce qu'il m'indique. »

– Qui voudrais-tu comme metteur en scène?

– Toi.

Il fallait prendre une décision très rapidement. Au bout de six jours, un contrat est définitif et les dédits coûtent très cher.

Je tiens plus que tout à Jeanne Moreau. Je sacrifie donc Jean Wall et me retrouve metteur en scène improvisé. La mise au point des décors, les essayages des costumes, la mise en scène, le film, apprendre le rôle du professeur Higgins, celui de *Futures Vedettes,* jouer *La Machine infernale* le soir, tourner le film : tout cela en même temps! Je prends une chambre d'hôtel en face du théâtre; j'y dors deux heures par nuit. Un détail important : le professeur Higgins est un puriste de la phonétique; or, à chaque pièce que j'ai jouée jusqu'à maintenant, j'ai été plus que critiqué pour ma voix. C'est donc une gageure. En plus de tout le travail que je me suis donné, je fais des exercices de diction à l'aide d'un crayon entre les dents. Je constate alors que cela me place la voix et supprime la fatigue vocale. A partir de cette générale, on ne parlera plus jamais de ma voix.

Pygmalion remporte un immense succès. Nous jouons devant une salle comble tous les soirs. Jeanne Moreau a un triomphe. Beaucoup de gens vantent ma courtoisie envers elle parce que j'avais fait la mise en scène à son bénéfice et non au mien. Je rétorquais qu'il n'en était rien, que si je l'avais fait c'était dans un but intéressé : je voulais qu'elle ait ce succès et qu'elle devienne grande vedette afin que mon théâtre marche quand je serais obligé de m'absenter. C'était vrai.

George avait quitté le Lido. Il voulait avoir une compagnie à lui.

– Forme-la.

– Mais personne n'engagera une troupe inconnue.

– Fais-la, et je m'arrangerai pour qu'on la connaisse.

Il forme la troupe. J'établis les maquettes des décors et dessine les costumes. On remet la fosse d'orchestre aux Bouffes. J'invite vingt-cinq personnes et surtout des directeurs de music-hall. La salle est comble. Je ne l'avais pas prévu. Je suis obligé de m'improviser ouvreuse et de placer les gens moi-même. Le spectacle ne dure que quarante-cinq minutes. L'objectif de George, c'est Bobino ou l'Olympia, c'est-à-dire n'être qu'un élément de la soirée. Nous présentons ces ballets de bonne heure; il a donc pu demander l'orchestre du Lido.

Le jazz prend tout de suite une sonorité fantastique dans ce petit théâtre merveilleusement conçu. Cela donne un tel ton que dès le lever du rideau on applaudit, et l'enthousiasme augmente jusqu'à l'accord final.

George n'arrêtera plus de signer des engagements. Mon amie Lulu a si bien dressé mon contrat avec les Bouffes-Parisiens que, si la chance continue, je peux me retrouver propriétaire du théâtre. Willemetz prend peur et vend le théâtre. Je suis prioritaire pour l'achat, mais je n'ai pas les fonds nécessaires.

Je suis appelé par le théâtre Sarah-Bernhardt pour jouer *César et Cléopâtre*. On répète déjà depuis un mois et la générale a lieu dans quinze jours. Le rôle me passionne parce qu'il me permet de devancer mon âge.

– Tu ne vas pas te vieillir, s'inquiète André Julien. Si j'ai engagé Jean Marais, ce n'est pas pour que tu deviennes laid et vieux.

– Il faut rendre à César ce qui est à César.

Je lui rends un crâne aux cheveux rares, au nez busqué. De plus, je change ma voix. J'entre, dos au public, parce que je parle au Sphinx qui est au fond de la scène. Le public ne reconnaît pas ma voix. Je me retourne, face à lui, il ne reconnaît pas mon visage. Et j'entends au premier rang un spectateur : « Ce n'est pas Jean Marais qui joue. » Je crois que ce compliment involontaire est celui que j'ai le plus apprécié dans ma carrière.

Georges Neveux m'écrit :

« Cher Jean Marais,

« Vous avez tout réussi, tout, jusqu'à cette tête étonnante que vous avez inventée pour votre personnage. L'humour et la grandeur sont, paraît-il, inconciliables. Vous avez réussi ce tour de force de les réconcilier. Votre César est bien celui de Shaw, mais passant par vous il devient en plus un héros. Oui, c'est extraordinaire. Vous avez fait de votre César un personnage qu'on ne pourra plus jamais oublier. Amitiés. »

Georges NEVEUX »

J'occupe la loge de Sarah Bernhardt. J'ai un peu honte. Je viole un endroit qui devrait être interdit. Son téléphone est encore là. Comme j'aimerais qu'elle m'appelle! Je pense aussi à Dullin qui a violé ce sanctuaire en l'occupant comme moi aujourd'hui. Dullin... que de souvenirs! Je n'ai pas cessé de le vénérer. Je me souviens de ma visite à l'hôpital Lariboisière. Son bonheur de me voir. « Tu es venu, toi! » Dans ces quelques mots il y avait tant de joie, de reconnaissance... J'aimais Charles Dullin comme j'aimais le théâtre, et le théâtre, comme moi, était mutilé par sa mort.

20

Je tourne plusieurs films dont un au Japon, deux en Yougoslavie, un en Corse.

George part pour Hollywood tourner avec les ballets de Roland Petit et Leslie Caron comme vedette de *La Pantoufle de vair*. Il me demande de passer mes vacances là-bas. Si je vais à Hollywood sans autre motif, j'aurai l'air d'aller quêter un contrat. Cela me gêne; mais je pars tout de même. Il faut changer d'avion à New York. Six heures d'attente. A l'escale, les reporters se précipitent sur moi. Non que je sois très connu aux U.S.A. mais les compagnies aériennes donnent les noms des « V.I.P. » Il se trouve qu'il n'y a pas dans l'avion d'autre personnage qui pourrait intéresser la presse. On me pose des questions.

– Vous restez à New York?

– Oui.

– Attendez une minute, nous revenons avec les journalistes.

Je file. Un taxi me conduit dans la ville. Après avoir loué une chambre d'hôtel pour prendre un bain, je me promène, tout à fait inconnu. Seul un Noir semble s'intéresser à moi. Il m'aborde pour me demander si je porte un costume français. Je suis déçu, car je pensais être habillé comme un Américain.

Pour les lignes intérieures, le personnel ne prévient pas de qui se trouve dans l'avion. George m'attend à l'arrivée. Il a loué avec ses camarades une maison dans un quartier simple. A Hollywood, je passe mon temps à faire le ménage, pour tous la cuisine et la vaisselle. Je ne sors pas, sinon pour aller chez Roland Petit qui dispose d'une piscine. Je vais aussi à Salton-Sea et à San Francisco.

Quand je fais le marché, les marchands me posent des questions :

– Français?

– Oui.

– Vous travaillez comme vos camarades à la M.G.M.?

– Non.

– Qu'est-ce que vous faites?
– De la peinture.

George est étonné que les gens du marché portent mes paquets jusqu'à la maison. Ce n'est pas la coutume. Il faut dire que la maison est proche du marché et que je ne pourrais pas me servir de la voiture que George a louée. D'ailleurs, je n'oserais jamais m'en servir, le trafic et les nombreuses bretelles me terrifient; j'aurais peur de m'y perdre.

Survient un télégramme d'Édouard Dermit : Jean est très malade. Je repars précipitamment pour Paris. Une amie de Jean a transformé son hôtel particulier en clinique. L'ascenseur est interdit pour le bruit. Plusieurs infirmières à demeure, des médecins. Jean a été victime d'un infarctus. Je ne peux pas le voir dès mon arrivée. Il me sait à Hollywood et risque d'avoir un choc. Je vis dans l'angoisse.

Enfin, le lendemain je peux le voir. Mon travail sert de prétexte à mon retour. Il est allongé, complètement immobile : il n'a même pas le droit de remuer la tête. Il me sourit : « Ils vont me réintoxiquer, me dit-il, on me fait des piqûres de morphine. » Le médecin me prend à part pour me rassurer. Il m'explique qu'il diminue les doses chaque jour et que bientôt il n'y aura plus une goutte de morphine dans les seringues.

Jean parle, plaisante. Quel courage! Couché, malade, il demeure élégant et noble. Dans ses actes les plus humbles, il reste le poète. Je le lui dis. Il sourit encore : « Ma mère me dit un jour : " Je ne sais pas comment j'ai fait pour mettre au monde un poète, c'est très, très difficile ". »

Le professeur Soulié m'a demandé de l'empêcher de trop parler. Je dois, moi qui ne suis pas bavard, parler afin qu'il n'ait qu'à m'écouter. Je lui parle du Piquey où j'ai vu des lézards – animaux qu'on ne peut jamais approcher – monter sur sa jambe et se laisser caresser la tête avec une badine : « Dans l'île de Samois, quand tu prenais un bain de soleil complètement nu, tu t'étais endormi. Lorsque tu t'es réveillé, un jeune Anglais était debout devant toi. Ton corps était couvert de lézards, de sauterelles, de papillons, et tu avais sur le sexe un livre que le jeune Anglais avait posé par décence. Ce livre qui lui appartenait était ta pièce, *Orphée*. »

Lentement rétabli, Jean partit, sur le conseil du médecin, vers la neige. Il m'envoya un poème :

CARTE POSTALE SOUVENIR

L'alcyon où la neige dort
Où? Cherchez vous-même. Le sais-je?
Nous irons dormir sous la neige
A l'auberge du Chamois d'or.

Le soleil sur les hautes cimes
Veloutait les neiges cruelles
C'est ainsi que nous réussîmes
A voler sans acheter d'ailes.

Ainsi nous nous envolâmes
Ainsi que le froid endormait
Les enveloppes de nos âmes
Jusqu'au crocus du mois de mai.

C'est ainsi que l'alcyon vole
C'est ainsi que la neige fond
C'est ainsi, c'est ainsi que font
Les plumages de ma parole.

George a envie de monter un spectacle de ballets. Je lui conseille de trouver un sujet qui soit raconté par plusieurs ballets très différents les uns des autres. Il est d'accord, mais ne trouve pas de thème. Je lui en suggère un qu'il accepte avec enthousiasme : *L'Apprenti fakir*. Je lui propose de demander à un auteur connu de l'écrire. Puis je pars pour l'Italie tourner *Nuits blanches* avec Visconti. C'est un rôle court, mais quel incomparable bonheur de travailler pour ce grand metteur en scène qui est aussi un ami! Lorsqu'il vient à Paris, il me fait toujours signe. Au cours d'un dîner, il me raconte qu'il cherche un acteur pour son prochain film. Je lui signale des noms, sans résultat.

– Cite-moi une vedette connue qui serait ton personnage, lui dis-je, afin que je me fasse une idée du type d'acteur qu'il te faut.

– Toi, me dit-il.

– Alors pourquoi ne me le demandes-tu pas?

– Parce que c'est un petit rôle.

– Avec toi il n'y a pas de petit rôle. J'accepte.

Pendant que je tourne à Rome, je reçois une lettre de George me demandant de lui raconter par écrit le sujet de *L'Apprenti fakir* avant d'aller le demander à un auteur. Je le griffonne, en mettant entre parenthèses : « Bien sûr, ce que j'écris est très mauvais; trouve quelqu'un de talent pour le faire. »

J'ébauche également des chansons qui doivent expliquer le sujet, avec toujours les mêmes réserves.

Je reviens à Paris. George avait demandé à Jeff Davis – musicien américain de talent – de composer la musique.

– Alors, tu as porté le sujet à quelqu'un?

– Non. Jeff Davis et moi, nous avons trouvé ce que tu as écrit très bon. C'est ce que nous ferons.

– Mais c'est très mauvais! Je ne suis pas un écrivain.

– Jeff a déjà commencé la musique. Ce que tu as écrit est excellent.

– Il faut au moins que je me corrige, que je perfectionne...

Et me voilà malgré moi devenu auteur d'une musical-comedy!

Je pars pour la Yougoslavie tourner un autre film. Je reçois une lettre de George dans laquelle il me demande des détails sur les costumes. Ces costumes étaient difficiles à concevoir parce qu'ils devaient se transformer complètement, devenir d'autres costumes devant le public. Je dessine des maquettes que je lui envoie en lui disant de les confier à un bon décorateur. Je reviens : ils avaient décidé de prendre mes maquettes sans chercher un autre décorateur! De même pour les décors et pour l'affiche. Petit à petit, le spectacle m'incomba entièrement, puisqu'on me demanda aussi d'être le metteur en scène et le commanditaire; et je perdis beaucoup d'argent... Pourtant des salles combles et un grand succès : c'est que je n'ai pas de mesure; je ne suis pas commerçant. L'orchestre comptait cinquante musiciens; les ballets, de nombreux danseurs. On en avait même fait venir spécialement d'Amérique. En outre, les décors et les costumes étaient en nombre exorbitant. J'avais acheté, dans des endroits appropriés, des numéros d'illusionnistes (j'appris ainsi que tout s'achète...).

Bref, même avec des salles pleines, nous étions en déficit. Heureusement, le spectacle ne se prolongea que deux mois. Toutes les critiques étrangères, américaines, allemandes, anglaises, étaient favorables. Les critiques françaises me reprochaient d'avoir fait chanter les danseurs, prétendant qu'ils ne savaient pas chanter. C'était inexact : ils chantaient tous très bien. Je n'en donnerai pour preuve que ma vedette féminine, danseuse professionnelle, Nicole Croisille qui, depuis, ne fait plus que du chant avec un grand succès.

Pendant les répétitions de cette musical-comedy, il m'arriva une étrange aventure.

Rentré à Marnes, Élodie me dit qu'un baron avait téléphoné plusieurs fois.

– Je ne connais pas de baron.

– Le baron de R...

– Je ne connais pas le baron de R...

– C'est, paraît-il, pour une affaire notariée.

– En ce cas, le notaire m'écrira.

Un matin, le baron téléphone. Je suis là, je réponds. Ce baron demande à me voir.

Je lui explique que j'ai beaucoup de travail et que je n'ai vraiment pas de temps disponible. Il me raconte alors une histoire incroyable : son frère vient de mourir. La fille du baron de R... est la seule héritière : il lui lègue un milliard à condition qu'elle m'épouse.

– Quoi? m'écriai-je.

– Mon frère détestait ma fille. Il savait qu'elle n'aimait pas les acteurs et vous en particulier. Il a voulu se moquer d'elle.
– Mais Monsieur, je n'ai pas du tout l'intention de me marier.
– Vous auriez cinq cents millions, vous divorcerez après si vous voulez. Ma fille ne demandera que ça.

J'ai l'impression de vivre un scénario un peu ridicule. Peut-être est-ce une plaisanterie? Pour m'en assurer, j'accepte de rencontrer ce baron entre deux scènes de *L'Apprenti fakir,* le lendemain.

Je raconte l'histoire à mes camarades de travail. Je recevrai le baron dans un bureau séparé des autres par une simple cloison qui ne monte pas jusqu'au plafond.

Mes camarades se placent dans le bureau mitoyen, d'où l'on entend tout.

Le baron arrive; il me présente à sa fille. Lui est une sorte de géant assez élégant, des cheveux gris comme la moustache très bien coupée. Sa fille n'a pas l'air très raffinée malgré son attitude qu'elle veut en vain distinguée et racée.

Il me répète ce qu'il m'a déjà dit au téléphone.
– Mais je ne veux pas me marier avec ce monsieur, dit-elle, très hautaine.
– Rassurez-vous, dis-je. Moi non plus, je ne veux pas me marier.
– Papa, tu me rends ridicule. Partons.

J'assiste, sidéré, à une dispute entre le père et la fille. Le baron va jusqu'à la gifler. Je le prie, plutôt sèchement, de se retirer.

Mes camarades sortent du bureau. Nous rions tous ensemble. Il s'agissait sans doute de quelque escroquerie. L'ennui est de ne pas savoir comment cela aurait fini si je m'étais laissé faire.

« Tu as raison, me dit Alain Nobis qui m'assistait pour la mise en scène, ce baron ressemble à un ancien lieutenant de Stavisky. »

Ces cinq cents millions auraient pourtant bien arrangé mes affaires, car après *L'Apprenti fakir,* j'eus une période difficile, aussi bien dans ma situation financière que dans mon travail.

Le théâtre des Ambassadeurs me propose une pièce de William Gibson, *Deux sur la balançoire*. On demande à Louise de Vilmorin de faire l'adaptation. Comme cette pièce ne comporte que deux personnages, je refuse de faire la mise en scène. J'indique le nom de Luchino Visconti. « Il n'acceptera jamais! » me répond-on.

Il accepte. Peut-être par amitié, peut-être parce que j'avais accepté *Nuits blanches*. Je retrouvai le grand bonheur d'être dirigé par lui : cette fois encore, tout le temps que dura notre travail, j'étais émerveillé par son génie. Annie Girardot, qui avait accepté de jouer le rôle féminin, était aussi enthousiaste que moi. Luchino indiquait aussi bien le rôle d'homme que celui de femme. Il trouvait sans cesse des détails qui nous comblaient. Je le trouvai un acteur fantastique et regrettai presque qu'il ne jouât pas le rôle tant il y était surprenant, tant il incarnait le personnage. Il avait aussi conçu les décors.

Grand succès à la générale, mais les jours suivants la salle n'était pas comble, et la location partait mal. Grâce à Annie Girardot, tout s'arrangea. A propos d'elle, les critiques parlaient de Réjane. A la suite de ces critiques *Match* fit un reportage de trois pages sur Annie, nouvelle Réjane. Le lendemain, la salle était pleine. La location nous rassurait.

Annie était merveilleuse comme actrice et comme camarade. Je n'ai jamais rencontré une actrice plus régulière, moins cabotine qu'elle, respectant toujours la mise en scène et ne cherchant jamais à défavoriser son partenaire. Bien que jouer tous les soirs l'attriste, elle donne son maximum à chaque représentation et avec un talent incomparable.

Je devais dans une scène l'embrasser sauvagement, goulûment, pour qu'elle puisse me dire ensuite : « Il y a combien de temps que vous êtes à jeun? » Cela faisait éclater les rires. A une représentation, nos dents se rencontrèrent et le bruit en fut si fort qu'il y eut un grand silence dans la salle. Annie et moi, nous fûmes un peu inquiets pour nos dents.

Pendant que nous jouions cette pièce, la vie n'était pas tendre pour moi. J'étais dans une mauvaise passe financière. Mon frère tomba très malade. J'avais été voir son médecin : il lui restait six mois à vivre. Je l'installai chez moi. Marnes était l'endroit idéal parce que près de Paris, avec rez-de-chaussée et jardin.

Et George quitta la maison. Je le voyais triste, soucieux, différent. Je lui demandai avec le sourire s'il était amoureux. Il fondit en larmes en me disant que j'avais deviné. Je le pris dans mes bras. Maladroitement, je tâchai de le consoler :

– Pourquoi pleures-tu? C'est merveilleux d'être amoureux, je t'aiderai à être heureux. Si tu étais malade, je te soignerais. Eh bien, je te soigne.

– Mais toi, qui va te soigner?

– Moi, je n'ai besoin de personne. Je suis solide. Cette maison est la tienne, George. Tu peux recevoir qui tu veux.

Il partit tout de même.

Je ressentis un vide atroce. J'avais construit Marnes en m'inspirant du style colonial américain, espérant qu'il s'y plairait. Très travailleur, il apportait dans cette maison beaucoup de vie, de soleil. Je me conduisais avec lui comme un grand frère. Peut-être bien aussi, essayais-je, à mon insu, de me conduire avec lui comme Jean se conduisait avec moi. Mais je n'étais pas Jean, je n'avais ni sa culture ni son intelligence ni son génie.

A la fin des *Chevaliers de la Table ronde,* la première vraie pièce que je jouai de Jean Cocteau, je disais : « Il faut payer, payer, payer. »

Eh bien, je payais peut-être ce que j'avais été dans la vie. Peut-être était-ce la rançon de la peine que j'avais causée à Jean. Je le lui écrivis. Il me répondit que jamais je ne lui avais fait la moindre peine, que si je le désirais il quitterait tout pour me rejoindre. Jean était dans le Midi. Je savais qu'il y terminait un grand travail. Je lui réponds donc que, s'il voulait me faire un bien immense, il vienne habiter un ou deux mois à Marnes, après avoir achevé ce qu'il avait entrepris.

Cela lui est impossible, m'écrit-il.

Je dîne donc avec mon malade, c'est-à-dire mon frère Henri, ma mère et mes nièces. Après le dîner, je regarde seul la télévision. Je ne la vois pas. Je ne l'entends pas. En allant me coucher, je vais dans ma chambre, je ne m'y arrête pas. Je passe dans celle de George, sans raison. Je pense : je ne sortirai pas, ce serait stupide de sortir, je n'en ai aucune envie. Tandis que je le pense : « Je ne sortirai pas », je retourne dans ma chambre et je m'habille. Je sors, je prends la voiture. Elle est décapotée; l'air me fera du bien. Je mets la radio et roule lentement sans but. Je suis à Paris. Jusqu'à la place de la Concorde, je ne pense pas à un endroit précis. Je pense à George. Où est-il? A Cannes. Je souhaite qu'il soit heureux, gai, qu'il s'amuse. Je jure que c'est vrai. Est-ce que je mens à moi-même? Je ne le crois pas et pourtant je suis triste. Je m'interdis de l'être.

Voyons, si à dix-huit ans je m'étais réveillé un matin dans la maison que je possède, cette maison que j'aime, de plain-pied, blanche sur son tapis d'herbe, sa piscine, son atelier de peinture, si j'avais eu cette voiture dans laquelle je roule en ce moment, un nom connu, des rôles, aurais-je été triste? Non... Alors... Alors, je n'ai pas dix-huit ans.

Au coin de la rue Saint-Honoré et de la rue Saint-Roch, je pénètre dans un bar que je connais. Je commande un whisky. Je me sens ridicule d'être là, seul. Je regrette déjà d'être venu. Je veux repartir, mais je ne pars pas. On me regarde curieusement. Finalement, je décide de rentrer à Marnes et de me coucher.

Malgré l'heure tardive, j'appelle Madeleine, une grande amie chez qui habite George. Elle a l'air heureuse de m'entendre. « Je t'appelle pour te souhaiter bonne fête, demain, c'est la Sainte-Madeleine. » Elle me passe George. Notre conversation traîne, il y a de grands silences. Il me redonne Madeleine. Elle me conseille de boire un scotch. George et elle en boiront un de leur côté. Ainsi nous boirons ensemble en pensée. Je promets et je raccroche. J'éteins. Pour m'endormir, je rêve éveillé jusqu'à ce que je puisse rêver endormi.

Mon rêve éveillé est étrange, je n'en suis pas fier. J'en ai même honte. Il relève surtout du cabot. J'imagine que je rappelle Madeleine et lui déclare que pour sa fête je me suicide. J'entends : « Quoi! Qu'est-ce que tu dis? »

– Je m'ouvre les veines pendant que je téléphone.
– Mais tu es fou. George! George!
– J'ai pensé que ce serait amusant de raconter à tes clients sur la plage demain les détails de mon suicide. J'ai mis des vases tout autour de moi, le sang coule dedans. J'entends : « George! George! Jeannot s'est ouvert les veines. Appelle police-secours! Un hôpital de Paris! »

Le vrai téléphone, à ce moment-là, me tire de mes sottises. Ma cuisinière me dit : « C'est Monsieur George. » George m'a rappelé pour me dire qu'ils avaient bu le whisky en pensant à moi.

– Moi aussi.

J'ai oublié de dire qu'avant de me coucher, j'étais allé boire ce whisky.

– Je n'ai pas l'habitude de boire seul; ça m'a fait tout drôle.

Il rit.

J'essaie ensuite de lire. Impossible. Je ne dormirai pas.

Le lendemain, je m'installe dans l'atelier. Je prépare des décors pour une pièce de Robert Lamoureux, ainsi que la mise en scène de *Un rossignol chantait.* C'est la deuxième fois qu'il fait appel à moi et j'ai été touché qu'il insiste.

J'ai découvert une nouvelle méthode pour peindre : je travaille sur plusieurs toiles, c'est-à-dire que je me repose de l'une en travaillant sur l'autre. Mais je ne peux jamais décider qu'une toile est terminée. Je la reprends sans cesse. C'est un défaut, qui ne va pas sans certains avantages : par exemple, cela me permet de me promener, si j'ose dire, tous les jours sur le visage de mes meilleurs amis : Jean et George. Au portrait de George, j'ai ajouté sa chienne, Curane, qu'il m'a laissée. Je lui fais poser sa main sur le col de Curane. Sa main, c'est la mienne.

Je vais en Allemagne recevoir pour la quatrième fois le « Bambi » (Oscar allemand). Je fais traduire le texte de mon allocution pour pouvoir le dire en allemand :

« Le grand honneur que vous me faites m'apparaît comme une preuve de fidélité sans exemple. Car je sais qu'elle s'adresse davantage à la France et à l'amitié qu'à mon mérite, et comme je place la qualité morale d'un artiste très au-dessus de son talent, j'en éprouve une profonde reconnaissance que je vous exprime du fond du cœur et sans réserve. »

Lorsque m'échoit ce genre d'honneur, je constate qu'il est plus difficile de se plaire à soi-même qu'aux autres. Il y a malentendu : nous séduisons la plupart du temps pour des défauts qui, à la longue, forment notre personnalité.

Se trouver imparfait est une chance : si je croyais avoir atteint la perfection, mon métier perdrait son intérêt.

Nous sommes nés beaux ou laids, intelligents ou sots, doués ou pas. Nous n'en sommes pas responsables. La chance de ma vie consiste à essayer de corriger les défauts qui mettent un obstacle entre ce que je voudrais être et ce que je suis. Ma chance est d'avoir aimé le théâtre, de peindre des tableaux qui exigent pendant des mois entiers une attention, et qui m'évitent de rester inactif.

Rosalie n'avait pas cette chance. Que de fois j'y ai songé en le regrettant! Elle n'aurait sans doute pas créé l'aventure, le drame de sa vie. Depuis longtemps, elle n'avait plus la nécessité de « travailler ». Pourtant, lorsqu'elle faisait un cadeau à mon frère, à ma belle-sœur, à mes nièces, à moi, je comprenais à certains signes qu'elle ne les avait pas achetés. Je me taisais devant les autres, mais seul en face d'elle je lui reprochais de n'avoir pas tenu parole. Cela déclenchait de véritables drames qui nous rendaient malheureux, elle et moi. De son côté, elle me reprochait mes amis. Aucun ne trouvait grâce à ses yeux; elle me parlait d'eux en termes inadmissibles, auxquels je devais concéder cependant quelque chose de génial.

Un jour, Jean me dit très sérieusement qu'il voulait épouser Rosalie puis m'adopter. Ainsi, je serais son vrai fils.

– Ne fais jamais une chose pareille, lui dis-je. Quand Rosalie aura l'anneau au doigt, elle sera la Vénus d'Isle. Comme la statue de Mérimée, elle t'écrasera.

Yvonne de Bray était morte depuis deux ans. Sa mère avait déploré auprès de mon habilleuse, qui avait été celle d'Yvonne, que je n'aie pas de photo de sa fille dans ma loge alors que j'en avais d'autres amies. (C'était vrai, connaissant la jalousie de Rosalie, je n'en avais pas mis.)

Mon habilleuse fait un pieux mensonge, elle dit qu'il y en a une sur ma glace, à gauche. Pour ne pas mentir tout à fait, elle en accroche une.

La loge était très loin de la rue. On y accède par des couloirs et un escalier de deux étages. De la rue, j'entends des hurlements. Je reconnais la voix de ma mère. Je monte précipitamment. Elle avait vu la photo d'Yvonne, et Jeanne, mon habilleuse, avait avoué que c'était elle qui l'avait placée là.

– Elle a bien fait, dis-je. Cette photo restera où elle est. C'était lâcheté de ma part de ne pas l'y avoir mise.

– J'irai dans la salle pendant que tu joueras et je crierai au public que de Bray était une ivrogne et une ordure.

– Ce n'est pas une scène de mère que tu me fais, mais de maîtresse.

Il fallait que je m'habille, que je me maquille, que je m'apprête pour la pièce (je jouais *Pygmalion*); l'heure avançait. Je priai ma mère de sortir.

– Tu me chasses?

– Je ne te chasse pas, mais il faut un minimum de calme moral pour jouer. Si j'étais ajusteur dans une usine ou employé de banque, tu ne viendrais pas faire des scandales dans mon usine ou dans mon bureau. Je te demande comme un service de t'en aller.

– Tu me chasses. C'est bien. Tu ne me reverras jamais.

Elle part.

Je joue, ce soir-là, tant bien que mal. A la fin de la pièce, je remonte dans ma loge. On m'appelle au téléphone. Il faut descendre chez la concierge.

– Dites que je suis parti.

– C'est l'hôpital Lariboisière, pour votre mère.

Je vais au téléphone. Un interne me dit de venir tout de suite.

– C'est grave?

– Non, venez.

Je fonce avec ma voiture. Tous les internes m'attendent dans la cour de l'hôpital.

– Rassurez-vous, me disent-ils. On l'a trouvée évanouie sur le quai du métro et on nous l'a amenée. Elle nous a dit être votre mère. D'abord, nous ne l'avons pas crue. Nous avons tout fait : pris le pouls, la tension, fait un électrocardiogramme. Elle n'a rien. Elle nous a dit que vous jouiez aux Bouffes-Parisiens. On vous a appelé. Nous avons cru d'abord à une simulatrice. Mais il n'y a pas de raison. Tout est normal. Vous la ramenez chez elle?

– Oui, je demanderai demain au professeur Soulié de l'examiner.

– Vous savez, ce n'est pas nécessaire; elle n'a rien au cœur.

– Je verrai quand même le professeur Soulié.

Je n'obtins rendez-vous de ce grand professeur que par Jean Cocteau qu'il soignait. Ma mère refusa de s'y rendre.

Une autre fois, je tournais en Corse *S.O.S. Norohna*. Rosalie passait ses vacances à Marnes-la-Coquette. George se trouvait en Amérique. A son retour, il m'appelle à Calvi où je tournais.

– Je t'appelle de la maison du concierge. Ta mère refuse de me laisser entrer.

Je deviens fou. Je rappelle Rosalie et lui demande de laisser entrer George qui est chez lui dans ma maison.

– Bien, me répond-elle. Toi absent, je ne savais pas si je devais le laisser entrer. On ne sait jamais. De toute façon, quoi que je fasse, c'est mal.

– Écoute : tu le laisses entrer; il est chez lui. Tu m'as compris.

(La pauvre femme commençait à mal entendre.)

– Oui. J'ai compris.

– Mais je te demande de ne pas venir en Corse comme nous l'avions décidé. Après ce qui s'est passé aujourd'hui, je serais incapable d'être gentil avec toi.

– C'est entendu, je viendrai.
– Non! je te dis de ne pas venir.
– Je serai là, samedi comme convenu.
Je hurlai dans l'appareil : « Non, ne viens pas. »
– Ne te fais pas de souci, je saurai prendre l'avion toute seule.
– Je te dis non...
Cette fois, elle ne m'a vraiment pas entendu : elle a raccroché. Tout l'hôtel de Calvi est autour de moi, éberlué.

Le samedi, elle arrivait. Là, il n'y avait pas d'amis. Elle fut charmante. Tout le monde l'adora, car elle était drôle et gaie quand elle n'avait pas besoin de drame. Le malheur, la catastrophe étaient son élément. Son vrai bonheur eût été que je sois une épave abandonnée, malade, afin qu'elle puisse me prendre dans ses bras et me soigner, car elle m'adorait. Elle n'était nullement intéressée, bien au contraire. A part l'argent que je lui donnais chaque mois, il me fallait user de ruse pour lui faire un cadeau; tout ce que je lui offrais était trop cher, trop beau. En revanche, lorsque je rapportais un cadeau d'un voyage, elle se montrait heureuse, car c'était la preuve que j'avais pensé à elle. Je lui écrivais presque chaque jour; pourtant, elle trouvait que je n'écrivais pas assez. Elle m'envoyait alors des lettres pleines de reproches auxquelles j'étais obligé de répondre. Elle devait s'imaginer que j'écrivais uniquement pour me défendre, et multipliait les semonces. En fait, tout cela trahissait sa grande solitude. Ma grand-mère était morte, mon frère marié. Elle vivait avec une femme de ménage de son âge à qui elle en faisait voir de toutes les couleurs.

L'appartement de la rue des Petits-Hôtels était devenu indescriptible : les murs sales, les meubles rafistolés par un bricolage de femme âgée, la vaisselle disparate, la plupart du temps ébréchée, la table de la salle à manger perpétuellement couverte de cartons remplis de mes photos de tous les âges, de listes, de comptes, d'enveloppes, de timbres, enfin tout ce qui pouvait servir à répondre à mes admiratrices.

Elle-même y vivait habillée comme une pauvre clocharde. Mais lorsqu'elle sortait après avoir mis des heures à se maquiller inutilement et à se vêtir convenablement, elle redevenait presque élégante, quoique son goût eût bien changé. La femme du dehors et la femme du dedans étaient deux femmes bien différentes. C'était un être double.

Lorsque j'étais enfant, elle me fit promettre de lui dire la vérité s'il devait lui arriver plus tard de mettre un chapeau ridicule. Je m'étais souvenu de cette promesse; et je le lui dis une fois. Elle crut à une méchanceté de ma part et reçut fort mal mes conseils.

Elle aurait voulu que je vienne plus souvent la voir. Mais nous ne pouvions, ni mon frère ni moi, arriver à l'improviste, ni personne d'autre d'ailleurs.

Je lui proposai de changer d'appartement, de trouver un nouvel endroit et de jeter tout ce qui encombrait celui-ci. Cette solution lui parut une folie.

En dehors des vacances, elle venait à Marnes tous les dimanches. La cuisine était son bureau de renseignements. Le personnel lui répétait, avec ma permission, tout ce qui s'y passait. Ils étaient gentils et dévoués pour moi, de vrais amis.

– Que faire quand Mme Marais nous interroge? m'avaient-ils demandé au début.

– Répondre la vérité. Arrangez-vous pour qu'elle ne puisse jamais rien vous reprocher.

Par tactique, en effet, Rosalie essayait d'amener son interlocuteur à lui mentir, ne serait-ce que par politesse, ou à lui faire promettre une chose insignifiante qu'il oublierait de faire, afin de le prendre en défaut.

Pour que je ne soupçonne pas Jacques et Élodie de parler, elle avait inventé une mystérieuse Mme Gendre, qui, soi-disant, habitait son quartier et qui, étant dans mon métier, la renseignait. Je feignais d'y croire, mais cela provoquait souvent des heurts. Les dimanches devenaient de plus en plus pénibles. Certains amis évitaient de venir ce jour-là. Et cependant, je souhaitais que Rosalie vînt habiter Marnes. Jean me disait : « Tel que je te connais, huit jours après l'arrivée de ta mère, tu iras habiter l'hôtel. »

21

Un jour, je reçus une lettre :

« Madame Pierre Mouton,

« avec son souvenir, tient à prévenir M. Jean Marais de l'état de santé de son père qui ne laisse pas d'espoir. Opéré pour la troisième fois d'une tumeur à la prostate, la tumeur a essaimé vers la vessie. Le malade a dû quitter son domicile, 28 rue de la Duché à Cherbourg, et aller en clinique à Équeurdreville pour transfusions sanguines. Il n'est pas au courant de cette démarche. »

D'abord, je ne comprends pas. Au lieu de père, je lis frère (mon frère était très malade). Et puis Cherbourg m'éclaire. Il s'agit bien de mon père.

Le nom de cette Mme Mouton ne me dit rien. Est-ce une parente? Cette lettre dit-elle la vérité?

Je téléphone à la clinique. Je demande M. Marais. J'explique que c'est un malade qui vient d'être opéré de la prostate. On me demande de la part de qui.

– De la part de Jean Marais, son fils.

Il y a un grand silence au bout du fil. On me dit alors que mon père est sorti de la clinique depuis quinze jours.

Quand je m'enquiers de son adresse, nouveau silence. On doit se dire que si je suis vraiment le fils, je dois connaître cette adresse. On me répond qu'on l'ignore. Ce fils, qui téléphone quinze jours trop tard et qui ne connaît pas l'adresse de son père, est suspect. Je raccroche. Peut-être la lettre de cette dame Mouton donne-t-elle la bonne adresse. J'écris :

Cher Père

(Dois-je lui dire « vous » ou « tu »; « cher » convient-il pour un homme qui ne m'a jamais donné signe de vie?)

Je n'ai pas le double de cette lettre, mais voici ce que j'écris à peu près :

« Cher Père,

« Je reçois une lettre d'une dame Mouton qui m'apprend que tu es souffrant. J'ai téléphoné à la clinique d'Equeurdreville, tu en étais parti. J'ai envie de te voir depuis toujours. J'ai essayé, il y a deux ans, de te joindre, sans résultat. Veux-tu que je vienne? (Un lundi de préférence, c'est mon jour de congé.) Je ne ferai ce voyage qu'avec ta permission et si tu le désires. Mon affection sincère. »

« Ton fils, Jean »

Par retour du courrier je reçois cette lettre touchante et belle :

« Mon cher Jean,

« Viens, car je t'attends, moi aussi, depuis des années. Tu trouveras un père bien diminué, tout au moins physiquement. Qu'importe puisqu'en venant le voir dans un mouvement si spontané, tu fais le miracle sur lequel je ne comptais plus. Télégraphie-moi quel lundi tu comptes venir soit dans l'immédiat, soit plus tard, selon tes obligations professionnelles, sans oublier de préciser l'heure de ton arrivée rue de la Duché. Malgré mon état de santé grandement déficient, c'est la joie au cœur que je t'embrasse et te dis à bientôt. »

« Ton père, Alfred MARAIS »

Je ne pouvais croire qu'il ait répondu si vite. Je lis et relis sa lettre. Je la trouve belle, simple, émouvante, précise. Je suis ému. J'envoie le télégramme :

LUNDI 9 SERAI RUE DE LA DUCHÉ 10 HEURES — SUIS TRÈS ÉMU — TON FILS, JEAN.

Samedi, je vais à la gare Saint-Lazare. Cette gare est toute mon enfance. Je m'y sens perdu et familier. Je retiens une couchette pour le train de minuit quinze. Je vais ensuite à l'Olympia où j'ai rendez-vous avec Rosalie. Nous assistons au spectacle.

J'ai l'impression que mon secret sort de moi, que mon visage me trahit. Ma mère ne voit rien, ne devine rien. Je l'ai invitée à voir les ballets de George. Ils sont très beaux, et je suis fier de lui. Rosalie a moins d'enthousiasme. Je la raccompagne et je soupe avec George.

La vie me paraît comme ralentie, et ce lundi très lointain. Je suis calme ou fais semblant de l'être. Je ne sais plus. Lorsque je boucle ma valise le dimanche matin, je me sens nerveux.

J'ai demandé au théâtre de raccourcir les entractes à la représentation du soir, de peur de rater le train. Je me démaquille, je me lave très vite.

George m'avait promis de m'accompagner à la gare. Il se dédit. On appelle un taxi, alors que j'aurais largement le temps d'aller à la gare à pied.

Dans mon compartiment, j'ai un compagnon. Professeur de philosophie au lycée de Cherbourg, il me demande quelles raisons me font aller dans une ville aussi laide et aussi triste. « C'est ma ville natale. » Il s'excuse.

J'arrive à Cherbourg à 6 h 30. Je demande le meilleur hôtel. On m'y conduit. L'Étoile de Normandie est sinistre. Je réveille le veilleur de nuit. Il consent, malgré l'heure matinale, à me servir un thé. Je remplis ma fiche, et il me conduit à ma chambre. Je fais couler le bain. Je me déshabille. Le téléphone sonne. On me demande si je désire une meilleure chambre; on a dû lire ma fiche. Je réponds « non ».

Je sens un changement de ton. Je m'étais bien amusé à mettre « né à Cherbourg » sur le questionnaire.

A huit heures, je suis prêt. Je traîne dans les rues, sur les quais, au port. J'espère que mes pas me conduiront instinctivement sur la place d'Yvette où je suis né. Après une heure de marche, je dois avouer que mon instinct ne m'a pas bien dirigé. Je demande le chemin. Je me trouve soudain devant ma maison natale. Je la reconnais, bien différente de ce qu'elle était dans mon souvenir, plus petite en tout cas. Autour d'elle, la place d'Yvette me paraît plus grande. La maison est triste, sordide, digne d'un film de Carné. On me regarde avec méfiance lorsque je pénètre sous le porche.

Je n'ose aller plus avant. Je quitte cette maison avec regret et je marche jusqu'à dix heures.

On me salue : « Bonjour, Monsieur Marais. » Ce n'est pas l'acteur qu'on salue, mais « M. Marais né à Cherbourg ». Personne ne me demande d'autographe. On enlève son chapeau et on dit : « Bonjour, M. Marais » comme si je n'avais jamais quitté la ville. Je suis des leurs. Quelqu'un me tend la main :

– Vous allez voir votre père?

– Oui.

– Je connais votre père; j'habite la même rue. Il est chez Mme Leroy. Je vais vous conduire.

J'apprends ainsi que mon père ne vit pas seul.

Dix heures. Je sonne à la porte d'une maison simple, sévère. Une dame ouvre :

– Je suis Mme Leroy, la cousine germaine de votre père.

Elle me précède dans un petit salon où elle me fait asseoir, s'assied en face de moi :

– J'ai l'âge de votre mère, soixante-douze ans.

Elle se tient très droite. Jupe noire, corsage à fleurs d'une couleur neutre très discrète, guimpe en même tissu, cheveux ondulés, tirés en chignon. Le visage sans poudre, l'air plus jeune que l'âge qu'elle avoue. Elle me fait penser à la tante Joséphine, qui était en réalité ma grand-tante. Elle me parle tout de suite de mon père :

– Il est très malade. Je suis heureuse que vous soyez venu. S'il arrivait quelque chose de grave à votre père, qu'est-ce que je ferais? Je suis une femme seule, parente éloignée de votre père. Je suis veuve depuis 1939. Votre père, très distrait, ne comprenait rien à la vie matérielle. (Je me retrouve.)

Elle continue : « Il a vendu son cabinet de vétérinaire sans se rendre compte qu'il vendait la maison avec. Il s'est trouvé subitement sans logement. Je lui ai offert mon troisième étage – un appartement mansardé où il vit seul. Il y a quinze jours, il a été forcé de prendre une femme de ménage; pourtant, il n'aime pas qu'on s'occupe de lui ni qu'on travaille pour lui, mais sa maladie l'y a obligé. Vous devriez conseiller à votre père d'entrer dans une clinique ou dans une maison de retraite. Tout à l'heure il va descendre. J'ai fait du feu dans le salon d'à côté pour qu'il n'ait pas froid. Je vous dirai quand vous pourrez y aller. Vous savez, je suis au courant de tout. »

Un silence. Puis elle reprend : « Il ne peut pas manger, et il a toujours soif. Vous allez être impressionné. Il est très maigre. »

Pendant qu'elle parle, je me souviens que ma mère m'a dit qu'il avait une maîtresse avec laquelle il vivait et qu'il avait fait un voyage en Égypte avec elle. Je regarde cette dame, dévouée à mon père par devoir plus que par amour qui, de plus, semble vouloir se débarrasser de lui. Et j'imagine mal que cette femme froide puisse jamais avoir été la maîtresse de quelqu'un.

Elle se lève en disant : « Je vais voir si à présent votre père peut vous recevoir. » Elle ouvre la porte qu'elle laisse ouverte, puis une autre en face du petit salon qu'elle laisse également ouverte. D'où je suis, je n'aperçois que deux pieds. Deux pieds d'une personne assise, le bas de pantalon marron. Un feu de bois.

Mme Leroy revient : « Je vais vous conduire à votre père dans quelques instants », me dit-elle.

Elle referme la porte et se rassoit. Je ne tiens plus. Je demande :

– Il est à côté?

– Oui. A la suite de votre coup de téléphone, il y a quelques années, votre père vous a écrit, mais il n'a jamais eu de réponse. Pendant plus d'un mois, il est descendu à chaque courrier. Il guettait le facteur, espérant une lettre de vous.

Je devine, à l'instant, comment ma mère avait appris que nous avions téléphoné, Henri et moi, à notre père. J'expliquai à Mme Leroy mon étonnement de ne jamais avoir eu un signe de mon père après ce coup de téléphone. A l'époque, j'avais demandé à mon frère si ce n'était pas lui ou quelqu'un de sa famille qui avait bavardé.

Rosalie m'avait fait une scène terrible, pleurant, criant que c'était la pire trahison que je pouvais lui faire en essayant de voir mon père. Or, elle l'avait appris tout simplement en ouvrant la lettre, puisqu'elle s'occupait de mon courrier.

– Je ne peux pas dire cela à mon père?

– Non, me dit-elle (et je sentis qu'elle l'aurait souhaité). Vous êtes, votre frère et vous, ses héritiers. Tâchez de persuader votre père d'aller en clinique.

Elle se lève, va dans la pièce à côté et m'invite à entrer.

Mon père avait-il voulu reprendre son souffle après avoir descendu trois étages, et retrouver son calme, avant de me revoir?

Je me retrouvai dans ses bras avant d'avoir pu le regarder. Nous étions joue contre joue. Il devait avoir du mal à se raser, quelques poils oubliés piquaient. Je ne voyais cette fois qu'une épaule marron. Ma joue se mouillait. Il pleurait, j'étais très ému, je ne pleurais pas. Il continuait à me tenir dans ses bras. Sans doute ne voulait-il pas que je voie ses larmes. Quand verrai-je mon père?

Nous restâmes ainsi quelques minutes. Enfin, on se sépare. Je le vois. Il s'assoit dans un fauteuil, ne cessant de me fixer de ses yeux clairs. Je n'ai jamais vu des yeux aussi bleus, ni si clairs. Cet homme de soixante-dix-huit ans est très beau, très grand : un mètre quatre-vingt-dix. Des cheveux d'une couleur indéfinissable, deux couleurs régulièrement mélangées : blanc et doré. La peau, un peu rouge, surtout aux pommettes, le nez droit plus long et plus fin que le mien, la bouche mince, très rouge, un peu fripée. Très bien habillé d'un costume marron, une cravate marron plus foncé, une chemise d'un blanc impeccable au col empesé, des souliers noirs. Je ne pouvais détacher mon regard de lui.

Nous restons quelques secondes sans rien dire. Puis, nous nous parlons comme si nous ne nous étions pas vus depuis un mois, de mon travail, de ses opérations, de la santé de mon frère.

J'hésite à lui dire la gravité de la maladie d'Henri, mais son regard m'oblige à le faire. Il a un imperceptible tressaillement quand je prononce le mot « cancer ». Je ne crois pas qu'il pense à lui. Il freine rapidement son émotion.

Enfin, on parle de ma mère. Je découvre ainsi une grande noblesse. Pour amener la conversation sur le sujet de la clinique, je lui demande pourquoi il vit seul. Il y a un malentendu, il me répond :

– J'ai donné ma parole à ta mère.

Je le regarde, étonné.

– Le jour où ta mère est partie, elle est allée à la cheminée et, en

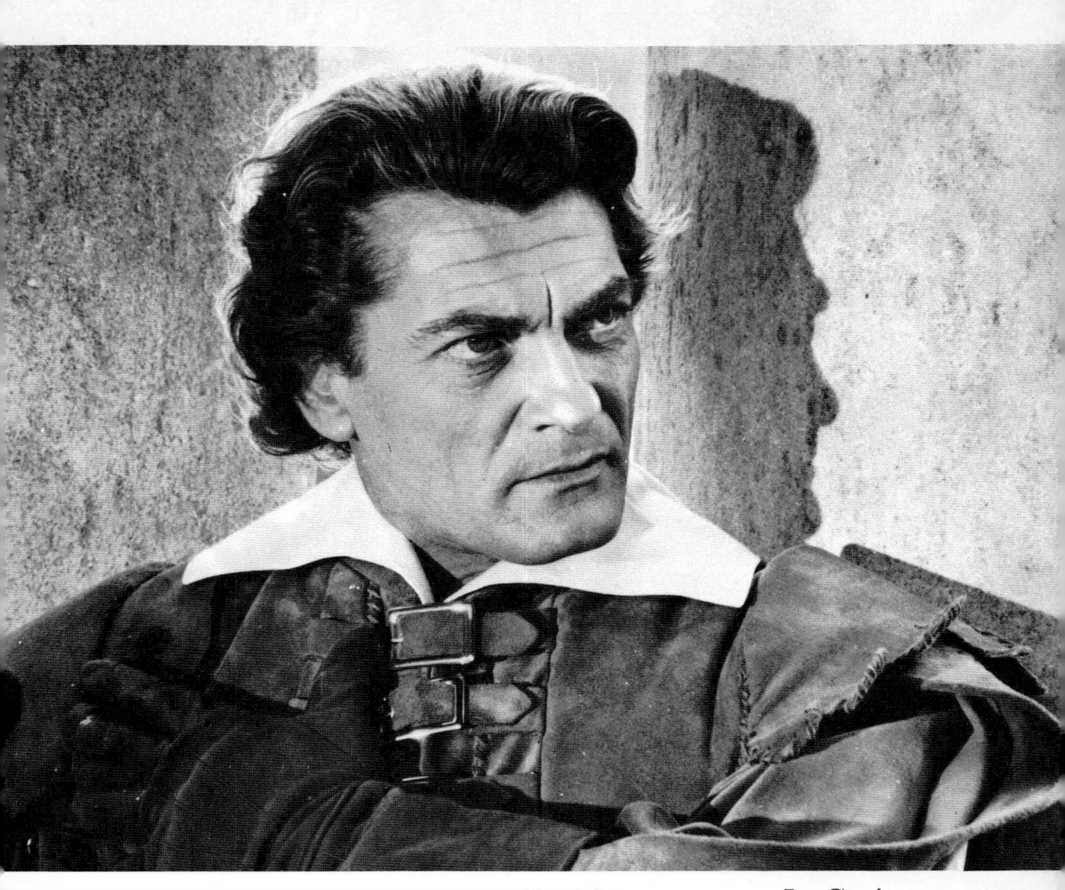

Le Capitan, 1959

Pour garder la forme..., 1961

Photo Ici Paris/M. Begoin

J'ai su attirer la chance... Saurai-je cette fois apporter la chance à cet enfant? Avec Serge, son fils adoptif, sur la Côte d'Azur, 1963
Photo Pierre Manciet

Désormais, je ferai semblant de vivre... Jean Marais, 1964
Photo Christian Hog

prenant ses gants, elle m'a dit : « Je tiens à vous dire que je n'ai rien à vous reprocher. » J'ai répondu : « Et moi, je tiens à vous dire que dans vingt ans, dans trente ans, je serai toujours là et que je vous attendrai. » En outre mes convictions religieuses me l'interdisent.

— Tu es très croyant.

— Oui.

— Tu sais, lui dis-je, n'est-ce pas, que ma mère, avant votre mariage était si croyante qu'elle voulait se faire religieuse. Eh bien, maintenant, elle est athée, et je le déplore.

— C'est sans doute ma faute. Quand j'ai connu ta mère j'étais sous l'influence du milieu étudiant dans lequel j'avais vécu des années. On se croyait supérieur en niant l'existence de Dieu. J'ai dû l'influencer.

Je lus comme un remords dans son regard.

J'aime cet homme qui ne dit pas un mot contre ma mère et qui prend sur lui son reniement.

— Tu n'as pas honte de moi, de ma vie, que je sois acteur?

— Il y a les grands acteurs et les petits.

— Il y a ceux qui ont plus de chance que d'autres, mais nous avons tous la même mentalité.

Il me regarde avec étonnement, avec émotion.

— J'ai, dans une armoire, me dit-il alors, tout ce qu'on a pu écrire sur toi, des articles et des livres. Ce que tu as dit, écrit. Je sais comment tu as vécu, avec qui, ce que tu as joué. Tu es différent des autres parce que tu es fait pour attirer l'amour. Je ne t'ai jamais vu jouer ni au théâtre ni au cinéma. Cela m'eût été insupportable de te voir vivre sur une scène ou sur un écran. Je crois qu'à présent je le pourrais.

Étais-je vraiment le fils de cet homme? Je me suis posé la question quelquefois. Dans mes gestes mêmes, je lui ressemble. Dans ses actes, je me reconnais vraiment en lui. Il a passé sa licence de pilote à soixante ans. Il écrit, n'a aucun sens de l'argent.

— La vie est stupide, dis-je; tu vis seul, maman aussi de son côté, elle n'est pas heureuse.

Il en fut surpris.

— Elle a Paris. Ta mère était gaie, jeune, belle, intelligente, parisienne. Elle ne pouvait pas vivre ici. Elle avait besoin de Paris, c'est pour cela qu'elle est partie.

Je suis allé plusieurs fois à Cherbourg. Un soir que j'en revenais, je trouve Rosalie dans ma loge. Normalement, je vais au théâtre au moins une heure avant le lever du rideau. Elle s'étonne de m'y voir arriver si tard.

— Je viens de Cherbourg.

— De Cherbourg?

– Oui, mon père est très malade. Il est à l'hôpital. Il n'a plus que quelques jours à vivre. Si tu veux que je t'admire et que je t'estime, tu dois venir avec moi. Son plus grand désir est de te revoir.

– Je n'ai pas besoin que tu m'admires ni que tu m'estimes, mais j'irai avec toi.

Le lendemain, nous partons ensemble pour Cherbourg. Bien que je sois fatigué, ma mère ne me laisse pas dormir. Pendant tout le voyage, elle me parle de mon père. Sans tendresse, presque avec haine. Sans doute pour détruire l'impression qu'il m'a faite.

A l'hôpital, j'entre seul. J'ai l'intention de lui annoncer que sa femme est là. La chambre a peut-être vingt-cinq mètres carrés. Pour franchir les cinq mètres qui séparent la porte du lit, ma mère va mettre vingt minutes! Elle avance comme au ralenti vers mon père mourant qui lève les bras pour l'accueillir.

Arrivée au lit, elle avance toujours, mais seulement le haut du corps. Mon père a regardé si elle portait toujours son alliance. Elle la portait. Elle approche son visage si près de celui de mon père que je crois qu'elle va l'embrasser. Mais elle s'arrête à quelques centimètres. Elle le regarde intensément. J'ai une pensée horrible : elle le regarde en espérant qu'il meure sous ses yeux. Il y a quarante ans qu'ils ne se sont pas vus. Elle ouvre la bouche, elle dit :

– Tu me trouves changée?

Malgré le drame, je suis obligé de m'empêcher de rire. Lui, il parle comme un mourant, c'est-à-dire sur le souffle. Elle est sourde. J'ai du mal à comprendre moi-même ce que dit mon père. Alors, je répète ce qu'il m'a dit d'elle depuis huit jours. Il est heureux.

Le lendemain, il était mort.

Je vais seul à l'enterrement entre deux trains.

J'y rencontre deux grands amis de mon père : le docteur Hervé et le Père Albéric. Je leur promets une visite. Je vais de la gare Saint-Lazare au théâtre des Ambassadeurs à pied. Ce n'est pas loin. J'entends sur mon passage un homme dire à sa femme : « Regarde Jean Marais. Il pourrait au moins sourire! »

Ayant si peu connu mon père, je n'ai pas de raison d'avoir un grand chagrin, mais je n'ai pas non plus de raison de sourire. Je m'étonne que le public ne pense pas qu'un acteur puisse être comme tout le monde, – malade, avoir des soucis, des ennuis, des chagrins. Tant pis pour moi : je n'avais qu'à ne pas aimer tant ce métier!

Huit jours après, mon frère meurt chez moi d'un cancer au poumon.

Pour un gala de bienfaisance, j'interprétais *Pierre et le Loup*. Je ne pouvais me décommander. Un critique écrit : « Jean Marais n'était pas assez enjoué » *(sic)*.

Mon frère m'avait dit : « Il a fallu que je sois malade à ce point pour te voir tel que tu es réellement. » En réalité, Rosalie nous séparait; elle voulait nous aimer chacun de notre côté, et pour cela déformait ou inventait les propos de l'un ou de l'autre.

J'avais depuis toujours aidé mon frère. Par nature, il aurait eu tendance à me prouver sa reconnaissance, mais Rosalie ne le souhaitait pas et transformait mon aide en aumône humiliante.

La veille de sa mort, il était visible qu'Henri allait très mal. Rosalie le fatiguait de ses conseils et de ses reproches. N'en pouvant plus, il lui demanda de le laisser se reposer.

Elle partit furieuse. Je la rattrapai. « Ce n'est pas le moment de partir », lui dis-je. Je croyais qu'Henri ne passerait pas la nuit, mais ne pouvais le lui dire.

– Non, me répondit-elle, puisque Henri ne veut pas de moi, je pars.

Je ne pus l'empêcher.

Dans la nuit, il mourut. Je téléphone à Rosalie pour lui dire qu'Henri est très mal. Elle arrive. Je l'attends devant la porte. Au bout de la grande allée, elle cause avec Jeanne, mon habilleuse, qui habite la maison de gardien. Je crois que Jeanne lui apprend la mort de mon frère. J'accueille donc ma mère comme si elle était au courant du drame. Mais non, Rosalie ne comprend pas du tout la situation, puis, soudain s'en rend compte : alors elle insulte Dieu comme s'il était en face d'elle.

Pour insulter Dieu, ne faut-il pas y croire?

Un mois plus tard environ, un journaliste veut me voir. Il est à la porte. Pourquoi? Je ne tourne pas, donc ce n'est pas pour une question d'actualité. Veut-il m'interroger sur un potin de toutes pièces que j'ai entendu : J'aurais fait un enfant à une jeune fille bretonne.

Je le connais. Il appartient à la rédaction de *France-Dimanche,* – un garçon sympathique.

– Je suis ton cousin, me dit-il.

– Mon cousin?

– Oui. Eugène Houdaille était mon oncle, et c'était ton vrai père.

Eugène Houdaille, mon parrain, mon faux oncle. Ce journaliste ne peut connaître ce nom que s'il sait quelque chose.

– Mais ce n'est pas possible! Je viens de voir mon père, je lui ressemble. Je me suis reconnu en lui.

– Mais, Madeleine Houdaille, de quinze ans plus âgée que toi, te ressemble aussi. Quand elle était jeune, elle a entendu une conversation d'Eugène Houdaille apprenant ta naissance et montrant sa joie d'avoir un fils, toi. Eugène Houdaille adorait ta mère; ta mère l'adorait. Il y avait entre eux un merveilleux et grand amour. Lui avait décidé de divorcer pour épouser ta mère. Pour le retrouver à Salonique, pendant la guerre, où une femme française n'avait pas le droit d'aller, elle est partie avec un convoi de prostituées. Eugène Houdaille dépendait du ministère de l'Intérieur. Ce ministère, à l'époque, exigeait une vie privée sans reproche de la part de ses collaborateurs. Les chefs d'Houdaille menaçaient de faire arrêter ta mère comme espionne et de le révoquer, lui, s'il divorçait. Ta mère n'a pas voulu que son amant ait sa carrière brisée, et elle le quitta.

Est-ce que toute ma vie ressemblera à un mauvais livre de gare? Je déjeune avec ma mère, demain. Je l'interrogerai, et en effet, je l'interroge après lui avoir raconté l'histoire.

– Suis-je ou non le fils d'Eugène Houdaille?

Elle me regarde avec hauteur, souriante, triomphante :

– Bien sûr que oui. C'est pour cela que j'ai bien ri quand tu m'as emmenée à Cherbourg. Alfred ne pouvait pas avoir d'enfants.

– Henri n'est pas non plus son fils?

– Non.

Il y avait une telle joie dans ses yeux, dans le ton, que je me demandais si elle disait la vérité. Peut-être était-ce un moyen de détruire le souvenir de mon père, M. Marais.

Je cherchai à voir le docteur Hervé. J'apprends qu'il m'avait rencontré à Dinard pendant que je tournais *Le Guérisseur,* un peu avant le coup de téléphone raté que j'avais eu avec le successeur de mon père. Il chercha à nous rapprocher et m'envoya une lettre à laquelle je répondis par une autre qui rompait tous les ponts. Je lui dis que ce devait être ma mère qui avait répondu avec mon écriture qu'elle imitait parfaitement ainsi que ma signature, que je n'avais jamais eu cette lettre.

Il me montra les deux lettres : la sienne :

« Monsieur, j'ai eu le plaisir de vous rencontrer l'année dernière à Dinard lorsque vous tourniez une scène du *Guérisseur,* à l'hôtel Printanier.

« Je m'étais fait une joie de parler avec vous de votre père qui fut pour moi un excellent camarade en 1914-1915. Il y avait d'ailleurs fort peu de temps que je connaissais votre parenté.

« Vous m'avez parlé de votre situation respective avec une délicatesse qui m'a touché.

« A mon retour à Paris j'ai trouvé une lettre de votre père. J'ai éprouvé une grande tristesse en pénétrant le drame intime dont il cache l'intensité et dont il n'a probablement pas autant parlé qu'avec moi.

« Sans m'introduire dans les détails de ses souvenirs, votre père m'a montré quelques papiers et photos. Votre portrait dans un rôle de cinéma se voyait alors sur les murs de votre ville natale et il le regardait en dissimulant son émotion.

« Je me suis fait violence pour ne pas vous écrire plus tôt, voulant respecter la personnalité de votre père.

« Vous avez interprété avec grand succès des situations dramatiques. Celle-ci est plus poignante, et je souhaite que vous envisagiez d'y apporter un dénouement digne et heureux.

« J'espère ne pas vous avoir importuné en vous mettant en face d'une situation très sombre que vous pouvez éclairer, ne serait-ce que d'un rayon fugitif. Vous êtes célèbre, et à juste titre. Il ne convient pas que cette célébrité puisse paraître le mobile d'un rapprochement.

« Vous avez un frère et il compte comme vous dans les souvenirs et les regrets paternels.

« Mais il se fait vieux. Il est seul et même volontairement seul.

« Je vous prie d'agréer... »

Et voici ma lettre, enfin, celle que ma mère a écrite de mon écriture, en signant Jean MARAIS :

« Monsieur,

« Bien que ne disposant que de très peu de temps, je ne veux pas vous faire attendre une réponse que vous paraissez impatient de connaître.

« Je vous remercie de votre aimable lettre et des intentions bienveillantes qui la dominent, mais j'estime que les drames familiaux et les luttes intestines ne relèvent uniquement que des intéressés. Jamais d'intermédiaires qui ne sont que des confidents complaisants et partiaux de la partie qu'ils confessent.

« Comme vous le dites, je suis à présent connu, mais tant que je n'ai été qu'un modeste inconnu, personne n'a désiré me soutenir, m'encourager pécuniairement ou moralement.

« Qui m'a aimé, instruit et sauvé pendant ces quarante ans? Dans notre métier, nous interprétons en effet tous les personnages, mais nous côtoyons aussi toute sorte de monde et jamais nous ne nous mêlons de leur donner des conseils ou de forcer leur intimité. Chez les acteurs, c'est une règle absolue.

« L'expérience, souvent douloureusement acquise, nous a appris que, chacun dans la vie, suit son destin, n'y échappe pas et fait ce qu'il peut pour garder sa personnalité.

« Ce préambule un peu long vous aura sûrement fait comprendre à quel point j'ai été surpris des conseils contenus dans votre longue missive tapée à la machine, vous, un étranger pour moi!

« Lorsque vous m'avez abordé à Dinard, je vous ai répondu aimablement comme je le fais pour chacun de mes interpellateurs. Mais s'il fallait que chacun veuille ensuite me dicter ma conduite, il me faudrait aller vivre dans une île du Pacifique pour avoir la paix!

« Me suis-je mêlé, moi, de vos affaires? Même si l'on m'avait bâti sur votre vie les scénarios les plus invraisemblables, j'aurais eu à cœur que vous ne vous en aperceviez pas.

« De ma part, ce n'eût été que décence et élégance. Tout le monde n'a pas le même sens de la beauté morale, je le regrette.

« J'espère, Monsieur, que je n'aurai plus l'honneur de vous lire et je vous demande même, si vous me rencontrez à nouveau, de ne pas m'aborder.

« C'est tout le service que j'attends de votre souvenir attristé. »

« Jean MARAIS »

Le docteur Hervé ne put me donner aucun autre renseignement.

Pour continuer de vivre mon mauvais feuilleton de gare, je me rends à la Trappe de Bricquebec y rencontrer le Père Albéric.

Le frère qui m'ouvre la porte respire le bonheur. Je suis, je ne sais pas pourquoi, surpris de lire la gaîté sur son visage barbu et sympathique. Comment pourrait-il en être autrement? Croire en Dieu, l'aimer, le servir est un immense privilège. Comment avais-je pu imaginer une Trappe triste? Le bonheur n'est-il pas de vivre en équilibre avec soi-même et d'aimer. A chaque pas, je découvre l'amour. Chaque détail du jardin le prouve. La propreté, l'élégance de l'abbaye ne sont pas des marques du confort, mais celles des soins donnés à la maison de Dieu par amour. La maison de Dieu.

Le Père Albéric me reçoit avec un bon sourire. Il est beau parce qu'il est serein, ouvert, naturel. Son intelligence brillante est modeste. Nous déjeunons dans son bureau qui, sans aucune décoration, respire la distinction. Une boucle se boucle : jadis il a connu Picasso, Max Jacob, Jean Cocteau. Il ne me parle pas de religion. Je le mets tout de même au courant de l'étrange croyant que je suis. D'ailleurs, suis-je croyant? Il est impossible de vivre comme j'ai vécu et de l'être. Je me défends d'être superstitieux. Je me le suis interdit une fois pour toutes. Pourtant, je crains que ce que je nomme croyance ne soit qu'une sorte de naïve superstition. Si j'aimais Dieu, je le lui prouverais par mes actes. Or, mes actes me contredisent. Je le sais. C'est pourquoi je demande à Dieu de me donner la foi.

Maritain a écrit : « Dieu pardonne tout dès que le cœur se repent. » Encore faut-il être apte au repentir, avoir le don de se juger, de voir clair – bref, d'avoir la foi. J'ai le don de me juger, pas celui de me repentir. Si j'en étais capable, je ne ferais pas de partage. Je ne m'occuperais plus que de Dieu. Encore, j'hésiterais. Ne serait-ce pas trop facile d'avoir tant attendu et ne serait-ce pas plus juste de ne pas recevoir la foi afin de n'être pas sauvé? Il ne m'appartient pas d'en juger.

J'interroge le Père Albéric sur mon père. Il me dit qu'il n'oubliera jamais sa délicatesse dont l'amitié restera un honneur de sa vie. Qu'il venait souvent faire des retraites et que la porte de l'abbaye me sera toujours comme à mon père, grande ouverte.

Mais je n'apprends rien au sujet de la séparation de mes parents. Je ne connaîtrai donc jamais leur véritable histoire. J'en suis privé comme si j'avais perdu un livre à suspense avant d'en connaître la fin.

Je revois encore l'ami de mon père, le docteur Hervé. Un homme droit, franc, honnête. C'est lui qui m'avait remis la lettre que Rosalie avait écrite à ma place, en signant Jean Marais, après avoir imité mon écriture. Il me dit que l'histoire publiée dans *Mes quatre vérités,* sur la gifle que m'aurait donnée mon père et qui aurait été la cause de la séparation de mes parents, était fausse.

Un journal du soir venait de la publier, malgré moi.

Je demande, en souvenir de mon père, qu'on la rectifie. En vain.

L'amitié de Jean ne cesse de m'aider à vivre. Nous nous voyons le plus souvent possible. Après une de mes visites, il m'écrit une lettre qui m'attriste :

« Milly,

« Mon Jeannot,

« Après ton départ j'ai traversé une affreuse crise de tristesse et de solitude, contre laquelle même le cœur si sage de Doudou ne pouvait rien. Tu avais raison de dire que ces “ visites sont intolérables et qu'il faudrait vivre les uns avec les autres ”.

« Te voir partir, c'était comme si je tombais dans un vide et toi dans un autre. Et je me demandais si ces problèmes graves peuvent se résoudre dans une époque de désordre et de cruauté.

« Tu avais oublié tes gants de fourrure. Je les ai montés dans ma chambre et je les ai embrassés avec des larmes dans la gorge. Et en outre cette petite peste de grippe me démoralise et me force à surmonter une sorte de désir de tout abandonner. Je t'embrasse de toutes mes pauvres forces. »

« Jean »

Il m'écrit encore d'Espagne :

« 9 août 1961,

« Me voilà dans cette Espagne que je ne croyais plus revoir, et séparé de toi par d'injustes kilomètres alors que nous devrions être toujours près l'un de l'autre. Plus je vais, plus je m'attriste de cet éparpillement des êtres et des visages qui s'y perdent. En ce qui me concerne ce n'est pas le même drame et il est pire puisque rien ne coupe le fil qui nous réunit et que j'en éprouve la tension douloureuse. Raconte-moi un peu les rôles de Ponce et de Mars. Je vais m'isoler à Marbella pour continuer ma besogne d'égyptologue. Une étrange salade faite de très peu d'idées et de mots qui tournent en rond et qui n'arrangeront pas ma grande solitude.

« Je t'aime mon Jeannot. Je t'embrasse. »

« Jean »

Je pars pour l'Italie tourner *Ponce Pilate,* dirigé par un metteur en scène américain : Irving Rapper. Jean Cocteau m'y écrit : « Peut-être pourras-tu ne pas condamner le Christ ni t'en laver les mains. Essaie, puisque le passé, le présent et l'avenir n'existent pas. »

Pendant ce film, il m'arrive une curieuse aventure : j'avais loué à trente kilomètres de Rome, à Albano, une charmante maison au milieu des vignes. J'y rentrais chaque soir. Une nuit, je sors de Rome. Un enfant fait du stop. Je m'arrête. Il va à Naples. « Je ne vais qu'à Albano. »

L'enfant monte quand même. Il n'a pas plus de douze ans. Peut-être moins. Chétif, il porte sous le bras un paquet enveloppé de papier journal.

– Tes parents te laissent faire du stop, la nuit?

– Je n'ai plus de parents. Ma mère est morte.

– Et ton père?

– Il est en prison pour avoir tué ma mère.

Deux phrases : une tragédie.

Il est sicilien. Il échappe à l'Assistance publique pour rejoindre la Sicile. Fier, il parle sans s'attendrir. Il est frêle et laid, maladif. Ne serait-il pas juste d'adopter un enfant comme celui-là avec qui le destin n'est pas tendre?

Je dépasse Albano. Je n'ai pas assez d'essence pour aller jusqu'à Naples ni assez d'argent sur moi. Je m'arrête à une pompe. Je fais le plein, remets le reste de mon argent au gosse et le confie au pompiste en le chargeant de trouver une voiture qui le conduira à Naples.

– Tu sais qui est ce monsieur? demande le pompiste à l'enfant.

– Non.

Le pompiste lui explique. L'enfant reste indifférent. J'essaie de savoir son nom, où je peux le joindre. Il reste muet. Je repars pour Albano, très triste, presque avec des remords.

J'en parle le lendemain à mes camarades italiens et leur demande comment je pourrais retrouver le gosse. Ils me déconseillent de le rechercher et surtout de l'adopter : si le père a tué la mère pour des motifs peu nobles, l'enfant doit à son tour tuer le père à sa sortie de prison.

22

Je fis une fausse entrée dans le monde puisque, à ma naissance, ma mère refusa de me voir. J'avais peut-être eu un faux père. J'eus de faux oncles, un faux parrain, des fausses adresses, des faux noms. Pour boucler la boucle, il me fallait un faux fils, être un faux grand-père, un faux beau-père. Mon destin s'en charge.

Ma voiture se dirige un soir, presque malgré moi, vers un bar voisin de Marnes-la-Coquette. J'y rencontre quelqu'un que je connais vaguement, qui s'accroche à moi et m'entraîne vers un autre bar de Paris. Il me demande la permission d'inviter à notre table un jeune gitan. J'accepte à contrecœur. Presque un enfant : accoutré à faire pitié, les cheveux longs en désordre, une bouche épaisse, des yeux vifs et fiers. Il me semble laid au premier abord. Il reste debout devant notre table. L'homme avec qui je suis lui parle comme s'il était à vendre. Le gitan est devenu pâle. Il regarde l'homme comme s'il voulait le tuer.

J'ai honte. Honte pour lui. Honte pour moi qui écoute. Il doit penser que j'ai la même mentalité. (Plus tard il me dira que c'est parce que j'étais là qu'il s'est maîtrisé, mais qu'il avait effectivement eu envie de casser la tête de l'homme.) Je le fais asseoir. Je lui parle. Je l'interroge sur ce qu'il fait, sur ce qu'il aime, sur ce qu'il aimerait.

Il s'appelle Serge. Pas de père. Il a dix-neuf ans, vit d'expédients plus ou moins dangereux. Je ne lui parle pas au nom de la morale, mais en ami. J'essaie de lui démontrer que se passionner pour un travail est le plus sûr moyen d'être heureux, que les gens de sa race sont en général doués. Qu'il cherche et qu'il trouve ce qui l'intéresserait par-dessus tout.

– Rien, me répond-il, peut-être votre métier.

Les « Sagittaires » ont paraît-il le don de comprendre et même de se mettre à la place des autres. Je possède ce don. Cela me joue souvent des tours.

Pour Serge, cela m'est plus facile : mes souvenirs d'enfance m'y aident.

– As-tu de la chance?
– Non.
– A partir d'aujourd'hui, tu ne dois plus jamais le croire. Je te prouverai que tu as de la chance.
J'ai pu, j'ai su, attirer la chance, comme je l'ai raconté plus haut. Saurai-je cette fois apporter la chance à cet enfant?
– Écoute, je n'ai jamais donné de leçons. Je puis t'en donner, juste assez pour que tu puisses te présenter dans un cours régulier avec succès. Cela me fera du bien, car on apprend soi-même autant que l'élève.
Serge vint quelquefois à Marnes. Je le fis travailler. Un jour qu'il se trouvait là, mon metteur en scène de *Ponce Pilate* vint me voir et me fit cadeau d'une boîte de cuir repoussé qu'il avait rapportée d'Italie. Je dois partir le lendemain pour faire un voyage en Pologne, en Russie et en Roumanie.
Je demande à Serge de ne pas commettre d'imprudence en mon absence et de se bien conduire. Comme je sais qu'il n'a pas de quoi vivre, je veux l'aider de quelques subsides. Il refuse.
– Si j'étais ton père, tu accepterais?
– Oui.
– Tu ne sais pas qui est ton père. Je le suis peut-être. Qui sait? Nous rions tous les trois. Je lui mets de l'argent de force dans la poche. Irving le raccompagnera à Paris.
Comme toujours, on bavarde encore avant de partir. Je les accompagne, lorsque mon instinct me prévient que Serge a dû laisser l'argent quelque part. Je les prie de m'attendre. Je retourne au salon. Où aurait-il pu mettre les billets? Je les trouve dans la boîte en cuir repoussé. J'attendis que Serge monte dans la voiture pour les lui redonner. Serge avait gagné un bon point. Ce bon point allait nous emmener aux Antilles. Je n'avais pas pris de vacances depuis longtemps. J'envisageai d'en prendre à mon retour de Russie. Où? Nous étions en janvier, trop tôt pour les sports d'hiver. Je pense à une croisière. Seul? Pourquoi n'emmènerais-je pas Serge? Il faudrait jouer une seconde fois le professeur Higgins de *Pygmalion*. Mais cette fois, dans la vie.
A mon retour, il accepte avec enthousiasme. Il faut l'habiller. Je l'envoie d'abord dans un magasin de confection afin qu'il soit présentable à mon tailleur. André Bardot lui fait plusieurs costumes, des chemises, tout ce qui convient à un voyageur de première classe. Je lui fais couper les cheveux; je m'occupe de son passeport. Je me heurte à un refus. Étant gitan, il est apatride. Nous n'obtenons qu'un laissez-passer, suffisant pour la croisière.
Sur le bateau, je le présente comme mon filleul. Je m'amuse du conte de fée que je lui fais vivre, où je m'attribue le rôle de bon génie. Je veille à sa toilette. Je l'observe. Partout où nous allons, il m'émerveille

par sa tenue, par ses manières. Au tir au pigeon d'argile, il bat un champion de tir allemand qui le prend en sympathie. J'avais emporté des livres pour le faire travailler. Un seul point noir : au retour, il n'avait appris que trois lignes. Je veux abandonner. Pourtant je suis pris.

Après avoir plongé cet enfant dans le confort et le luxe, ne serait-ce pas injuste de revenir en arrière, de le rejeter?

Je dois tourner dans le Midi *Le Masque de fer*. Mon ami Claude Carliez, qui règle tous mes combats, manque de cascadeurs. Il l'engage. Il est ponctuel, précis, courageux et accomplit très bien son travail.

Un jour, il me dit qu'il doit rentrer à Paris. Il a téléphoné à sa mère, celle-ci lui a appris que les gendarmes le recherchent pour son service militaire. Il a déjà deux mois de retard et risque deux mois de prison.

– Comment? Puisque tu es apatride? Je croyais que tu devais choisir ta nationalité à vingt et un ans et ne faire ton service que si tu optais pour la France.

– Moi aussi, me dit-il.

On l'envoie à Metz où il doit passer devant un tribunal militaire. Je demande à Jean Cocteau s'il connaît le général M...

– Tu le connais aussi, et surout sa femme avec laquelle tu étais dans la division Leclerc.

Je téléphone à la générale M...

– Serge Ayala est mon fils que je n'ai pas reconnu. Son retard est ma faute parce que je l'ai fait engager dans mon film. Je pensais qu'il avait jusqu'à vingt et un ans pour faire son service militaire.

Tout s'arrange. Serge bénéficie d'un non-lieu. J'envoie un télégramme pour le féliciter et je signe : « Ton papa Jean ». Ce télégramme est une bombe. Serge est appelé chez ses officiers. On l'interroge. Je prends un avocat, et je reconnais Serge. Il change de nom pendant son service militaire.

Je prends mon nouveau rôle au sérieux bien que mon intention soit de n'en pas parler. Je lui écris. Je lui envoie des colis, le reçois pendant ses permissions, me montre avec lui. Serge, dépaysé par un nouveau milieu, devient timide. Je suis obligé d'inviter à ma table les filles qui lui plaisent. L'une d'elles semble lui plaire davantage. Je l'invite avec lui à la maison. Lorsqu'il retourne à la caserne, je sors avec elle pour la lui garder. Je la fais habiller chez Dior afin qu'elle puisse m'accompagner à quelque première. Les journalistes me demandent qui elle est. Je réponds, embarrassé : « Une amie ». Les journaux nous fiancent.

Noël 1962. Serge doit venir en permission. Il n'a jamais eu d'arbre de Noël. Je veux qu'il en ait un, et qu'il s'en souvienne. Il s'en souviendra, et moi aussi.

L'arbre, un sapin, touche le plafond du salon. J'ai fermé les rideaux des trois portes-fenêtres devant lesquelles nous l'avons dressé. Il est couvert de neige, de guirlandes, de boules, de lampes et de bougies. Les cadeaux sont dessous, excepté le poste de télévision que j'ai déjà fait installer dans la chambre de Jacques et Élodie, mes serviteurs et amis. Françoise, l'amie de Serge, attend avec nous l'arrivée du militaire. On sonne. L'interphone nous assure que c'est lui. Pendant qu'il parcourra l'allée, j'aurai le temps d'allumer les bougies de notre arbre. Aidé de Françoise, j'allume. Serge est sur le pas de la porte, en extase. Il ne peut y croire. Il a les larmes aux yeux. Jacques nous apporte le champagne et nous trinquons. On distribue les cadeaux. Jacques et Élodie m'ont gâté.

Serge doit se changer, prendre un bain. Françoise l'accompagne. Je vais dans ma chambre me changer moi-même. Nous parlons de chambre à chambre de ses ennuis militaires.

J'entends des portes claquer très fort. « Au feu! au feu! »

Je crois d'abord à une farce de Jacques. Mais non, il ne se le permettrait pas. J'ouvre la porte de ma chambre. Une épaisse fumée me suffoque, me pique les yeux. J'entre dans le salon. C'est un brasier! Les flammes montent du sol jusqu'au plafond et rebiquent jusqu'au centre. Le bruit que je croyais être des portes qui claquent, c'étaient les éclatements du plâtre sur les meubles et sur le sol. L'arbre de Noël n'existe déjà plus.

Jacques appelle les pompiers; mais je propose d'essayer d'éteindre en les attendant.

Je demande des seaux. Serge me conseille la piscine. Nous y courons. Hélas! l'eau est gelée, au point que nous cassons un seau en essayant de briser la glace qui la recouvre. Serge, Jacques, Élodie et Françoise font la chaîne. J'enlève ma robe de chambre pour ne pas prendre feu. Chaque seau de glace éteint une langue de feu. Nu, je passe de la fournaise au froid glacial. Je vais sûrement attraper une bonne grippe. Enfin, je suis victorieux. Mais quel désastre! Le noir de fumée, l'eau, le plâtre répandu, la glace tombée et brisée, les meubles brûlés ou cloqués, le tapis, mon tableau de l'oiseleur, travail de dix ans, brûlé, les disques tordus, les carreaux éclatés, les murs et les rideaux calcinés.

Chose curieuse, la catastrophe a dessiné un aigle immense au plafond.

A leur arrivée, les pompiers sont sidérés. Ils ne veulent pas croire à un simple incendie, mais à une explosion. Jeanne, ma gardienne-habilleuse, arrive avec son mari. Je lui tends, avec un sourire, son cadeau, le seul qui était resté sous l'arbre. Il est calciné. Elle le refuse, vexée. Élodie est en pleurs.

– C'est trop injuste, c'est trop injuste, dit-elle.

— Non, chère Élodie. C'est beaucoup plus juste que cela m'arrive plutôt qu'à beaucoup d'autres. Il ne fallait pas que cet arbre ressemble à tous les arbres de Noël. Il fallait que Serge s'en souvienne. Tu t'en souviendras?

Serge est triste.

— Hop! nous allons réveillonner au Saint-Hilaire puisqu'on ne peut plus réveillonner ici.

Serge me regarde, étonné :

— N'empêche que le salon est brûlé. Et ton tableau... que tu avais mis tant de temps à faire...

— Cela m'apprendra à ne pas accrocher de peinture de moi dans mon salon! Et puis, je ne sais pas si tu as remarqué : si l'aigle de mon tableau a disparu, l'incendie en a dessiné un beaucoup plus beau au plafond.

Étrange soirée.

A deux pas du Saint-Hilaire, des voyous nous croisent. Ils sont six. L'un d'eux fait une réflexion qui me choque : je le gifle. Ils s'enfuient tous comme des lâches.

Le Saint-Hilaire est comble. François Patrice nous place tant bien que mal. Françoise est très élégante dans le joli tailleur or et noir avec le petit col de vison noir, mon cadeau de Noël. Elle est presque très jolie, en tout cas charmante et bien élevée.

Elle est assise sur la banquette à côté d'une dame en noir qui fait des réflexions très désagréables à notre sujet, mais surtout parce qu'on lui ampute son espace vital.

D'abord, je n'y fais pas attention. Serge et moi, nous sommes assis sur des tabourets en face de Françoise. La dame noire et une dame blanche qui l'accompagne haussent le ton. Puis, la dame noire met son coude sur un genou de Françoise, le tourne en appuyant très fort. Françoise a mal, ne sait quelle attitude prendre. Je m'en aperçois et lui propose de changer de place avec moi. « Je ne pense pas qu'elle ose faire la même chose. Cela ressemblerait à des avances! » dis-je très fort.

Nous changeons de place. La dame continue son manège avec moi. De plus, les réflexions désagréables ne cessent plus.

— Ne pouvant gifler une femme, si vous continuez, je vais être obligé de gifler le monsieur qui vous accompagne, dis-je en me tournant vers la dame noire.

Elle continue. Je gifle le monsieur d'un revers, parce qu'il se trouve à ma droite. Le sang coule. Il se lève, je suppose, pour me répondre. Je frappe à nouveau, cette fois avec le poing. Les deux femmes hurlent. Les gens se sont arrêtés de danser. On nous entoure. Ceux qui ont assisté à la bagarre me donnent raison, d'autant que le giflé et les deux femmes avaient exaspéré leurs voisins avant notre arrivée.

François Patrice propose de me changer de table. Je lui dis gentiment qu'il ferait mieux de changer nos voisins. Ceux-ci partent. Tout redevient calme.

A une autre permission, je fais venir Serge à Cannes où je passe quelques jours de vacances.

Nous sommes tous les deux au bar de la Plage sportive; je bavarde avec mon amie Madeleine. Un producteur de mes amis arrive. Il me salue. Impossible de me souvenir de son nom. Pourtant, je le connais très bien, ayant tourné plusieurs films pour lui. Je dois présenter Serge. Pour qu'il ne s'aperçoive pas de ma distraction, je dis :

– Tu connais mon fils? Serge.

– Je ne savais pas que tu avais un fils!

Il ne s'est pas aperçu que je ne prononçais pas son nom.

Cinq minutes plus tard, je suis allongé sur la plage. Serge est allé se baigner. Un journaliste vient me trouver :

– Tout à l'heure, j'étais près de vous lorsque vous avez présenté le jeune homme qui était avec vous comme votre fils. C'est vraiment votre fils?

– Oui.

– Je peux faire une photo de vous deux?

– Il est parti se baigner.

– Quand il reviendra... C'est pour *Nice-Matin*.

Serge revient; le journaliste fait la photo.

Le lendemain, Madeleine me montre le journal. Nous sommes, Serge et moi, en première page de *Nice-Matin*. La légende sous la photo est anodine : « Jean Marais et son fils passent leurs vacances à Cannes. » Je demande à Madeleine :

– Les journaux de province sont-ils lus par les journalistes parisiens?

– Bien sûr. D'où sors-tu?

A peine m'a-t-elle répondu que j'en vois un, puis deux, puis cinq, dix. Ils sont tous là, qui m'interrogent. La bombe est lancée. Je ne peux plus le cacher.

– Prenez-le par le cou, votre tête plus près de la sienne.

– Qui est sa mère?

– Est-ce une actrice?

Je réponds que je ne peux pas le révéler. Qu'elle vient de se marier et que ce ne serait pas correct vis-à-vis de son mari.

« Nous le saurons. »

Ils s'en vont. Rapidement, ils interrogeront les quelques femmes qu'ils supposent être la mère de Serge. Ils vont même au Portugal interroger Mila.

Un matin, l'un d'eux me téléphone : « Je suis à Anthéor avec la mère de Serge. Veux-tu la voir? »

J'apprends que ce journaliste de *France-Dimanche*, mon faux cousin, le même qui m'a appris que mon père n'était pas mon père, est allé à la caserne de Serge. On lui a donné l'adresse de ses parents : la mienne et celle de sa mère.

Ils sont allés trouver Maria (c'est le nom de sa mère) et lui ont expliqué que j'étais dans le Midi et désirais la voir. Ils l'emmènent en voiture avec son mari. Je ne peux pas refuser de voir cette femme qui a eu confiance et a fait le voyage. Je me rends à Anthéor avec Serge. Photos, articles dont je suis le complice.

Serge est démobilisé.

Il quitte Françoise parce qu'il rencontre « le grand amour ». Il me présente Annick, très jolie, charmante, un peu folle. Elle s'ouvre les veines, se fait traîner par la voiture de Serge à laquelle elle s'accroche. Ne veut plus le voir. Le supplie de revenir. Il y a des gifles en public, des scènes de pleurs.

Il me demande conseil. Je réponds : « Qu'elle soit pendant trois mois équilibrée de façon à ne pas te rendre fou toi-même et malheureux, — et tu l'épouses. »

J'avais fait admettre Serge au cours Simon. Il avait l'air d'y faire des progrès, mais il en partit après s'être disputé avec un autre élève. Du moins, fut-ce ce qu'il me raconta; je pense plutôt que c'était à cause de moi.

Un jour qu'il critiquait un chanteur que nous entendions à la radio, je lui dis :

— Il est facile de critiquer, pourrais-tu faire mieux?

— Je n'aurais pas de mal.

— Aimerais-tu chanter?

— Je crois.

Je lui fais prendre des leçons de chant. Sa voix est belle, virile, solide. Il est incapable de chanter faux. Le contraire de moi. Un jour, je rencontre une charmante femme, Jeanine Bertille. Elle est compositeur. Je lui demande si elle accepterait de mettre en musique « les chansons parlées » que Jean Cocteau avait écrites pour moi. Elle accepte.

A l'audition, Serge trouve les chansons « pas assez jeunes ». La musique est très belle, les textes aussi.

— Pourquoi ne les chantez-vous pas vous-même? me dit Jeanine Bertille.

— Parce que moi, je suis infirme; je chante irrémédiablement faux; de plus je n'ai pas l'oreille musicale et je suis incapable de retenir une mélodie.

— Essayez. Chantez-moi « Parlez-moi d'amour. »

Je chante.

— Ce n'est pas que vous chantez faux, me dit-elle; vous chantez autre chose.

Nous éclatons de rire. Nous devenons de grands amis. Je travaille le chant pendant un an avec elle et le professeur de chant que j'avais donné à Serge, Mme Charlot.

Tout se sait à Paris. Eddy Barclay me téléphone :

– Tu travailles le chant? J'espère que tu feras un disque pour moi.

– Je ne te le conseille pas, je ne suis pas doué.

Nous prenons date pour une audition.

Il arrive avec huit personnes. Il a failli amener Charles Aznavour! Je suis anéanti. Ils vont être neuf à me trouver ridicule. Pourtant je n'ai aucun trac. Ils constateront qu'un disque est impossible avec moi. J'aurais cependant préféré que Barclay fût seul à s'en rendre compte.

Mme Charlot se met au piano, je chante. « C'est merveilleux », dit Barclay, et les autres de renchérir. Ils se moquent de moi, ma parole! Je chante toutes les chansons. Barclay déclare : « Il faut faire le disque. » Je n'en reviens pas.

Comme il tarde trop à s'en occuper, des contrats de films m'obligent à faire ce disque avant que je commence de tourner et je signe avec Pathé-Marconi.

L'enregistrement n'est pas facile. J'admire la patience et le talent des techniciens. J'enregistre du même coup un 33 tours et un 45 tours. Nous sommes obligés de tricher, car dès que j'ai l'orchestration dans les écouteurs, j'oublie la mélodie. Il me faut l'orchestre sur une oreille et la mélodie au piano sur l'autre. D'autre part, le chef d'orchestre est obligé de me taper sur le bras pour me donner le départ.

Le disque a de bonnes critiques, mais un succès relatif. Tout cela pour prouver à Serge que par le travail et la volonté on arrive à ce que l'on veut.

Pathé-Marconi lui fait faire un disque assez beau. Il en fera même un autre, puis un troisième dans une autre maison de production. Mais il ne se passionnera jamais pour ce travail et, finalement, abandonnera.

Le voilà de nouveau amoureux d'une fille adorable avec qui il vivra sept ans. Je les aide de mon mieux.

Un jour, il me demande de les accueillir à Marnes, ce que je fais. J'aime leur présence.

Rosalie perd sa femme de ménage qu'elle avait depuis vingt-cinq ans. Elle refuse d'en prendre une nouvelle; elle est de plus en plus seule. Cela me désespère.

J'apprends qu'elle fait les carreaux en montant sur une chaise, la fenêtre ouverte. Or, depuis quelque temps, elle a des malaises. L'idée qu'elle peut tomber du troisième étage m'angoisse. Va-t-elle accepter de venir vivre avec moi, à Marnes? Avec beaucoup d'insistance, j'arrive à la convaincre. Je m'occupe du déménagement.

L'appartement de ma mère est digne de la chambre de *La Séquestrée de Poitiers*. La salle de bains « hantée » de ma jeunesse a gagné. Les murs de toutes les pièces sont couverts de photos de moi épinglées par des punaises, ainsi que d'autres découpées dans des magazines ou des journaux. Rien n'a été repeint depuis trente ans. Les tissus sont ceux que j'ai connus dans mon enfance, mais passés, rafistolés, déchirés. Les chaises et les fauteuils défoncés pour la plupart. Des boîtes, des cartons, des papiers d'emballage traînent n'importe où. Les meubles aux portes disjointes laissent voir un bric-à-brac hétéroclite. L'ancienne chambre de ma grand-mère accumule ce que ne voudrait pas un brocanteur. On peut à peine y circuler. Dans les placards, Rosalie a entassé des boîtes de conserves vides, dont les ronds de fer détachés s'empilent à côté, des bouchons de toutes les matières, des épingles, des clous, des verres ou de la vaisselle cassée, ébréchée, qu'elle garde précieusement, des journaux, des papiers. Sous prétexte que cela peut servir, bien que cela ne serve jamais. La poussière a une épaisseur de plusieurs centimètres, si compacte qu'on a peine à croire que ce n'est que de la poussière. Je suis presque obligé de livrer bataille pour jeter tous ces vestiges. Rosalie s'accroche à certains objets visiblement inutiles. « Pas ça! pas ça! » me crie-t-elle. Pour ce qui est des meubles je fais venir un brocanteur, et je suis obligé de payer pour qu'il enlève tout.

A Marnes, la chambre que j'ai préparée pour Rosalie deviendra vite un nouveau capharnaüm, car elle interdira à quiconque d'y pénétrer.

J'y avais pourtant mis toute ma tendresse : les tissus des murs étaient en moire bleue, les rideaux de même couleur doublés de soie écru foncé. La cheminée était en terre cuite, son marbre bleu turquin soutenu par deux sphinges. Les meubles de bois clair Charles X sur des tapis bleus au petit point. Je voyais chaque jour ma pauvre Rosalie devenir une femme avec qui, si elle n'avait été ma mère, je n'aurais jamais voulu faire connaissance et encore moins l'aimer. Elle était encore belle. Chose étrange, lorsqu'elle sortait de son coin sordide, elle était impeccable de tenue, avec encore beaucoup de coquetterie. Elle n'était avare que pour elle-même et dès qu'elle fut à la maison, elle refusa certaines choses parce qu'elle ne voulait pas accroître mes dépenses. Ayant toujours été prodigue, cela me peinait, me rendait même souvent furieux, car cela prenait chez elle forme de sacrifice.

Chez les commerçants de Marnes, elle prévenait que si elle était trouvée morte un jour, il fallait qu'on sache que ce serait Serge qui l'aurait tuée. Or, Serge aimait véritablement Rosalie; il avait même été pour beaucoup dans ma décision de la faire vivre avec moi.

Plus tard, elle eut un accident, et ce fut Serge qui la sauva, la veilla toutes les nuits à la clinique pendant que j'étais absent. Elle ne l'appela plus, alors, que son sauveur.

Jusqu'à l'âge de quarante-cinq ans, je n'avais jamais jugé ma mère. Un soir, après une de ces scènes violentes et injustes qu'elle avait l'habitude de déclencher, je fis le point; comme toujours j'allai aux extrêmes. En pensée, je remontai le cours de sa vie. Je restai ahuri en comprenant que Rosalie m'avait menti durant sa vie entière et m'avait toujours accusé, moi, de mensonge, alors que je ne lui mentais jamais.

Je lui mentis pourtant quand elle me demanda de jurer sur ma tête que mon frère n'avait pas de cancer. Je jurai sur ma tête, mais lorsqu'elle insista pour que je jure sur la sienne, je lui avouai la vérité. Je n'étais donc pas arrivé à mentir jusqu'au bout. Je me refusai ce « pieux mensonge ». Après la mort de Jean elle me dit :

– Au fond, tu aurais préféré que je meure plutôt que Jean Cocteau.

Je répondis : « Oui », mais j'ajoutai aussitôt : « J'aurais aussi préféré mourir à sa place. Toi et moi, à côté de Jean, nous ne sommes rien. »

Qu'avait-elle fait pour m'aider à vivre? Je constatai avec horreur que, hors de son amour réel mais tyrannique, non seulement elle ne m'avait pas aidé, mais encore m'avait toujours dirigé vers de faux chemins.

Doit-on aimer sa mère envers et contre tout? Je le croyais jusque-là. Tout à coup, je compris avec tristesse que je n'aimais plus Rosalie. Peut-être, après tout, les parents ne doivent pas attendre une affection obligatoire et doivent-ils se conduire de façon qu'on les estime et qu'on les aime. Enfin, j'eus la certitude que l'immense amour que j'avais pour elle avait disparu. Lorsque je le lui dis le lendemain, elle crut malgré son calme à une boutade. Elle eut d'autant plus de mal à l'accepter que mon attitude vis-à-vis d'elle n'avait pas changé. Mon désir était toujours de la rendre heureuse. Hélas! elle ne pouvait pas, elle ne savait pas être heureuse. Mieux : elle ne supportait pas non plus le bonheur qui l'entourait.

Lorsque, beaucoup plus tard, j'avouai à ma Josette de Cabris que je n'aimais plus Rosalie, elle se récria :

– Vous ne prendriez pas l'avion tous les dimanches pour venir la voir et vous ne prendriez pas tous les jours de ses nouvelles par téléphone si vous ne l'aimiez pas!

– Josette, je n'aime plus ma mère, et lorsqu'elle mourra, je ne verserai pas une larme.

– Je ne vous crois pas.

Je continuai cependant à prier pour qu'elle mérite le Ciel. Dieu m'a souvent exaucé, mais quelquefois en me jouant des farces. Là, peut-être encore.

Un jour, ma mère est au plus mal. Je vole de Paris jusqu'à elle qui se trouve dans ma maison de Cabris, au sud de la France. Je demande un prêtre. Elle est presque dans le coma; on lui donne l'extrême-onction. Bientôt, elle guérit, mais son esprit n'est plus le même. Je pense à la phrase de Jésus : « Bienheureux les simples d'esprit... » Ai-je été exaucé par cette farce?

Pendant que je jouais *Cyrano* à Lyon, je reçois une lettre de Rosalie. Elle commençait par : « Mon cher Alfred », puis avait rectifié pour mettre : « Mon cher Jean. » Alfred était le nom de mon père.

En bonne santé, Rosalie passait son temps à écrire et, lorsque j'étais absent, je recevais d'elle au moins une lettre par jour. Depuis son accident, elle n'écrivait plus et ma Josette insistait auprès d'elle afin qu'elle me donnât des nouvelles. Elle restait auprès de la malade pour la soutenir et en même temps pour se rendre compte de l'état moral que révélait l'écriture. C'était elle qui lui avait fait rectifier le « Mon cher Alfred » en lui disant : « Votre fils s'appelle Jean, pas Alfred. »

Dans cette lettre, il était visible que durant quelques lignes elle s'adressait à moi. Cependant, peu à peu, c'était de nouveau à son mari qu'elle écrivait.

Au cours de cette lecture, j'eus l'espoir d'apprendre quelque chose. Hélas! rien... Elle signait : « Ta petite femme chérie. Henriette MARAIS. »

Je téléphone à Josette pour lui demander de laisser ma mère écrire ce qu'elle ressent dans l'espoir d'apprendre la vérité.

Ma mère étant une grande malade, Josette entrait à tout moment dans sa chambre. A mon retour à Cabris, elle me raconte que, survenant à l'improviste, elle a surpris Rosalie en train de déchirer la lettre qu'elle écrivait et de mettre précipitamment le morceau de papier dans sa bouche. (Cela me rappela les épingles chez un commissaire de police.) Josette eut bien du mal à lui faire donner ce morceau de papier qu'elle avait fait semblant d'avaler. Doucement, elle lui fit ouvrir la bouche et prit le papier qu'elle me remit à mon retour. « Il faut que tu saches que ton père... » Il n'y avait rien de plus.

Je retrouve une Rosalie douce, gentille. Mais sa vraie nature reviendra vite. L'âge amplifie les qualités et les défauts. Ma Josette est d'un dévouement sans égal, ferme et tendre. Mais l'attitude de ma pauvre maman envers elle l'amènera au bord de la dépression tant l'injuste méchanceté est décourageante.

Je restai six mois sans travail, donc près d'elle. Je regardai son visage qui maintenant ressemblait à sa vie. Elle pouvait à peine se servir de ses mains déformées, et je me demandais si ce n'était pas un signe, un avertissement.

Elle mourut un 15 août. Je ne versai pas une larme. Josette comprit seulement ce jour-là que j'avais dit la vérité. Josette, elle, pleura. C'est ma petite sœur. Une fausse, bien entendu, puisque mon destin le veut ainsi.

23

Comme je l'ai dit, Jean Cocteau était mort avant ma mère. Ce fut le plus dur moment de ma vie, et on comprendra.

Je tournais un film, *L'Honorable Stanislas*. Une nuit, je rêve que Jean meurt dans la chambre bleue de Rosalie. Je le prends dans mes bras, le descends dans la salle à manger de mon enfance, le couche devant la salamandre et je lui redonne la vie en lui massant les pieds. Ce rêve m'impressionne à tel point que je le raconte à mon maquilleur et à mon habilleuse dès que j'arrive au tournage.

Pour me rassurer, ils me disent que rêver de la mort d'un être cher prolonge sa vie de dix ans. Quelques jours après, on me téléphone que Jean a eu un nouvel infarctus. Je cours rue Montpensier. Le voici de nouveau immobile sur le lit de mon ancienne chambre. Je m'agenouille près de lui. Il ne bouge que les yeux. Il me regarde avec une tendresse bouleversante. Je mets ma main sur la sienne. Il veut parler. Je l'en empêche. Je souffre d'être si stupide, impuissant.

Jean, je t'aime donc si mal que je ne puisse te guérir, échanger ma vie avec la tienne, mon âge contre le tien, te donner ma force, ma santé! Tout à l'heure, le professeur Soulié va venir. Sans avoir la tendresse que j'ai pour toi, il te guérira. Il te guérira, il te sauvera.

Nous ne parlons toujours pas, ma main sur la sienne. Il ne me quitte pas des yeux. Aucune crainte dans les siens, seulement une immense bonté intelligente. Peut-être devine-t-il ce que je pense. On dirait qu'il me bénit. Il doit souffrir plus qu'un autre parce qu'il est plus sensible.

Enfin, le professeur Soulié, calme, sûr de lui, rassurant, s'étonne que la morphine soit inefficace. Il ne comprend pas, ou fait semblant de ne pas comprendre. Il augmente les doses. Il vient deux fois par jour, et laisse un médecin jour et nuit auprès de Jean. Avec l'infirmière, Édouard Dermit, Francine Weissweiler, Madeleine la gouvernante et moi, le minuscule appartement est comble.

Carole Weissweiler est là aussi. Beaucoup d'amis viennent prendre des nouvelles en essayant de ne pas faire de bruit. On ne parle qu'à voix basse.

Le professeur Soulié me demande de masser les pieds de Jean avec du Synthol pour faire circuler le sang. En le massant, je me souviens de mon rêve.

Au bout de quelques jours, Jean va mieux. Il nous demande d'assister à la première de *La Voix humaine* à l'Opéra-Comique. Nous y allons, Carole, Doudou et moi. Au retour, nous lui disons la vérité : merveilleux spectacle. Denise Duval émouvante, grande actrice et très belle voix. Jean est heureux.

Pour la convalescence, tout le monde pense à ma maison de Marnes, près de Paris, – rez-de-chaussée, jardin. Jean refuse d'y aller. Pourquoi? On me prend à part :

– Jean ne veut pas que tu saches qu'il fume de nouveau l'opium.

– Il y a longtemps que je le sais, allez le lui dire. Dites-lui aussi qu'il n'y a que deux choses qui comptent pour moi : sa vie, sa santé. Pour sa santé, ce n'est pas le moment de discuter. Je l'ai d'ailleurs dit au docteur, c'est pour cela qu'on a augmenté les doses de morphine.

Jean vient donc à Marnes. Il trouve l'ambulance le comble du confort et du luxe. Il dit en riant : « Je ne voyagerai plus qu'en ambulance! »

La présence de Jean donne tout à coup une raison d'être à ma maison de Marnes. Il y fait son coin, et tout se métamorphose. Ses chambres de l'hôtel de Castille, de la place de la Madeleine, de l'hôtel de la Poste à Montargis, celle de la rue Montpensier revivent ici. La lampe à huile, sur laquelle il tricote l'opium de ses aiguilles d'argent me ramène à la lecture des *Chevaliers de la Table ronde*. Je suis assis par terre près de son lit.

– Tu n'es pas fâché que je fume?

– Jean, il y a longtemps que je le sais. Je ne t'en parlais pas pour ne pas trahir certains de tes amis qui m'avaient mis au courant... C'est pour cette raison que tu n'es pas venu habiter Marnes quand je te l'ai demandé?

– Oui.

Après son premier infarctus, Jean avait refusé. Quand je l'ai appris, il était trop tard. Une désintoxication aurait été trop dangereuse. Il risquait la mort. Je l'avais compris; je m'étais tu.

Jean se levait à présent. Je l'aidais à se promener dans le jardin en lui tenant le bras. Il était vêtu de son inséparable peignoir de bain blanc, un foulard toujours très serré autour du cou.

Un jour, j'aperçus soudain, dans les arbres du parc de Saint-Cloud, mitoyen de ma maison, des reporters faire des photos. Jean était encore un grand malade. Comment des hommes pouvaient-ils avoir cette indécence, cette impudeur? Si Jean les avait vus, il en aurait été sûrement contrarié au point de mettre sa vie en danger. Je guidai Jean vers la maison.

Les photos parurent. Elles avaient été prises au télé-objectif. Jean ressemblait à un spectre. Le peignoir de bain était devenu dans leur légende une robe de chambre en velours blanc.

Bientôt Jean recommença à écrire. Il prenait des notes qu'il épinglait sur une pointe de fer fixée à une plaquette de bois. Le professeur Soulié souhaitait d'ailleurs qu'il se remît à écrire. Une pièce ou un livre le fatiguerait trop, me dit-il, il faudrait un travail facile, genre correction ou adaptation. Je parlai à Jean du *Disciple du diable* de G. B. Shaw. Il me demanda la traduction des Hamon. Il s'agissait seulement de rajeunir le texte. Jean entreprit ce travail sans fatigue. L'après-midi, il y avait de nombreuses visites. Maurice Chevalier faisait de notre maison son but de promenade; Jean Rostand venait en voisin. La famille de Jean. L'infirmière et les médecins étaient devenus des amis. Édouard Dermit habitait avec nous.

J'aurais aimé que cette vie pleine et amicale durât toujours. Mais Jean, redevenu vaillant, regagna Milly-la-Forêt où j'allai le voir souvent.

24

Le 11 octobre 1963.

Doudou m'appelle. Jean a succombé à un œdème du poumon. Une demi-heure auparavant, des journalistes lui avaient appris la mort d'Édith Piaf. Il aimait beaucoup Édith; mais ce ne fut pas la cause de sa mort.

Dès qu'il eut été pris d'étouffements, Doudou avait appelé l'hôpital de Fontainebleau. Les tentes à oxygène n'arrivèrent pas à temps. La vie pour moi s'arrêtait. Je ne sais comment j'ai pu conduire ma voiture jusqu'à Milly.

Revêtu de son costume d'académicien, Jean était couché sur un lit qu'on avait descendu dans le salon. Sa belle épée, qu'il avait lui-même dessinée, sur lui. Je me revoyais chez Francine Weissweiler, aidant Jean à s'habiller pour son entrée à l'Académie. Ce jour-là, j'avais eu l'impression de vêtir un enfant pour sa première communion. Il y avait quelque chose d'absurde et de touchant, d'une naïve grandeur.

Il se trouve presque devant la glace de la grande armoire du salon. Je ne peux m'empêcher de me rappeler qu'il m'a fait entrer dans des miroirs à la recherche d'Eurydice. Que j'aimerais que la mort me prenne par la main et me fasse traverser véritablement ce miroir derrière lequel l'âme de Jean voyage! La lampe à huile manque à son chevet.

Je pourrais croire ainsi qu'après avoir fumé, tu as fermé les yeux afin que tes muses te rejoignent. J'osais à peine respirer tant j'avais peur de les chasser.

Je mourrai, tu vivras et c'est ce qui m'éveille!
Est-il une autre peur
Un jour de ne plus entendre auprès de mon oreille
Ton haleine et ton cœur.

Combien de fois en disant ces vers, que tu as écrits avant de me connaître, ai-je souhaité ne pas vivre ce moment terrible?

Les journaux, la radio, la télévision sont là. J'ai envie de leur dire merde et de retourner près de Jean. On me vole de chers instants. Je me trouve lâche de céder. Je me méprise de m'installer devant leurs caméras. Le silence, la solitude seuls sont acceptables.

J'ai présumé de mes forces. Devant la télévision, je ne peux retenir mon émotion. Mes lèvres tremblent, ma gorge se noue. Je ne peux plus dire un mot. Je lutte contre cette faiblesse. J'essaie encore de parler. Je ne pleurerai pas. J'éclate, et je me sauve en demandant pardon. On me promet de couper ces prises de vues.

Match me demande la dernière page du *Passé défini* (le Journal de Jean). Avec Doudou, nous cherchons le Journal. Il est sur la table de travail. Cette dernière page est terrible pour une amie de Jean. Nous décidons d'en choisir une sur la poésie.

Doudou est anéanti. Des yeux rouges, un visage de mort. Francine et Carole Weissweiler ne font qu'un avec nous. Le soir, je propose de rester avec Jean. Toutefois, je préviens que je ne veillerai pas, que je dormirai. Un divan est près du lit sous une fresque de Christian Bérard représentant Œdipe et le Sphinx. Tout autour de moi, des objets que Jean et moi nous avons choisis avec amour et amitié. Ils n'ont pas tout à fait leur place habituelle à cause du lit insolite sur lequel repose Jean. Les bougies rappellent l'éclairage de la lampe à huile. Pas d'autre lumière. Je reste debout et contemple les yeux fermés de mon poète. Si je ne croyais pas en Dieu, il m'y ferait croire. Cela me semble impossible qu'une telle âme, qu'un tel cœur, qu'une intelligence si violemment bonne s'arrêtent d'irradier leurs ondes.

Je prie. Toujours la même prière. Je n'ai pas à la changer puisque chaque nuit je demandais ton bonheur. Dieu m'a-t-il joué? Si le bonheur est dans la mort, est-ce parce que je l'ai demandé pour toi, ce bonheur, qu'Il t'a fait traverser le miroir? Je me penche et j'embrasse le front, puis la bouche de Jean. Je vais m'asseoir sur le divan très près de lui.

Je ne veillerai pas, je dormirai. Les yeux fermés, tu sembles, comme lorsque tu préparais une œuvre, en lutte avec des forces inconnues.

Mon application au silence me faisait sombrer dans le sommeil.

Quand je m'en excusais, tu me rassurais en me disant que mon sommeil te stimulait, t'aidait à créer. Je suis un peu dérouté par ton habit d'académicien. J'aurais aimé ton peignoir de bain blanc taché de cendres. Ton épée nue me choque, bien que ce soit une épée de paix. Tes mains ne sont pas faites pour elle. Tes mains sont sculptées pour l'amitié et l'amour. Tes mains sont faites de douceur et de générosité, de simplicité, d'élégance. Des mains d'ouvrier attentif, d'artisan de génie. Souples, agiles, mystérieuses, indéchiffrables et claires. Tes mains sont celles d'un peintre, d'un sculpteur, d'un roi. Tes mains sont des mains de poète, de bon génie. Elles m'ont touché en 1937, et je suis né. Plus que mes parents, tu m'as fait vivre.

Tu m'as écrit, à la fin de 1936 : « J'ai la superstition du chiffre 7. Il m'apporte toujours du prodige et depuis quatre ans, je chassais les ombres et bien des malaises à cause de 1937 qui nous délivre et marque le début d'un nouvel âge avec cette élégance qui ne se laisse voir et n'affiche aucun manifeste. »

Ce prodige était le mien, plus encore que le tien. Le prodige eût été, pour toi, que je me rende compte de l'extraordinaire privilège que tu me donnais en me faisant vivre à l'ombre de ton soleil, et que je m'en contente au lieu de vouloir briller moi-même. Mettre en échec le malheur, ami des poètes, aurait dû suffire à mes ambitions, te servir humblement, à ma gloire. Tu m'as fait naître dans un univers où tout était rayonnant, où tout était amour et amitié. Là, sur ce lit, ta bonté illumine encore ton visage. Tu as toujours pris soin de ta ligne de cœur. C'est ta ligne de cœur qui t'a placé au-dessus des modes, au-dessus des styles. En outre, tu étais toujours en avance. Tu quittais la place, croyant t'être trompé de date et, longtemps après, tu voyais la mode s'emparer de tes découvertes et ne pas les porter à ton compte.

Tu n'as pas cessé de contredire les habitudes, de dérouter d'un bout à l'autre de ta foudroyante et mystérieuse carrière.

Tu t'es heurté aussi à une opposition qui ne t'empêchait pas d'être encore en avance pour glorifier le talent et encourager les jeunes dont je faisais partie.

Mon Jean, je m'accuse de ne pas avoir assez appris en observant de près la rigueur de ton style et ta manière de vivre. J'ai honte de n'avoir été que ce que je suis. Des paresseux employaient toujours les mêmes clichés à ton adresse : sorcier, enchanteur, magicien, illusionniste. Un demi-siècle d'invention, d'émerveillement, en voilà la cause.

Une phrase de Pascal me semble écrite à ton usage : « Les gens universels ne veulent point d'enseigne et ne mettent guère de différence entre le métier de poète et celui de brodeur. »

On n'a pas compris certains de tes actes; ils déroutaient parce qu'ils étaient suscités par ton cœur incapable de haine, intègre, sans artifice.

Tu souffrais du mal qu'on te faisait sans jamais le rendre. Mieux : tu l'oubliais.

N'as-tu pas dit : « Je m'étonne qu'ils se souviennent du mal qu'ils m'ont fait et que j'avais oublié. »

Sur un dessin que tu m'as offert, tu as aussi écrit : « Pardonne-moi le mal que je ne t'ai pas fait. »

Jean, je t'aime.

Dans ma chambre je possède deux bustes de toi, en bronze noir, grandeur nature. L'un a été fait au début de notre amitié, par Appel Fenosa, l'autre par Arno Breker, la veille de ton départ. Encore une boucle terriblement bouclée... Peut-être un dernier signe du destin.

Jean, je t'aime.

Tu as dit, dans *Le Testament d'Orphée* : « Faites semblant de pleurer, mes amis, puisque le Poète ne fait que semblant d'être mort. »

Jean, je ne pleure pas. Je vais dormir. Je vais m'endormir en te regardant, et mourir, puisque désormais je ferai semblant de vivre.

Suite poétique

Nous habitions Jean Cocteau et moi 19, place de la Madeleine. Depuis des années les demeures de Jean tournaient autour de cette place, comme désignées par une baguette de sourcier à la recherche d'un endroit précis et mystérieux.

C'était « L'appartement des énigmes » de La Fin du Potomak.

Je rêvais qu'il y fût heureux. Je l'étais pleinement. Ma chambre était mitoyenne de la sienne. Une porte nous séparait. De nombreuses nuits il y glissait des poèmes. Le matin, je découvrais une ou plusieurs feuilles minces, souvent de couleur, pliées de façons différentes. Quelquefois en forme d'étoile.

Au réveil, mon premier réflexe était de regarder si le bon-génie-Jean avait glissé quelques merveilles. Je les lisais avant le bonjour quotidien.

La journée commencée par la lecture de ces minces pétales me conduisait vers le bonheur et la chance. Non que je sois superstitieux, mais le bonheur donne à nos démarches, à notre travail, une assurance bénéfique.

J'ai longtemps envisagé de tenir secrets ces poèmes. Pourtant je pense qu'il est mal de garder en égoïste un trésor.

J'en lus quelques-uns à des amis. Émerveillés, ils me conseillèrent presque tous une publication discrète après ma mort. Je préfère être présent et faire face au succès comme à la critique.

Jean Cocteau écrivait ces vers comme d'autres écrivent des lettres. Il n'a pas cherché la beauté; elle était en lui comme le style. Il expire *la joie, le bonheur, la tristesse, l'angoisse de sa nuit.*

Jean Cocteau disait qu'un lecteur ne sait pas lire, car il lit dans les œuvres et dans les lettres ce qu'il souhaite lire. Il en a été de même pour moi : à mes réveils je ne recevais, outre leur beauté, que bonheur.

Or, lorsque je voulus, des années plus tard, les lire à haute voix à des amis, je découvris tout à coup une sorte de crainte, presque de désespoir que je n'avais pas ressenti alors. Mon émotion fut si forte que je dus interrompre ma lecture, la gorge nouée. Sans aucun doute aussi, parce que la beauté m'a toujours ému et parce que cette beauté m'était destinée.

Cette beauté ne peut rester cachée, secrète.

Cette beauté n'est pas seulement dans ses vers : elle résulte de sa bonté profonde, de sa noblesse, de sa générosité de cœur qui le guidait à chaque instant, parce qu'il était poète à l'état pur et que son cœur s'illuminait aux rayons de l'amitié et de l'amour. Un sang d'encre *s'en écoulait et se glissait sous ma porte. Je fais jaillir la lumière, l'eau : pour mon chien je suis Dieu, il ne s'étonne pas.*

Ainsi de moi, nullement étonné des miracles accomplis par Jean Cocteau.

De nombreux poèmes de Jean Cocteau ont été insérés à leur place dans le cours de mes souvenirs.

Je tiens à les reprendre dans l'intégralité des poèmes que Jean Cocteau m'a adressés au cours de notre amitié, afin que, se confortant les uns les autres, ils forment une suite, au sens musical du mot.

Je voudrais ajouter simplement ceci : comment terminer mieux ces souvenirs que par ce qui m'est le plus cher et qui constitue mon trésor?

J. M.

Jean

à mon
Jeannot, lingot d'or.

Le tour du monde était un bien pauvre voyage
A côté du voyage où je pars avec toi
Chaque jour je t'adore et mieux et davantage
Où tu vis c'est mon toit.

Jean COCTEAU

LE PORTRAIT

Il le faut d'amour trait par trait
Il le faut plus vrai que ma vie
Te poser est ma seule envie :
Je veux devenir ton portrait

Je saurai me tenir raide comme la rose
Comme elle armé comme elle immobile et frisé
        Et quand j'aurai fini la pose
        Que le modèle soit brisé

Je veux n'être de moi que ce qu'il imagine
Le peintre, acteur, le chœur, le pur, l'ange Michel
Et qu'on ne cache plus qu'un autre à l'origine
Était ce portrait d'astre et de romanichel.

POÈME

Ce soir à ce dîner, j'étais au Paradis
Je parlais, j'essayais de parler. Tu me dis :
« Je suis sûr d'être aimé » – « moi c'est aimer que j'aime »
Répète : je ne peux pas faire de poème
Répète-le pour voir, Jeannot, répète-le!
Un poème c'était de lire ton œil bleu.

POURQUOI J'AIME TANT

L'un aime plus – toujours – quand même
C'est la dure, la sombre loi
Alors songe s'il faut que j'aime
Pour aimer encor plus que toi!

TOUR DU MONDE

Dire que tous les pays
Que nous n'avons pas vus ensemble
Sont de moi méprisés, haïs
Sauf par ce qui te ressemble.

Corps ailés, arbres bouclés d'or
Une épaule, une forêt blonde
Je n'aime de ce tour du monde
Que les pauvres reflets de mon enfant qui dort.

LE SOLEIL NOIR

Le portrait sera ressemblant
Comme le blanc ressemble au blanc
Et comme la rose à la rose
C'est pareil et c'est autre chose.

Il est ressemblant ce portrait
Mais c'est à nos cœurs qu'il ressemble
Lorsque tu dessines mes traits
Nos traits se tissent tous ensemble.

L'orage éclate après l'amour
(Il éclate après notre orage)
Et l'éclair illumine autour
Le soleil noir de ton visage.

LES CHEVALIERS

Faire l'amour devient si beau
Que cette beauté te ressemble!
Et nos corps confondus ensemble
Ont l'air sculptés sur un tombeau.

EN PLUS

Dargelos, nourri de réglisse,
Thomas, le charmant imposteur,
Ne connaissaient pas la lenteur
Avec laquelle je me glisse
Sous ta porte, bourreau de mon plus cher supplice.

RENDEZ-VOUS

Le rêve par son corridor
Nous dirige l'un vers l'autre
C'est sous mon ciel que tu te vautres
Dans la paille d'or où tu dors.

Ne laisse jamais la paresse
Qui prend les mains et les genoux
Se glisser, furtive, entre nous
Et retarder notre caresse.

Le bonheur est-il un métier?
Je crois que le bonheur s'enseigne
Et que le sang blanc que je saigne
Fait revivre le monde entier.

COMBAT

Comment fais-tu pour me changer
Et me rendre pareil aux plantes et aux bêtes
Comment peux-tu mettre en danger
Le malheur ami des poètes?

Je suis le vaincu, le vainqueur
Et je regarde en tes yeux larges
L'étrange combat où nos cœurs
Savent battre ensemble la charge.

MERCI

Je pensais : j'ai vécu la moitié de ma vie
De vivre je n'ai plus envie

Tu vins et tu sortais de ce monde inconnu
(C'est de là que tu m'es venu)

De ce monde d'énigme où vivent les autres
Les indifférents et les nôtres

Tu sortais du destin qui forme son mystère
Avec les secrets de la terre

Tu m'es venu de là vers mes sens mécontents
Comme les pollens du printemps

Tu m'es venu, Jeannot, comme une poudre d'arbre
Comme on trouve un Éros de marbre

Peu à peu je savais, je te reconnaissais
Et j'ai compris que je naissais.

PRIÈRE DES ANIMAUX

Puisque, tu me l'as dit toi-même,
Tu peux relire ces poèmes
Et comprendre les mots du chant
Admets qu'il est céleste, adorable, touchant,
(Dur comme le silence obstiné d'une étoile)
Ce cri du rut qui sort des moelles.

☆

Cent ans j'avais dormi. Vint le Prince Charmant
Il était gai, naïf, infaillible, énergique,
Mais il m'a réveillé de ce sommeil magique
Je ne peux pas dire comment.

L'OR À LA FEUILLE

Le marbre grec était doré
(Le dieu, l'empereur ou le faune)
Je, sur ton visage adoré
Dépose cette feuille jaune.

PAS MA FAUTE

Je me dis que je dois me taire
Qu'il ne faut pas d'amour t'accabler...
Hélas, empêche-t-on de sortir de la terre
Les marbres grecs et les blés?

MES LETTRES

Sous la robe des muses lentes
Sous la mer d'Ionie et le sable de Tyr
Trouverait-on un jour des lettres plus brûlantes?
Encre au sperme pareille et si prompte à partir.

Mieux que le matin ne t'apporte
Mes nocturnes appels – Trouverait-on un jour
(Que glisserait la mort sous une étrange porte)
Des vers plus attentifs aux règles de l'amour?

BANDEROLE

« Un amour défendu », disent les moralistes.
Pourtant de nos pareils je consulte la liste
Sur une banderole en soie
Je lis les plus beaux noms qui soient

Mr W.S.

Je me laissais mourir et je commence à vivre
M'aiderez-vous, Shakespeare, à louer mon amant?
Vous qui par la chance d'un livre
Fîtes le vôtre en nous vivre éternellement

Il était un acteur de la troupe inconnue
Qui vous statufiait avec des oripeaux
Un jeune acteur français qu'il avait dans la peau
Dans cette peau de l'âme nue.

PORTE AU NEZ

Lorsque tu dors tu es un autre
Et le vrai Jeannot vient chez moi
Contre ma tendresse il se vautre
Je suis son esclave et son roi.

Mais tu te réveilles : merveille
Ton sourire et tes fossettes
Beaucoup mieux que le chiffre sept
Me font la destinée à nulle autre pareille.

Ferme-moi ta porte au nez
Le vrai Jeannot vite l'ouvre
Et les gardiens étonnés
Voient un Hermès sortir en chemise du Louvre

TON JEAN

Je te donne un livre
Tu me donnes tout!
Tu m'apprends à vivre
Vivre tout d'un coup

A tes moindres signes
Je lis mon destin
Que peuvent ces lignes
Trouvées le matin?

Pardonne, pardonne
Cet amour écrit,
Lorsque tu me donnes
Ta bouche et ton cri.

Je n'ai qu'une excuse
D'écrire ces vers...
Ils sont une ruse :
J'écris à l'envers.

Lis-les dans ta glace
Et sois indulgent
Car un autre Jean
Se montre à ma place.

Celui qui serait
Digne de ton rêve
Comme ces portraits
Où ta main m'achève

Et je finirai
Par être cet ange
Par me retirer
Pour être enfin celui dans lequel tu me changes.

LES ASTRES

Je n'aime pas cette faiblesse
Des amis vaincus au départ
Tu viens, tu fonces, tu me blesses
C'est l'énigme de ton art.

Que d'autres élèvent des plaintes
Maudissent les astres faux
Crois en mon étoile peinte
C'est du songe qu'il nous faut!

La forte vérité du songe
Le cri que pousse le dieu Pan
Les astres veulent ce mensonge
Jamais nous deux ne nous trompant.

LE COFFRE ROUGE

Les trésors inconnus que notre corps découvre
Faut-il les crier sur les toits?
Hélas tout devient gloire. Elle ira vite au Louvre
La beauté que je sors de toi.

Époque sans secrets, sans mystère, sans honte
Adieu! Je vis seul. Je te plains
Comme sous une mer, sous le siècle qui monte
Je ferme notre coffre plein.

AIMONS-NOUS ENCOR DAVANTAGE

Aimons-nous encor davantage
La fatigue d'amour rend beau
Sous ton soleil je n'ai plus d'âge
Même au bout de ton ombre il n'est plus de tombeau

Nous nous sommes aimés sans rage
Notre amour se voyait dans l'eau
Enfermons-nous dans cette cage
Où le miroir fait vivre un solitaire oiseau

Fuyons le mal, fuyons la ville
Enfermons-nous ensemble à clef
Et souvenons-nous de cette île
Où la sueur du sang collait nos lys bouclés.

Pour toi je veux écrire et vivre
Je veux prolonger mon matin
C'est par la pièce et par le livre
Que l'avenir saura notre rêve enfantin.

MA NUIT

Quelquefois je m'endors. Soudain je me réveille
Le mur s'ouvre sur la merveille
De mon bel enfant endormi.
Je pense : on ne dort pas. On rêve à son ami
On lui glisse des vers sous la porte mal close
Il dort... Il dort nu sur sa grande main rose
Il dort : où le sommeil enlève-t-il ses pas?

Il dort et c'est divin que je ne dorme pas
Que je m'échappe à ce monde astucieux du rêve
Et je sors une jambe et l'autre, je me lève
Je marche vers la table où je chante debout
Mon enfant endormi circule Dieu sait où
C'est à moi de veiller, d'être la sentinelle
Du bonheur que la vie accepte au milieu d'elle

Maligne à faire l'ombre et le froid sur l'amour
A se moquer de lui, prête à jouer des tours
Atroces, à brouiller les flèches et les cibles
A susciter les jeux des âmes insensibles
A.... Mais que dis-je? Assez. Mon enfant m'aime. Il dort.

Et je garde en avare un sublime trésor
Dont je saurai verser l'intérêt à la foule
Et de mon cœur ouvert le sang d'encre s'écoule
Dors mon fils, mon amant, mon peintre, mon acteur
Je suis ton seul poète et ton seul spectateur
Dors. Il est doux Jeannot de veiller de la sorte
Et de laisser mon sang s'allonger sous ta porte.

TA GRÂCE

J'expliquerai si bien ta grâce
Aux inconnus de mon sommeil
Qu'ils mourront de cette disgrâce
D'être tirés par mon réveil.

Oui je m'imbiberai de toi comme l'éponge
Emplit ses poumons d'eau de mer
Et saurai leur prouver (aux inconnus du songe)
Qu'ils vivent sans soleil, sans amour et sans air.

C'est trop effroyable vraiment
De ne pouvoir garder les êtres qu'on adore
Et que sous prétexte qu'il dort
On livre à d'autres son amant.

DAVID

Je voudrais devenir le plus bel être au monde
Pour recevoir ta clef sur son coussin d'or mou

Et le maigre David déhanché, pâle et fou
Qui reçoit droit au cœur la pierre de sa fronde.

Tu m'aimes. Est-ce Dieu possible?
Si je pouvais être un miroir!
Un David maigre en bronze noir
Qui te donne sa fronde et veut être ta cible.

TRENTE-SIX CHANDELLES

Tu m'avais arraché mes ombres et mes cris
Seule une âme vivait dans une forme morte.
Et j'ai commis ce crime : au lieu de cris écrits
Mon silence d'amour a glissé sous ta porte.

Tu m'arraches du corps des flammes et des anges
Et ton sommeil naïf attendait quelques vers
Mais quel poème, hélas, composer en échange
D'un prodige qui met le désordre à l'envers,

Crée un ordre inconnu, déracine les règles,
Écrase la sottise, entrouvre un mur d'airain,
Et comme les bergers enlevés par les aigles
Me découvre un ciel noir givré de sel marin.

JEANNOT, FAUNE SANS CORNES

Le faune à frisures et cornes
Charmante queue en bas du dos
Penché sur une flaque d'eau
Il considère ses yeux mornes.

Il est alerte. Il est moqueur
Son charme est charme de magie
Mais les jouissances du cœur
Manquent à sa mythologie.

LE MAUVAIS TAPIS VOLANT

Ma sottise est sans limite
C'est la sottise du marbre
La sottise de l'arbre
C'est la nature qu'elle imite.

Il ne faut pas trop m'en vouloir
Ni me trouver trop ridicule
Car je marche endormi le long de ce couloir
Où ceux qui veillent reculent.

Dans le sommeil reste tapi
Comme un trésor dans sa cachette
Pour savoir mieux voler attendons que j'achète
Bientôt un mieux volant tapis

Mais nul ne peut t'aimer qu'il veille ou bien qu'il dorme
Plus que ce poète-oiseleur
Qui n'était que fantôme et n'a pris une forme
Que par ta forme et ta couleur.

POURQUOI TRISTAN?

Pourquoi Tristan, puisqu'il épouse Iseult la blonde
Qu'il en meure, qu'il soit maudit!
Le dernier mot n'est jamais dit :
Sois aimé comme nul ne le fut en ce monde.

SAMOIS

Un soir que nous étions tous les deux dans une île
Des branches nous poussaient et nous faisaient du mal
Ne crois pas que c'était quelque désir futile
Quelque mécanisme animal.

Nous n'avons pas compris les lois sombres et vagues
De cet arbre de sang qui blesse les corps nus
Et notre destin était celui des vagues,
Du ciel, des règnes inconnus.

Il m'a fallu longtemps pour admettre un mystère
Contre lequel les lois tentent de s'insurger
Car le fruit et la fleur de l'arbre des artères
Est du feu qu'il nous faut manger.

Révolte de douceur, exquise et noble honte
Ne me trouble jamais, force-moi de rougir
Le diable connaît trop cette sottise prompte
Qui rêve de nous assagir.

LA COLONNE

Quand nous faisons l'amour ensemble
Entre le ciel et l'enfer
Je pense que cela ressemble
A de l'or pénétrant du fer

Or dur, or mou, hélas... que sais-je?
C'est froid, c'est chaud, c'est de la neige
La neige on peut sculpter avec
La colonne d'un temple grec.

UN JOUR

Tu es beau comme la lyre
Tu es beau comme la paix
Lorsque de moi tu te repais
Tu es beau comme le délire.

Toujours tu sembles le plus beau.
Tu es le plus beau sans nul doute
Et à l'autre bout de ma route
Tu es beau comme le tombeau

Oui que m'importe si je tombe
N'importe comment, n'importe où
Puisque veillera sur ma tombe
Ta beauté de sommeil debout.

☆

J'écris ces vers auprès de mon amant qui dort
Dorment ses cheveux d'or et dort son sexe d'or
Qui tantôt comme l'algue ou la branche de l'arbre
S'abandonne au sommeil et dresse un feu de marbre
Une colonne d'or et de marbre et de feu
Qui frise à la racine et se retrousse un peu
Juste pour ne pas être un sceptre d'or frigide
Mais le signal du cœur inconnu d'André Gide...
Ce signal qui faisait obéir le Vinci
Ucello, Michel-Ange et mille autres aussi.
Tous voulurent la force emmêlée à la force
Affronter les éclairs, les sèves, les écorces
Et loin du vice absurde et de ses faibles jeux
Firent notre secret flamboyant et neigeux;

Car la vérité dort, invisible, farouche
Avec ce gros doigt d'or dressé contre sa bouche.
Taisons-nous, sourions, aimons-nous noblement
J'écris ces vers auprès du cœur de mon amant.

TOUT

Mon âme, ma bouche, mon nez,
Mes yeux et le reste et mes gestes,
Mes livres, je t'ai tout donné
Oui, j'y pense, rien ne me reste
Mon cœur aimerait t'étonner.

INTOXIQUÉ

Ton soleil est plus fort que le soleil d'Afrique
Contre lui je ne veux aucun vélarium
S'il est vrai que je m'intoxique
C'est de toi, plus que d'opium.

LE BUT

J'ai posé jusqu'au bout des pistes de l'amour
J'ai posé jusqu'en haut du sommet de tes sources
Et maintenant je suis si léger et si lourd
Que je chavire afin de terminer ma course.

Course vers ce portrait qui nous ressemble à nous
Vers ce portrait masqué d'un pâle crépuscule
Car des vagues de nuit montent à nos genoux
Et le portrait avance et le diable recule.

Soyons courageux, soyons fous,
Jamais aucune économie
Jamais se demander jusqu'où
La sagesse est une momie.

Jean COCTEAU

UN POÈME, UN !

Ce matin j'ai caché les chansons que je t'offre;
Jaunes, elles jonchaient le couvercle du coffre
Mon ange serait-il aux vers habitué?
Par l'habitude, en nous quelque chose est tué
Aussi j'imiterai ta sagesse amoureuse
Qui fait l'âme des sens attentive, nerveuse,
Joyeuse, et tu n'auras qu'un poème à ton seuil.

LE FAUNE

Qu'arriva-t-il? J'étais révolté par le Louvre
Où la force d'amour veut partout se cacher
J'eusse voulu pouvoir sur les bronzes cracher
Et voler des secrets afin qu'on les découvre.
Je me sauve, j'écume et rentre sous mon toit
Et je cherche à combler un gouffre qui m'effraye...
Vite je sculpte un nez, une bouche, une oreille
Et cette route encor me mène jusqu'à toi
Diable, mort et malheur vous pouvez rire jaune!
Je croyais vivre, hélas, courbé sous votre loi,
Aujourd'hui, redoutez les cornes de mon faune.

CRI DANS LA NUIT DE CETTE NUIT

Jeannot me voilà fou, mais un fou grave et sage
Un fou d'amour royal, un fou de jeune roi
Cortège de beauté, de noblesse, d'effroi
Je veux vivre à genoux au bord de ton passage.

LE CHEVAL DE FRISE

Quel philtre m'as-tu donc fait boire
Quel charme as-tu donc composé
Le jour fabuleux où j'osai
Te mettre à l'ombre de ma gloire?

Mettre à l'ombre du soleil
Était une sotte entreprise
Maintenant je deviens pareil
Au plus maigre cheval de ta plus humble frise.

Je décore ton Parthénon
Et c'est trop me vanter encore!
Car si ce cheval te décore
C'est qu'il veille au palais qui portera ton nom.

AUTRE DAVID VAINCU

Je n'ai même plus peur du miroir que j'affronte
Car je m'y tourne et je m'y retourne sans honte
Fier d'être le David qui se laisse tuer
Et qui jamais au choc ne peut s'habituer
Chaque fois cette chose étrange aiguë et ronde
Ce marbre bien ailé s'échappe de la fronde
Et je rentre du ciel dont tu sais le chemin
Mon corps à tes genoux et ma tête à ta main

BÉNÉDICTION

Ainsi que le roi Marc aimait le beau Tristan
Je t'aime et mon amour m'égaye en m'attristant
Ne m'en veuille jamais, c'est le cœur d'un artiste
D'être un cœur si joyeux qu'il a l'air d'être triste
Je t'aime comme un arbre et comme un animal
Et la terre et le vent savent faire du mal
Sans le vouloir, sans savoir, en remuant la sève
En entassant sur nous des montagnes de rêve.
Soyons ouverts Jeannot et soyons enfermés
Aimons-nous mieux encore que tous les bien-aimés
Soyons cet impossible auquel je crois – Que dis-je?

Sur ce monde cruel formons un seul prodige
S'il arrive qu'un jour notre sang rouge et bleu
Ne se mélangeait plus, sois farouche : dis-le.
J'ai trop vécu de chance et de vols et de songes
Que nul entre nos corps ne mette de mensonges
Qui forment un tel nœud glacial de serpents
Qu'une corde se tresse et nous baise et nous pend
Je veux être ta main qui joue et qui dessine
Et s'il le faut ta bonne main qui m'assassine
Car je croyais aimer je me croyais fini
Sage, et me voilà fou. Fou de toi. Sois béni.

LE PUR-SANG RÉTIF

Quand le sculpteur fait ma statue
C'est un peu de ma mort qu'il tue
Mais quand tu me sculptes le corps
C'est bien plus glorieux encor.

Tu me moules, tu me fécondes,
Tu fais un travail inconnu
Cavalier, que tes cuisses blondes
Dressent le maigre pur-sang nu!

SOLEIL INTÉRIEUR

Ton amour me restitue
Ma jeunesse et ma beauté
Et ton poignard ne me tue
Jamais que d'un seul côté.

Ange habile à me pourfendre
Cœur exquis, corps inhumain
Je ne peux pas me défendre
Car mon arme est ta main.

Et ma porte et ma fenêtre
Étaient fermées au soleil
Maintenant il me pénètre
Et je suis aux dieux pareil.

LA MORT JOYEUSE

Le beau bonheur masqué qui longe les murailles
Est venu m'assaillir comme un homme qui dort
Et m'a soudainement planté jusqu'aux entrailles
        Son épieu d'ombre et d'or

J'ignorais cette mort qui m'a fait naître et vivre
Le drame perpétué loin des yeux indiscrets
Pour naître par la mort il faut plus que des livres
        Il faut d'autres secrets

Nature, ces secrets notre âme les échange
Contre beaucoup de force et d'amour et de sang
Et pour m'assassiner il fallait un archange
        Superbe et indécent

Il fallait oublier que les hommes existent
Avec leur tribunal, leurs codes et leurs saints
Il fallait pour tuer les ombres qui m'attristent
        Un archange assassin.

DE NOTRE BONHEUR

De notre bonheur large ouvert
Jamais d'enfants! C'est trop injuste!
Mais non, je mets au monde vers,
Pièces, lettres, dessins et buste.

POUR TON TRÉSOR CACHÉ

Combat de Jacob et de l'ange
Est-il plus suave mélange
Que ces corps soudés, empalés,
Comme l'insecte et l'arbre ailés,
A tel point que d'eux il ne reste
Ici que le double céleste.
Car leur amour d'un double jet
Tuant de la mort le projet
Les énigmes et les manœuvres
Fait des étoiles et des œuvres.

L'HEUREUX MARTYR

Tout le monde qu'on m'enseigna,
Tout ce que m'enseigna le monde,
Croule devant ta force blonde
Jeune bourreau de Mantegna.

Tu me décolles, tu m'écrases
M'achèves d'un corps inhumain
Et ma tête morte à la main
Je te regarde avec extase.

TIENS-MOI FORT

La vie est une foire où si ta main me lâche
Je serais un enfant perdu
Hélas! Hélas! Tu m'as rendu
Le plus courageux, le plus lâche.

Depuis que notre amour est mon unique tâche
Que demander à tous puisqu'un trésor m'est dû.

LES AUTRES

Je dis : Tu n'auras qu'un poème
Et voilà que j'en glisse deux
L'un pour te répéter : « Je t'aime »
L'autre : « Je suis ton amoureux »

Mon cœur trouve réponse à l'éternel problème
Toi c'est moi – moi c'est toi – nous c'est nous –
Eux c'est eux.

MON CHEF-D'ŒUVRE

Ta beauté s'orne de tant d'ailes
A l'épaule, au pied, aux cheveux
Que tout ce qui n'est pas près d'elle
Me semble lourd, mort et baveux.

Oui quelque monstre dans sa bave
Mourant une lance au côté
Tandis que saint Georges se lave
Dans le fleuve de ta beauté!

Ah! Jeannot je chante, je chante
Pour t'avoir le même demain
Car la vie a l'air trop méchante
Sans la caresse de ta main

Que me veulent toutes ces pieuvres
Qui fouillent jusque sous mon toit?
Dix-neuf cent trente-neuf : mon unique chef-d'œuvre
C'est d'être un jour pareil au Jean aimé de toi.

LE SECRET

Maintenant j'ai compris que la plupart des hommes
        Croyaient connaître le désir
        Le bonheur, même le plaisir
Et que tous étaient fous, délaissés, économes

Maintenant j'ai compris que je croyais savoir
        Ce qu'était la chance de vivre
        De voyager au ciel, d'être ivre
(Un contraste entre le désordre et le devoir)

Maintenant j'ai compris que je croyais comprendre!...
        Vaincre le vice et la vertu
        Être de foudre revêtu,
Jaillir d'un sol aride et brûler dans la cendre

Maintenant j'ai compris entre tes bras de sel
        De miel, de poivre, d'ombre et d'ambre
Que je participais au drame universel.

Le drame sans espoir d'être le solitaire
        Qui pense n'être jamais seul
        Et qui confondait son linceul
Avec ce drap taché des sources de la terre

Avec ce bonheur chaste, indécent, inconnu
        De presque tous nos frères d'armes
        Avec ce mélange de larmes
Et de pollen d'amour jailli des membres nus

Avec cet incroyable, innombrable équilibre
D'apprendre quel est cet accord
Qui réveille l'arbre du corps
De faire de sa force une harpe qui vibre.

Je pardonne au méchant, à la haine, à la loi
A ceux dont le désastre bouge
Entre l'étoile blanche et rouge
Ils n'ont pas le secret d'être adorés de toi.

NOUS

Que sont les films et leurs projets
A côté de cette aventure
A côté de nos cœurs qui battent, de nos jets
Jaillis du ventre à la figure?

Que sont-ils ces gens inconnus
Et ces misérables chefs-d'œuvre
A côté de la chaude pieuvre
Que composent nos membres nus?

Où vont ces ombres malheureuses
Loin de nos os et de nos chairs
Et de ces merveilles nombreuses
Que nous savons payer si cher.

LA FORCE ET LA FORCE

Qu'aucun de vous jamais, ô juges, ne se vexe
Vous ne connaissez rien aux mystères du sexe
Car comment se fait-il que toujours les plus forts
Ont retourné vers moi les ombres de leurs corps
Et cherché par ma force un moyen de connaître
La caresse que l'homme exige d'eux pour naître?
Cette fois j'ai connu ce tendre et brusque assaut
Un jeune ange loyal me marque de son sceau
Et je m'offre sans rien chez moi de ridicule
Cette faiblesse en feu qui torturait Hercule.
Jupiter pédéraste emporte dans son bec
Vers les noces du ciel un jeune berger grec.
Que de fatigue en vous s'accumule musée
Du Louvre! Un grand secret sous la patine usée

Se cache et fait durer, mort pire que la mort,
Ce mensonge du fort qui recherche le fort.
Je bâtirai donc seul un temple sur une île
Aux chefs-d'œuvre conçus par mon ventre stérile.

A JEANNOT

Je t'aimais mal, c'était un amour de Paresse
Un soleil de cheveux qui réchauffe le cœur
J'aimais ta loyauté, ton orgueil, ta jeunesse
Et quelque chose de moqueur.
Puis j'ai cru qu'un trésor était à tout le monde
Que je jouais l'avare et qu'il ne fallait pas;
Que tu distribuais ta force rouge et blonde
Que tes pas quitteraient mes pas.
Je me trompais. Et plus, je te trompais de même.
L'amour me couronnait d'un feuillage de feu
Ta rencontre c'était mon drame et mon poème.
Je n'avais donc aimé qu'un peu!
Je te donne mon âme et mon cœur et le reste.
Les fantômes de neige amassés sous mon toit.
Mon destin ne saurait obéir qu'à ton geste
Et ma mort ne vivre qu'en toi.

DEMAIN

J'ai toujours souffert du mensonge
Peut-on aimer un cœur qui ment?
Près de toi le passé me semble un mauvais songe
Mon Dieu, mon Roi, mon fils, mon ami, mon amant.

TRÉSOR CACHÉ

Puisque nul œil n'est encor digne
De pouvoir mettre de côté
La terrible feuille de vigne
Qui cache notre nudité

Loin de la molle farandole
D'une ville qui meurt d'ennui
Je veux chanter ma belle idole
La sentinelle de ma nuit.

Je regarde, sur l'herbe qui frise,
La colonne de mon amant
Et pareille à la tour de Pise
Elle penche légèrement.

Car ainsi qu'agissent les plantes
(Ton sexe est aux plantes pareil)
Il retrousse une force lente
Vers ta figure de soleil.

L'arc-en-ciel au col de l'asperge
La gloire du soleil couchant
Si je ne chantais pas ta verge
Voudraient que j'entonne ce chant.

Mais d'elle seule je m'occupe
Seule elle me jette à genoux
Que d'autres exaltent la jupe
Je célèbre le culte à nous

Soleil fou frappe tes cymbales
Verse tes cataractes d'or!
Soyons cet Héliogabale
Exposant l'idole qui dort.

Ah! j'aimerais courir le risque
De pouvoir exposer ces vers
Tout autour de ton obélisque
Au centre de notre univers.

COURONNE DE MAINS

Si mon nom quelque jour se fixe en une étoile
Et si des jeunes cœurs aiment la regarder
Ils sauront le secret des forces de ma moelle
Et quel ange au travail vint doucement m'aider.

Que serais-je sans toi? Pareil à ces poètes
Qui portent des lauriers de bronze sur la tête
Et qui rôdent tout seuls sur de vagues chemins!
Moi je marche sous la couronne de tes mains.

COMME EXCUSE À MES PRIÈRES

Existe-t-il beaucoup de princes
Qui, se réveillant chaque jour,
N'eurent comme placets, sur des pétales minces
Que déclarations d'amour?

LA CLEF D'OR

De te chanter suis-je digne?
Ai-je bien de l'encre joui?
De mes vers es-tu réjoui?
Lourde est la grappe d'or sous la feuille de vigne.

Lourd le soir, lourd le matin
Lourdes les haltes du destin
Lourde cette terre étrangère...
Mais près de ton sommeil toute chose est légère.

Le ciel a sacré ma maison
Adieu la mauvaise saison
Adieu le soleil et la pluie
C'est où ton corps n'est pas que mon âme s'ennuie.

Tu m'as ouvert avec la clé
Du mystère d'ombre bouclé
Qui se lègue du fond des âges
A genoux contre toi mes fantômes voyagent.

☆

C'est pour toi que je fais des livres
Pour toi des pièces et des vers
Je les voudrais pareils au givre
Que la vitre montre à l'envers.

☆

Ta nuque blonde
Plaît à mes yeux
Le ciel et l'onde
Ne font pas mieux

Le ciel m'attire
Et l'onde aussi
Un doux martyr
Me fixe ici.

Quoi donc m'importe
De ce dehors
Fermons la porte
Sur nos trésors.

POÈME FINAL

Cette nuit je voudrais une large blessure
D'où l'encre coulerait comme un sang de héros
Quelque terrible et fraîche et profonde blessure...
Rouge et noire, pareille au rosier de mes os.

Je voudrais t'adorer cette nuit, en silence,
Ne t'écrire qu'un seul poème cette nuit
(Car une onde toujours après l'onde s'élance)
Et trop de vers, sans doute, à ce silence nuit.

Je voudrais que ton coffre à clous d'or de pirate
Ce poème enferme conserve son secret,
Sous l'océan humain de bave scélérate.

Le silence est un dieu dans ce siècle indiscret.

ILS

Ils peuvent te donner des corps durs et robustes
Des rendez-vous cruels joyeux et clandestins...
Peuvent-ils te donner un palais de tes bustes?
Peuvent-ils te donner l'étoile des destins?

Je suis venu vers toi, malgré l'ombre et le vice,
Pur comme le très pur, naïf et glorieux;
Peuvent-ils, ces voleurs, te rendre le service
Du portrait idéal et du tien dans mes yeux?

TON SILENCE

L'amour est une science
Et de toi j'ai tout appris
Et j'écoute ton silence
Que je n'avais pas compris.

T'ai-je mal aimé, cher ange!
Ange doux, ange brutal...
Pur, limpide, sans mélange
Fermé comme le cristal.

Dans ce cristal je contemple
Le désespoir évité.
Mon bonheur élève un temple
A ta jeune antiquité.

SUR UN GENOU

C'est en relisant les épreuves
De cette *Fin du Potomak*
Que me devint léger le sac
Des cruautés vieilles et neuves.

Je me suis dit que j'étais digne
De ton soleil capricieux
Et que les feuilles de ma vigne
Cachent mal le sexe des dieux

Je me suis dit que j'étais Prince
Et qu'un prince met un genou
Devant le papier rond et mince
Où le ciel se cache pour nous

Je me suis dit que ma guérite
Était peinte de tes couleurs
Et que ma sottise mérite
Que tu fasses couler des pleurs.

Tu dois me baiser et me mordre
Remettre et m'ôter ton anneau
Et quelquefois me passer l'ordre
Où pend un cadavre d'agneau.

PRIÈRE A GENOUX

Faisons un voyage de noces
Mais un vrai! La lune de miel
Soyons fous, excessifs, féroces
Pour ce qui ne vient pas du ciel

Oh! mon ange, je t'en supplie
(Car tu l'aimes : me rendre heureux)
Ayons quatre jours de folie
Le ventre plus grand que les yeux.

Rien qui freine, rien qui sermonne
Le cœur qui bat à se briser
Et sous l'œil, le mauve anémone
Des bienheureux martyrisés.

Ne laisse jamais la paresse
Qui prend la main et les genoux
Se glisser, furtive, entre nous
Et retarder notre caresse.

Le bonheur est-il un métier?
Je crois que le bonheur s'enseigne
Et que le sang blanc que je saigne
Fait revivre le monde entier.

Je veux m'imposer cette règle
Cette inexorable loi,
De t'emporter si haut qu'il faudrait plus qu'un aigle
Un ange pour t'ôter à moi

Jean COCTEAU

NOUS NOUS SAUVERONS DE PARIS DE PARIS...

Nous allons partir en voyage
(Ma bouche l'a lu dans ta main)
Si tu m'aimes j'aurai ton âge
Ton rythme, ton ciel, ton chemin.

Ne me prive pas de l'auberge
Où l'on ne trouve qu'un seul lit
Des Grieux couche avec Tiberge
C'est encor beaucoup plus joli.

☆

Je voudrais rayonner sur ton corps devant eux
Je voudrais te couvrir du parfum des rois mages
Pour qu'un ange qui se déguise en Des Grieux
Entre à ce studio et sorte des images.

Ils ne savent pas ces hommes imprudents
Que ton âme est de feu, de cristal et de neige
Et qu'il ne s'agit plus d'avoir de belles dents
Mais d'alourdir un ange et de le prendre au piège.

LES ÉPINES

Je sentais approcher l'habitude sournoise
Je ne sais quel serpent d'où se glisse le froid

Un air de vice sage et de beauté bourgeoise
Une ombre de malheur, une mince paroi
Au lieu du ciel : des mains soumises qui se croisent
Mais j'habite un royaume où je te sacre roi
J'ai parlé, j'ai risqué ta colère enfantine
Ce quelque chose en toi qui boude et se mutine
Et forme un nœud trop dur ensuite à dénouer
Quel était-il ce voile invisible à trouer?
Il le fallait. Pardonne. Et j'ai troué ce voile
Car ton jeune destin marche sous une étoile
Qui, malgré, oui malgré ce qui de moi t'indigne
Te fait vers mon amour revenir sur un cygne
Calme, noble, affamé d'un céleste appétit
Et dévêtu de tout ce qui nous rend petit
Aucune question gênante ne se pose...
O toi fort, toi frisé, armé comme la rose.

LA HORDE

O toi qui me vins sur un cygne
Sous le casque du Très-Pur
Tous les jours Dieu m'envoie un signe
Par-dessus, à travers le mur.

Signe qu'il faut que je limite
Mon cœur qui souvent se montrait
Et que mon existence imite
Celle qui signe mon portrait.

Signes divins signés du cygne
C'est par toi que me parle Dieu
Toi qui miracules ce lieu
Où j'achève de vivre indigne

Mon Jean protège-le ton Jean
Contre cette horde méchante
Ce n'est que pour toi que je chante
Mon cœur se ferme aux autres gens.

ESCLAVES DU CIEL

Je croyais jusqu'ici que vivre était un rêve
Dont me réveillerait la mort

Un jeune arbre est venu qui me donne la sève
Son feuillage et son pollen d'or

Ne me prive jamais du sacrifice étrange
Que j'ai peu à peu découvert
Et cache les lauriers de bronze que j'échange
Contre ton rayonnement vert

Le marbre qui te forme a de fortes racines
Qui s'enchevêtrent à mon sang
Jeannot sois attentif : lorsque tu m'assassines
Je redeviens jeune et puissant

Évite les plaisirs qui semblent de ton âge
Et dont j'ai l'air de te priver
Tout est grave entre nous, un sublime esclavage
Nous a l'un à l'autre rivés.

PREUVE

Vraiment c'est à mourir de rire
Cette image de Des Grieux!
Il faut à peine savoir lire
A peine entendre avec les yeux
Pour comprendre ce calme où veille le délire
Pour connaître que tout est maussade, ennuyeux
A côté de ton astre enfantin, glorieux
Pour chercher au triomphe un autre point de mire.

C'est si fort que j'y trouve une preuve des dieux
Ils écartent les doigts des cordes de ta lyre
Ils veulent garder pur le fil mélodieux
Chargé du seul secret qu'ils permettent de dire.

Ah! quand tu souffres c'est le pire...
Et cela doit avoir un sens mystérieux
Mon amour sur ton mal n'a donc aucun empire
J'ai honte de ces vers : je devrais t'aimer mieux.

LE POÈTE INDIGNE

Contre le mal tu te défends
Tu deviens pareil à l'enfant

entôt, je demandai à Jean de poser pour moi et je commençai son portrait.

pages suivantes : *Empreintes.*
La main droite de Jean Cocteau; la main gauche de Jean Marais. ▷

Jean Cocteau
✱ 1962

à mon Jeannot
ma main dans la sienne

Jean
✱
1962

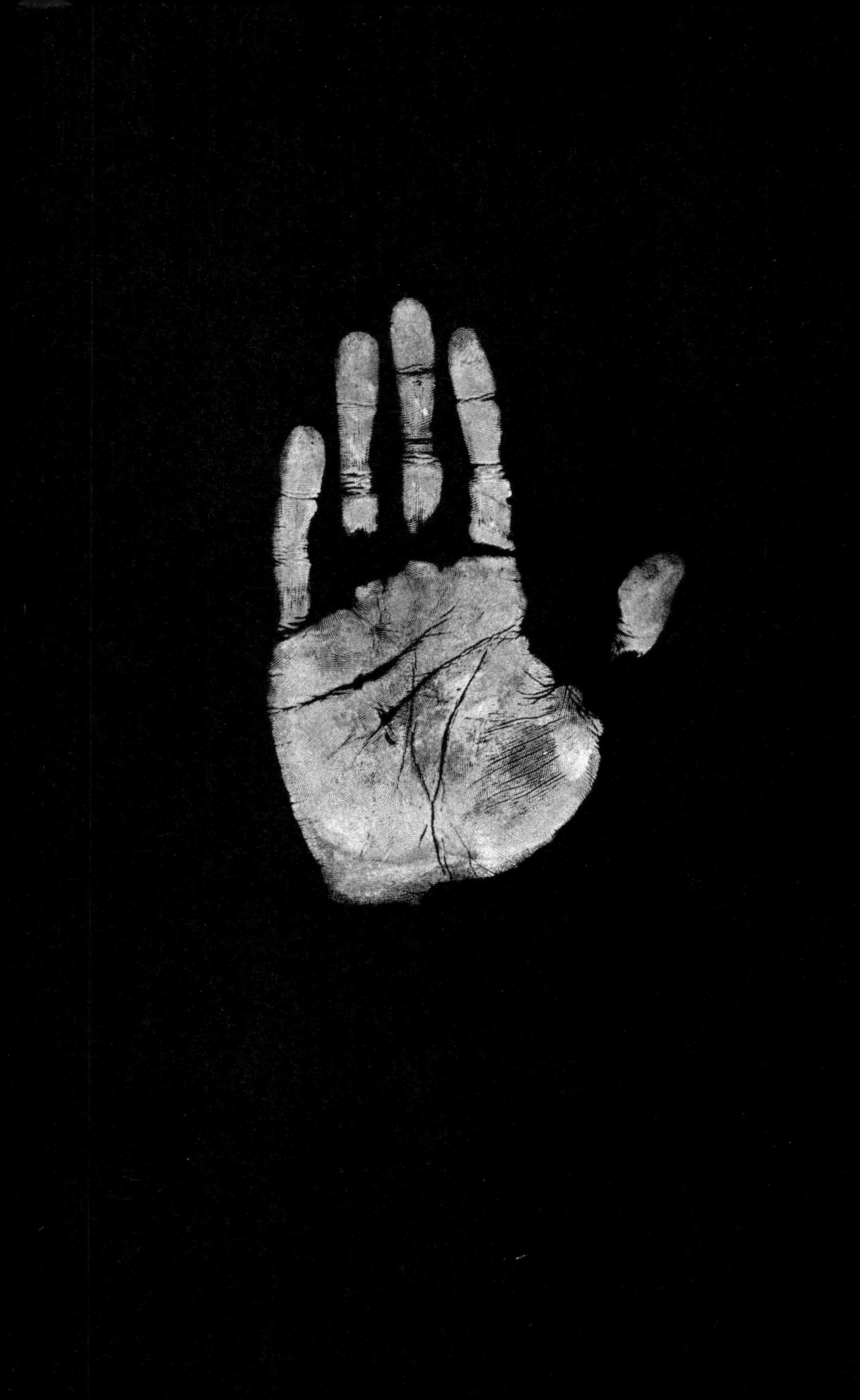

Cette œuvre renferme toute la mythologie de Jean. Je le lui dis.
Et aussi que j'aimais tant ce film que j'accepterais d'y être figurant. Orphée, 1949

A l'animal et tu m'approches
Avec leur œil plein de reproches :
« Tu devrais en avoir des secrets dans tes poches pauvre poète triomphant ! »
Ainsi parle ton œil qui toucherait des roches
Et sans savoir guérir mon pauvre cœur se fend.

CETTE NUIT

Cette nuit je voulais m'endormir dans tes bras
Et tu souffres, Jeannot, et rien ne te soulage
Un fantôme d'amour entre nous deux voyage...
Je traverse le mur, habillé de mes draps

TON SALE MAL

Mon Jeannot je baise tes pieds
Qui te mènent de long en large...
Je n'ose veiller, t'épier,
Vivre dans ta douleur, en marge

Si je savais chanter les lais
Que chantèrent les fées aux reines
Et qui endorment des palais
Si j'avais la voix des sirènes,

Je te soulagerais un peu
(Et déjà, ce serait énorme)
Mais hélas, hélas, rien ne peut
Contre ce mal. Ah! qu'il s'endorme!

Satisfait d'être chanté tant
Et d'habiter ta belle bouche
Que mon porte-plume le touche
Et qu'il se repose content.

ANORMAL

Lorsque Jeannot a du mal
C'est une fleur qui se contracte
C'est la marche d'un animal
A qui tout le reste est égal
Avec le Diable ou Dieu laissez-moi faire un pacte,

Forces qui dirigez nos actes
Voir souffrir de la joie est par trop anormal.

LE CERF D'AUTOMNE

Avant que ton amour l'amour ne me découvre
Je croyais en connaître le jeu!
Le jeu des « ils », le jeu des « je »
C'était une Vénus sur un socle du Louvre
C'était l'ombre d'une ombre et moi le mort vivant.
Le bronze où se calme le faune
Une frénésie, une aumône
La sève qui se trompe et quitte un fou rêvant
Ne m'en veuille jamais d'attendre que tu m'offres
Le jeune arbre de ta beauté
Tandis que tu dors à côté
De ma plainte nocturne au fond d'un rouge coffre

Ah! que ce maudit mal s'en aille de ton corps!
Qu'il me rende ce qui m'étonne
Et que je ne sois plus ce pauvre cerf d'automne
Qui surveille l'appel des corps.

PARDONNE-MOI (On n'est pas plus bête)

La vie a de ces insolences!
La vie est un tournoi d'amour
La vie acclame le silence
On ne peut pas tourner autour.

On ne peut marcher devant elle
On ne peut pas entrer dedans
Ce soir la vie était cruelle
Parce que tu avais mal aux dents.

La vie est vivante et morte
On est son vaincu, son vainqueur
Tu ne fermais que ta porte
J'ai cru que tu fermais ton cœur.

LE PORTRAIT

Ciel qui nous mélange ensemble,
Que Jeannot soit guéri demain
Que le mal sorte par sa main
Et devienne ce mal d'amour qui me ressemble.

J'ÉTAIS

Il y a les films, le dentiste
Il y a les bustes, l'amour
Et le malheur triste, si triste
Que je reste à mes projets, sourd.
Qu'ai-je fait depuis que j'existe?
Chaque minute, chaque jour...
Hélas! je n'étais qu'un artiste.

PARDON JEANNOT

Tout ce qui fut jadis est feu
J'étais un somnambule ivre
Ma mère ne m'a pas fait vivre
Je suis l'adorateur du feu.

Du feu qui de toi s'élance
Du feu qui fait sa braise en toi
Du feu de ton divin silence
Du feu des couronnes de roi.

Mon Jeannot je suis un scandale
De naïve imbécillité
Pardon. Je baise ta sandale
A la porte de ma cité.

JE VEUX

Je veux m'imposer cette règle
Cette inexorable loi,
De t'emporter si haut qu'il faudrait plus qu'un aigle
Un ange pour t'ôter à moi.

Je veux que si jamais se brise l'équilibre
Tu dises : « Je n'ai pas le droit
Vous m'aimez, je vous aime et je ne suis plus libre
Je suis le fiancé du roi »

Si l'autre me tuait, que ma dépouille morte
Pousse un épouvantable cri
Oui je veux t'aimer de la sorte...
Et vivre les amours que le poète écrit.

AUJOURD'HUI

Jadis j'aurais eu peur d'un bonheur trop complet
Mais entre tes beautés ta bravoure me plaît
Je n'ai plus peur de rien. Il n'est rien que je craigne
Puisque ma royauté s'abrite sous ton règne
C'est le règne animal, le règne végétal,
Le règne où tout est pur, solitaire et fatal.

Pourquoi la France, l'Allemagne?
Il n'est que le pays du cœur
Où notre ange nous accompagne
Toujours pacifique et vainqueur.

Jean COCTEAU

LA COUVERTURE

Voici l'automne et le froid
Et cependant je ne tremble...
Nous nous réchauffons ensemble
Sous une hermine de roi.

LE PRIX

Les pauvres, pauvres, pauvres hommes
La victoire est à quel prix!
Mais il faut vaincre cet esprit
Qui déteste ce que nous sommes

LA NOTE

Le bonheur au-dessus des armes
Réchauffe l'énigme du cœur
Sachons refouler nos larmes
L'amour n'est-il pas vainqueur?

Jamais, jamais je ne te quitte
Tu es moi et je suis toi
Tombe le feu sur mon toit...
Beau destin, je serai quitte

Nous n'avons qu'une seule chair
Ah! les merveilleuses vacances!
Logiques sont les conséquences
J'ai tout : je le paye cher

La note

☆

Le bonheur au dessus des armes
Réchauffe l'énigme du coeur
Sachons refouler nos larmes
L'amour n'est-il pas vainqueur ?

Jamais, jamais je ne te quitte
Tu es moi et je suis toi
Tombe le feu sur mon toit...
Beau destin, j'y serai quitte.

Nous n'avons qu'une seule chair
Ah ! les merveilleuses vacances !
Logiques sont les conséquences
J'ai tout : je le paye cher.

☆

Jean
☆

Saint Tropez

☆

Tu ris avec l'ivoire
Du piano joyeux
Des arpèges de gloire
Des candélabres d'yeux.

Soigne ta belle bouche
Qui jamais ne me ment
Mords le destin farouche
Et marque le moment.

Fait pour rire et pour mordre
Soigne ce fruit d'amour
Qui donne le mot d'ordre
Au soldat de la tour.

C'est ta tour que je garde
Sans une ombre d'ennui
Et partout je regarde
Les astres de ta nuit.

SKIS DE L'AIR

La franchise militaire
C'est la nôtre. Écris beaucoup
Nos cœurs ne peuvent se taire
Ils veulent tenir le coup

Puisqu'un drame nous disperse
Faisons un jardin en l'air
Comme il en existe en Perse
Et viens sur tes skis de l'air.

Joie, élégance, courage...
Chance aux cartes et aux dés...
Ainsi je, sur cette plage
T'ai vu, debout, aborder.

☆

Les luxes de Louis II de Bavière
Quels sont-ils à côté de ce luxe
D'une guerre comme la foudre brusque
Et comme lente la rivière?

Comme une rivière de boue
Et nous deux, les sentinelles

Pliant, lustrant, léchant nos ailes
Avec nos bottes debout!

D'abord cette guerre des nerfs
Me fut atroce et néfaste
Et ton astre extraordinaire
Toute la laideur dévaste

Et ne laisse que la merveille
Dans une nuit pleine de pièges
De notre ange double qui veille
Léger comme une statue en liège.

Et criant debout en silence
De nul autre que nous entendu :
« Voyez ma cuirasse et ma lance
Un vrai drame vous était dû! »

MON ENFANT

Mon enfant fait de soleil
De mer et de nuit profonde
Mon enfant fait de sommeil
C'est pour moi le bout du monde.

Mon enfant dort près de moi
Et que me veulent la guerre
Le lendemain et le naguère
Tout est le jour et le mois

Et la date et la minute
Où nous sommes réunis
Dans le calme et dans les chutes
D'un sommeil d'anges punis.

Quand tu dors quel alliage
Se fait de ton rêve et d'or
Un fabuleux mariage
Compose mon fils qui dort

Une masse d'or compacte
Comme une harpe frémit.
Si je pouvais savoir l'acte
Auquel rêve mon ami!

Peut-être qu'il court ou plonge
Et peut-être que pareil
A l'eau de mer dans l'éponge
Sa nuit est faite de soleil.

LÉGENDES

Maintenant j'ai mes paperasses
Je suis en règle avec la loi
Et je peux te suivre à la trace
Jusqu'au château de Tilloloy

Là-bas je peux aller t'attendre
A Roye il existe un hôtel
Où dans une chambre peu tendre
L'amour allume son autel.

Or un jour on dira : naguère
Y vint un poète français
Car son ami faisait la guerre
Et l'amour les réunissait

L'ami s'en allait par la porte
Et s'en revenait par le toit
Jeannot la guerre sera morte
Mais on se souviendra de toi.

SALUT AU 107e

Il est jeune   Il est antique
Il est grave   Il est exquis
Il s'élance sur ses skis
        Nautiques
Il est soleil   Il est arbre
Il est sûr   Il est danger
Sur la mer c'était un marbre
        Léger
Jeannot je ne m'y connais guère
En politique et en guerre
Deviner l'avenir est vain
Mais notre amour est divin.

LA GUERRE

Le matin j'arrive à Roye
Comme en un cheval de Troie
Et au village d'Amy
Je vois venir mon ami.

☆

Fils de roi, toi qui te caches
Et portes l'uniforme bleu
Comme de fausses moustaches
Quel est ton royaume? dis-le

Ne m'en fais plus un mystère
Je le demande à genoux
Ton royaume est-il de la terre
Comment te glisses-tu chez nous?

Comment ai-je eu la chance insigne
De me trouver sur ton chemin
Réponds beau dormeur dont la main
Repose au bout d'un col de cygne.

NOTRE ÉTOILE

Il est possible que les astres
Se trompent de quelque cent ans
Et confondent les désastres
Dans l'espace et dans le temps

D'intelligence je n'ai guère
J'ai mon électricité...
Je crois qu'il faut gagner la guerre
Pour l'étoile de ma cité.

Tu vas, tu viens dans ma voiture
Ton soleil brille : je souris
Vive notre chance future!
Sur les ruines de Paris.

LE VIN

Hitler a tué ses amis
Ces crimes ne sont pas permis...
Mais devant le Ciel et l'Église
Notre passion est permise

Les plantes et les animaux
Nous enseignent notre ligne
Lorsque tu plantes ma vigne
Je récolte le vin des mots.

NOUS

Cette guerre est sans merci
Comme celle de naguère
Jeannot, retiens bien ceci
Nous ne sommes pas en guerre

HOMMAGE AU CHEVREUIL MATFORD

La guerre vint. Je mourais
Avec les rêves et les livres
Un ange nommé Jean Marais
M'enseigna le secret de vivre

L'espoir illumine son œil
Il déteste l'ombre et le doute
Et comme un faune sur les routes
Il chevauche notre chevreuil

☆

Dans la paix de naguère
J'étais un indigent
J'aime mieux une guerre
Avec l'amour de Jean

VIVE MON ROI

Le ciel m'aide à tourner un beau film en septembre.
Sous un aigle emporté, bien au-dessus des lois,
Comme il mouille nos yeux, comme il dresse nos membres,
Il me fasse être un dieu qui protège le roi.

LA CHAMBRE D'ÉLIANE

107, Jeannot et moi-même
Nous nous sommes endormis
Le sommeil est un poème
Le poème des amis.

Notre ange qui se déguise
Pour Noël au feu de bois
Laisse pendre sa chemise
Sur le sommeil de nous trois.

Il s'amuse, il nous protège
Il change la bûche en or
Mais les anges du dehors
Sont de ténèbre et de neige.

Noël je tombe à genoux
Faites que cesse la guerre
Nous trois nous ne l'aimons guère
Et la paix habite en nous.

Cette nuit Noël va descendre
Pour nous réchauffer un peu
Car il, comme la salamandre,
Pose ses pieds sur le feu.

L'ESPALIER

Dure, si dure fut ma vie!
Merci d'avoir payé bien cher
La chance de donner envie
Aux désirs de ta chère chair.

Rien n'a valu trop de souffrance
A mon destin particulier
Et même au destin de la France
Si ces marches aboutissaient à ce palier.

Le mur de ma prison était un espalier
Il fallait pour le voir ta folle transparence.

SANS TOI

Sans toi le monde est monde
Et le mal est mal
Sans toi la terre est ronde
Animal l'animal.

Mais avec toi tout change
Rien n'est à rien pareil
Un soldat est un ange
La nuit flambe au soleil.

Noble est l'hôtel de Roye
(Il devient ton décor)
En marin je guerroie
Et je suis jeune encor!

DESTIN INCOMPARABLE

Bénie sois-tu terre des hommes
Tempête et mort, chambre où nous sommes
Château d'un endroit de la Somme
Mon destin, mon tout, ma somme.

O Dieu juste je vous somme
De n'être pas économe
Je veux le ciel et la pomme
Je veux Bethléem et Rome
Et n'être pas heureux comme.

LES PROMIS

Ton amour m'arrache des cris
Comme la fusée ou le sang
Je te donne mes mots écrits
Et tous les maux que je ressens.

De nos profondes épousailles
Naît un espoir, un rêve tels
Que la paix se signe à Versailles
Au 15 de l'hôtel Vatel

Vive la guerre et les croisades
Qui réunissent les amis!
Vivent les humides rasades
D'une ivresse de cœur promis

Promis depuis le fond des âges
Promis bien avant nos naissances
Avant les œuvres, les voyages,
Et notre humaine connaissance.

☆

Qu'il est beau, qu'il est étrange
Ce joli dormeur ailé
Quelquefois sa pose change
Dans son bras gauche enroulé

On dirait qu'il me fait signe
Avec ce bras gauche en l'air
Qui d'un col, d'un col de cygne
Qui d'un col de cygne a l'air.

Soudain son bras se déroule
Acte, rêve, or, fils tu meurs!
Et il glisse dans la foule
Anonyme des dormeurs

☆

Un voile clair, un voile épais
Recouvre notre destinée
Mais l'étoile qui nous est née
Demeure une étoile de paix.

Peuvent-ils nous mentir, les astres
Ou se trompent-ils de cent ans?
Et confondent-ils les désastres
Dans la perspective du temps.

Étoiles, faites des mensonges!
Je crois mon amour et mes songes.

LA GUERRE

Bientôt Versailles sera jaune
(C'était moins beau quand c'était vert)
Vive cet avenir ouvert
A tes innocences de faune!

Je t'attendais seul et tu vins
Avec le système des anges
Et nous avons fait les vendanges
Et nous avons bu notre vin.

Est-il possible qu'on lamente
Lorsque, sous l'aigle de la mort,
Ma chance et ta chance s'aimantent
Pour battre des médailles d'or.

MARS

Debout, non loin de ta chambre
J'attendais le signal du cor
Or c'était au mois de septembre
Que devait changer le décor

Il est malade le grand Pan
Je le ressentais dans les moelles
Mais c'est de nos seules étoiles
Que le sort des armes dépend.

C'est dans un village de la Somme
Et qui porte le nom d'Amy
Que se résume cette somme
Que l'on nomme du nom d'ami

Un ami c'est ce qu'il faut taire
C'est encore plus qu'un amant
C'est un archange militaire
Caché dans un cantonnement.

C'est grâce aux ondes qu'il dégage
Que le poète du bateau
Donne à son esprit un langage
Et se déguise en Jean Cocteau.

LA PAIX

Qu'est-ce que le fracas des armes
Et les colères et les larmes?
Et les vaincus et les vainqueurs?
J'ai signé la paix dans ton cœur.

Mon Jeannot, mon fils, mon ami
Sur mon cœur de Noël tu règnes
Lorsque tu t'envoles d'Amy
Jusqu'à Tilloloy (par Beauvraignes)

Comment fais-tu pour être, en somme
Un de ces soldats de l'ennui...
Et de vivre dans notre Somme
Et d'allumer toute ma nuit?

Ma véritable vie est née
Après que j'ai connu Jeannot
Maintenant nous mélangeons nos
Chaussures dans la cheminée.

LA BOUTEILLE A L'AIR

Tout nous sépare et nous rapproche
Et nous ne nous quittons jamais
J'ai tes promesses dans ma poche
Et les miennes tu les y mets

Par-dessus les catastrophes
Et le désordre postal
Je lance le feu des strophes
L'amour est un dieu fatal.

NOËL 1950

Mon Jeannot! mon nomade
Le ciel nous réunisse!
L'avenir est malade
Sous le soleil de Nice

Tâchons de vivre ensemble
Sous un ciel guérisseur
La beauté te ressemble
Et la bonté, sa sœur.

CARTE POSTALE SOUVENIR

L'alcyon où la neige dort
Où? Cherchez vous-même. Le sais-je?
Nous irons dormir sous la neige
A l'auberge du Chamois d'or.

Le soleil sur les hautes cimes
Veloutait les neiges cruelles
C'est ainsi que nous réussîmes
A voler sans acheter d'ailes.

Ainsi nous nous envolâmes
Ainsi que le froid endormait
Les enveloppes de nos âmes
Jusqu'au crocus du mois de mai.

C'est ainsi que l'alcyon vole
C'est ainsi que la neige fond
C'est ainsi, c'est ainsi que font
Les plumages de ma parole.

Illustrations

HORS TEXTE

DANS LE TEXTE

Table

SUITE POÉTIQUE

☆

La composition
et l'impression de ce livre ont été effectuées
par l'Imprimerie Floch à Mayenne
pour les Éditions Albin Michel

AM

Achevé d'imprimer le 25 avril 1975
N° d'édition 5448. N° d'impression 13486
Dépôt légal 2e trimestre 1975

IMPRIMÉ EN FRANCE